Loretta Chase

C'est la reine incontestée de la romance de type Régence dans les pays anglophones, notamment avec le fameux *Lord of Scoundrels*, véritable phénomène éditorial, que les Éditions J'ai lu ont eu l'immense plaisir d'offrir aux lectrices françaises sous le titre *Le prince des débauchés*. Surnommée la Jane Austen des temps modernes, Loretta Chase, passionnée d'histoire, situe ses récits au début du XIXe siècle. Elle a renouvelé la romance avec des héroïnes déterminées et des héros forts, à la psychologie fouillée. Style alerte, plein d'humour, elle sait analyser avec finesse les profondeurs de l'âme et de la passion. Elle a remporté deux Rita Awards.

Loretta CHASE

Lady Carsington

ROMAN

*Traduit de l'américain
par Anne Busnel*

Titre original
LAST NIGHT'S SCANDAL

Éditeur original
Avon Books, an imprint of HarperCollins Publishers, New York

© Loretta Chekani, 2010

Pour la traduction française
© Éditions J'ai lu, 2011

Remerciements

À Herrick et à Nick, toujours parfaits, pour leur inspiration et leur génie comique ; aux interprètes du Colonial Williamsburg qui, avec une infinie patience, ont partagé leur incroyable érudition, enduré d'interminables séances photo et m'ont inspirée plus qu'ils ne le croient – et un merci particulier à Mark Schneider et à Susan Cochrane, pour m'avoir expliqué les subtilités des attelages de l'ancien temps ; à Sherrie Holmes, pour sa science équine ; à Walter, pour tout, en particulier la fois où il a accouru au triple galop sur son destrier blanc pour me sauver une fois de plus ; et à Nancy, Susan et Cynthia, qui savent déjà pourquoi.

Prologue

Milord,

Vous devez _absolument_ brûler cette lettre après l'avoir lue. Si elle venait à tomber entre de mauvaises mains, je serais une fois encore exilée à LA CAMPAGNE dans l'une des propriétés de mes oncles, où il est _certain_ que l'on s'empressera de me CLOÎTRER. Je n'ai rien contre un grand bol d'air pur de temps en temps, mais être ENFERMÉE et privée de toutes relations sociales (par peur des mauvaises fréquentations) serait _intolérable_ et me conduirait _assurément_ à commettre un Acte Désespéré.

Je suis _sans cesse_ surveillée. Afin de vous envoyer cette lettre sans qu'elle soit censurée ou confisquée, j'ai dû la rédiger dans ma cachette et m'assurer la complicité de certaines personnes – dont les noms doivent rester _secrets_ sous peine de REPRÉSAILLES ÉPOUVANTABLES.

Si je me lance dans cette périlleuse entreprise, ce n'est pas seulement en souvenir de ce fascinant voyage que nous avons entrepris ensemble il y a précisément un an, pour rejoindre Bristol. Je ne risquerais pas non plus ma liberté pour vous parler de la pluie et du beau temps, ou aborder les sujets assommants auxquels une jeune fille doit se cantonner en compagnie d'un jeune homme – même s'il s'agit pratiquement de son _frère_ ou d'un genre de cousin. NON. Si je suis contrainte d'avoir recours à la ruse, c'est qu'il est mon DEVOIR de vous informer d'un fait _de la plus haute importance_ vous concernant.

Bien que les enfants ne soient pas censés être au courant de ces choses, je ne suis pas aveugle, et j'ai bien remarqué que votre mère était encore dans une _situation intéressante_.

Certes, c'est plus que choquant à son âge, d'autant qu'il s'est écoulé à peine un an depuis la naissance de votre frère. À ce propos, le petit David vous ressemble de plus en plus. Durant leurs premiers mois, les nourrissons sont un peu comme des caméléons, ils changent sans cesse, mais on dirait que David a enfin sa physionomie définitive. Comme vous, il est blond, et ses yeux sont désormais de cette nuance de gris si particulière qui est la vôtre. Mais je m'égare.

Dans la mesure où TREIZE années séparent votre naissance de celle de David, je me suis vivement interrogée sur ces grossesses tardives. Grandmère Hargate affirme que l'explication tient en ces _longs séjours_ que vos parents ont effectués ces dernières années dans ce qu'elle appelle _leur petit nid d'amour écossais_. Ce serait, toujours aux dires de grand-mère Hargate, l'effet conjugué de la panse de brebis farcie et du whisky écossais. Cette combinaison avait également, paraît-il, un effet _prodigieux_ sur grand-père Hargate. ~~Et je sais exactement ce qu'elle entend par « prodigieux » parce que je suis tombée par hasard sur sa collection de gravures coqu~~

Je ne puis m'étendre davantage sur le sujet si je veux que cette lettre vous parvienne. Vous n'imaginez pas les PRÉCAUTIONS que je dois prendre. Par chance j'ai des alliés. Si je me fais prendre, je serai sans doute condamnée à être EMPRISONNÉE À LA CAMPAGNE. Mais, comme vous le savez, ma sécurité et mon bonheur importent peu si je puis servir une _noble cause_.

Bien à vous,

Olivia WINGATE-CARSINGTON

Thèbes, Égypte, 10 novembre 1822

Chère Olivia,

J'ai reçu votre lettre il y a quelques jours et je regrette de ne pas avoir pu y répondre plus tôt, mais mes études et nos travaux accaparent tout mon temps. Aujourd'hui cependant, oncle Rupert est parti expulser un groupe de Français d'un de nos chantiers archéologiques – pour la troisième fois ! La canaille gauloise attend que nos gens aient déblayé le sable et les gravats, ce qui prend d'interminables semaines. Ensuite, ces feignants sortent de leur manche un décret d'un préfet local de leur invention qui, prétendent-ils, leur accorde à eux seuls le droit de fouiller le site.

Je suis tout autant qu'un autre capable d'en découdre, et j'aurais naturellement accompagné oncle Rupert dans son expédition punitive, si tante Daphné ne m'avait ligoté au bastingage de la daha-beya (un de ces bateaux très pratiques pour naviguer sur le Nil) et ne m'avait enjoint d'écrire à ma famille afin de donner des nouvelles.

Le problème, c'est que s'ils recevaient une lettre de ma part, mes parents se rappelleraient tout à coup

13

mon existence. Leurs vieux réflexes leur reviendraient alors, et il ne serait pas impossible qu'ils réclament mon retour à cor et à cri. Je serais obligé de subir leurs effusions mélodramatiques jusqu'au jour où, ayant oublié pourquoi ils tenaient tant à ma présence, ils me renverraient dans l'une de ces horribles écoles qu'ils affectionnent tant.

Il est donc exclu que je prenne ce risque. En revanche, en tant que belle-fille de lord Rathbourne, vous faites indubitablement partie de ma famille. Personne ne pourra donc me reprocher de vous écrire.

La nouvelle que vous m'annoncez dans votre dernière missive éveille en moi des sentiments mitigés. D'un côté je suis profondément navré d'apprendre qu'un autre innocent va faire les frais de l'hystérie parentale. D'un autre, en bon égoïste que je suis, je me félicite qu'un nouveau venu entre dans notre famille, après avoir déjà attendu si longtemps la venue de David (et tant mieux si celui-ci pousse comme un champignon !).

Je ne vois pas pourquoi l'on s'offusquerait que cette nouvelle me parvienne par votre entremise, mais il faut bien avouer que je n'ai jamais compris pourquoi les femmes étaient soumises à des règles aussi strictes que particulières. Si cela peut vous consoler, c'est bien pire ici pour les Égyptiennes. Quoi qu'il en soit, j'espère qu'on ne vous emprisonnera pas pour avoir éclairé ma lanterne. Votre nature n'est pas de celles qui s'adaptent aisément aux contraintes, et encore moins à la captivité. Je m'en suis rendu compte au cours de l'aventure à laquelle vous faites allusion dans votre courrier.

Ce voyage à Bristol, décidé sur un coup de tête par la plus fantasque des têtes brûlées – des mots que désormais je ne peux plus dissocier de votre personne –, reste à jamais gravé dans ma mémoire, au même titre que les inscriptions grecques et égyptiennes sur la pierre de Rosette. Si d'ici quelques siècles il se trouve quelqu'un pour exhumer ma dépouille et disséquer mon cerveau, on trouvera assurément ces mots imprimés dans la matière grise de mes méninges : Olivia. Fantasque. Tête brûlée.

Je laisse les sentiments à mes parents, et ne raisonne qu'en me fiant aux faits. Et le fait est que ma vie a pris un tour nouveau après cette escapade à Bristol. Si je ne m'étais pas enfui avec vous, on m'aurait envoyé dans l'un de ces sinistres pensionnats écossais où l'on applique des principes spartiates – encore que, pour être tout à fait juste, les Spartes aient été beaucoup moins sévères en comparaison. En plus des professeurs bornés et tyranniques, j'aurais eu à supporter des conditions de vie atroces en étant soumis à des supplices quotidiens tels que l'accent autochtone, le climat odieux et le tintamarre des cornemuses.

En guise de remerciement, j'inclus dans cette épître un petit présent. Selon tante Daphné, le signe du scarabée se dit kheper, en prononçant le « kh » comme le ach allemand. Les hiéroglyphes ont plusieurs sens et fonctions, et le scarabée évoque le renouveau. Je considère ce séjour en Égypte comme une sorte de renaissance. Il se révèle bien plus excitant que je n'osais l'espérer. Au fil des siècles, le sable a englouti des univers entiers que nous commençons tout juste à découvrir. Les gens d'ici me fascinent, et mes journées sont, tant sur le plan intellectuel que physique, plus stimulantes qu'elles le seront jamais en Angleterre. J'ignore quand nous rentrerons. Pas avant longtemps si j'ai mon mot à dire.

Je vous abandonne ici. Oncle Rupert vient de rentrer – en un seul morceau, vous serez heureuse de l'apprendre –, et j'ai hâte d'entendre de sa bouche

Quatre ans plus tard

Londres, 12 février 1826,

Mon cher L,

Joyeux DIX-HUITIÈME ANNIVERSAIRE!
*Je serai brève, car on est sur le point de me bannir
de nouveau, cette fois dans le Cheshire, chez oncle
Darius. Cela m'apprendra à emmener une sale RAP-
PORTEUSE telle que Sophy Huble dans une maison
de jeu.*

*Comme je regrette que votre récente visite en Angle-
terre ait été si courte! Nous aurions pu célébrer
<u>ensemble</u> ce grand jour. Mais oui, je sais, vous êtes
<u>bien mieux</u> en Égypte.*

*Du reste, si vous vous étiez attardé ici, on ne vous
aurait peut-être pas permis de repartir.*

*Peu après votre départ, nous avons vécu une
CRISE MAJEURE avec vos parents. Comme vous le
savez, je protège toujours, dans la mesure du possible, les adultes de la Vérité. Aussi ai-je affirmé à
lord et lady Atherton que ce qu'on appelait la peste
en Égypte n'avait rien à voir avec ce FLÉAU MOR-
TEL ET TERRIBLEMENT CONTAGIEUX qui*

causait des ravages au Moyen Âge, et qu'il s'agissait seulement d'une affection mineure très répandue chez les voyageurs. Je voulais juste les tranquilliser à votre sujet. Mais quelque temps plus tard, il a fallu que quelqu'un se mêle de rétablir la Vérité ! Voilà qu'une sorte de FOLIE les a pris alors. Ils ont pleuré, tempêté, allant jusqu'à EXIGER que votre bateau soit <u>rappelé à quai</u> ! Je leur ai dit que vous n'y survivriez pas, mais ils ont prétendu que je <u>dramatisais</u>. Moi ! Pouvez-vous imaginer cela ? ~~C'est vraiment la poêle qui se moque du chau~~ Mais je dois cesser là. Le valet qui vient chercher mes malles attend.

Pas le temps de vous raconter les détails. Sachez seulement que beau-papa est intervenu et que, <u>pour le moment</u>, vous êtes TIRÉ D'AFFAIRE.

Adieu, mon ami. J'ignore si je vous reverrai un jour et… Saperlotte, je dois y aller.

Votre dévouée,

Olivia CARSINGTON

P.-S. : Oui, j'ai abandonné « Wingate », et vous ne vous demanderez plus pourquoi quand je vous dirai en quels termes révoltants mon oncle paternel a parlé de ma mère. Si papa était encore en vie, il le déshériterait sur-le-champ et… Ce maudit valet ne veut plus attendre. Adieu !

O.

*Dans un village à cinq lieues d'Édimbourg, Écosse,
mai 1826*

Cela faisait deux ans que le château de Gorewood était inhabité.

Le vieux Frédérick Dalmay, dont la santé décli-
nait, était parti vivre dans une maison plus saine
et confortable à Édimbourg. Son intendant ne lui
avait pas encore trouvé de locataire, et le gardien,
qui avait été victime d'un accident, n'était toujours
pas revenu.

Tout cela expliquait que les travaux de rénovation, entrepris depuis une éternité – ou, plus précisément, depuis l'installation de M. Dalmay à
Gorewood – se soient quelque peu ralentis.

Ainsi, en cette soirée printanière, Jock et Roy
Rankin n'avaient pas lieu de s'inquiéter : ils ne
seraient dérangés par personne.

Comme d'habitude, ils étaient venus piller ce
qu'ils pouvaient. Dans un premier temps, ils s'étaient
intéressés aux splendides moellons des remparts,
avant de s'apercevoir que ceux-ci ne résistaient pas
à une chute de plus de trente mètres.

Les sous-sols du château, pleins d'éboulis et de
décombres, autorisaient une récolte plus fruc-

tueuse. Il y avait là de beaux blocs de pierre qui se monnayaient au prix fort. Quelqu'un avait même réussi à dérober un morceau de l'escalier.

Alors que les deux lascars s'évertuaient à dégager un gros fragment d'escalier enchâssé dans le mortier, la lumière de la lanterne se refléta soudain sur un petit objet de forme ronde qui ne ressemblait ni à un morceau de mortier ni à un caillou.

Jock le ramassa et le retourna en tous sens :

— Regarde ça, Roy…

En réalité, ce ne sont pas exactement les mots qu'il prononça. Les frères Rankin parlaient le patois local qu'un Anglais bon teint aurait facilement pu confondre avec du sanskrit ou de l'albanais. Mais s'ils avaient parlé une langue compréhensible, la conversation qui suivit aurait donné à peu près ceci :

— C'est quoi ce machin ?

— Sais pas. Poignée de porte ?

— Fais voir.

Après avoir essuyé la couche de poussière qui recouvrait l'objet, Roy hasarda :

— P't'être une médaille.

Le regard de Jock s'éclaira.

— Si elle est vieille, on peut en tirer un bon prix !

— Sûr.

Roy gratta le métal de l'ongle et épela péniblement :

— *R-E-X… C-A-R-O-L-V-S.*

Jock, dont les compétences en matière de lecture se limitaient à identifier l'enseigne des tavernes, demanda :

— C'est quoi ?

— Une pièce, idiot !

Et les deux hommes se remirent à creuser avec une énergie décuplée.

1

Londres, 3 octobre 1831

Pérégrine Dalmay, comte de Lisle, regarda son père, puis sa mère, avant de lâcher d'un ton catégorique :

— En Écosse ? Sûrement pas !

Le marquis et la marquise d'Atherton échangèrent un regard. Lisle n'essaya pas d'en deviner le sens. Ses parents vivaient sur une autre planète.

— Mais nous comptions sur toi, protesta sa mère.

— Pourquoi ? J'ai pourtant été très clair dans ma dernière lettre. J'ai bien précisé que je ne resterais que peu de temps avant de retourner en Égypte.

Ils avaient attendu jusqu'à maintenant – alors qu'ils étaient sur le point de partir pour Hargate House – pour évoquer cette crise qui affectait l'un des domaines ancestraux de la famille Dalmay.

Ce soir-là, le comte et la comtesse de Hargate donnaient un bal pour célébrer le quatre-vingt-quinzième anniversaire d'Eugénia, comtesse douairière de Hargate et doyenne de la famille Carsington.

Lisle était rentré d'Égypte pour assister à cette réception, et pas seulement parce que c'était sans doute la dernière occasion qu'il aurait de voir en vie la malicieuse vieille dame. À presque vingt-quatre ans, même s'il n'était plus sous la tutelle de Rupert et de Daphné Carsington, il les considérait comme sa famille. En fait, ils étaient même la seule famille convenable qu'il eût jamais connue. Et pour rien au monde il n'aurait manqué cette fête.

Il avait hâte de les retrouver, surtout Olivia, qu'il n'avait pas revue depuis cinq ans. À son arrivée à Londres quinze jours plus tôt, il avait appris qu'elle était dans le Derbyshire. Elle n'était rentrée que la veille.

Début septembre, quelques jours après le couronnement[1], elle s'était réfugiée dans la maison de campagne de ses parents après avoir rompu ses fiançailles. Pour la troisième ou quatrième fois – elle avait mentionné les précédentes dans ses lettres, mais Lisle en avait perdu le compte.

Cette fois, elle avait apparemment battu tous les records de brièveté. Moins de deux heures s'étaient écoulées entre le moment où elle avait accepté la bague de lord Gradfield et celui où elle la lui avait retournée, accompagnée d'une de ses fameuses missives pleines de mots soulignés et de majuscules. Sa Seigneurie en avait pris ombrage au point de provoquer en duel un malheureux badaud qui n'en pouvait mais. Au cours du combat qui avait suivi, les deux adversaires s'étaient mutuellement blessés. Il n'y avait toutefois pas eu mort d'homme.

La routine quand on connaissait Olivia.

Quoi qu'il en soit, Lisle n'était certainement pas rentré chez lui pour revoir ses parents, qu'il trouvait grotesques et immatures. Ils avaient beau

---

1. De Guillaume IV *(N.d.T.)*

avoir des enfants, ils ne formaient pas une famille. Totalement centrés sur eux-mêmes, leur existence était ponctuée d'innombrables mélodrames.

Ce qui se passait en cet instant était typique : la grande scène du deux, au beau milieu du salon. Quel individu normal aurait abordé un tel sujet au moment de se rendre à une réception ? Mais le marquis et la marquise se moquaient bien de ce que faisaient les gens normaux.

Donc le château de Gorewood tombait en ruine. Cela ne datait pas d'hier puisque le processus avait démarré trois ou quatre siècles plus tôt, en dépit des périodes de travaux sporadiques. Mais pour une raison connue d'eux seuls, les parents de Lisle avaient tout à coup décidé que cette vénérable demeure devait retrouver sa splendeur d'antan.

Ils exigeaient donc de leur fils aîné qu'il se rende là-bas séance tenante afin de superviser la rénovation qui n'avançait pas en raison de la présence intempestive de... *fantômes* ?

— Tu dois y aller, insista sa mère. Ce n'est plus possible, il faut faire quelque chose. Quelqu'un doit agir !

— Tout à fait. Et ce quelqu'un, c'est votre régisseur, rétorqua-t-il. Ne me dites pas que Mains est incapable de trouver des ouvriers dans tout le Midlothian. C'est absurde. Je croyais que les Écossais cherchaient du travail.

Il se rapprocha du feu pour se réchauffer les mains. Quelques semaines ne lui avaient pas suffi pour s'acclimater aux rigueurs du climat anglais. On était en automne, pourtant il avait l'impression d'être au cœur de l'hiver. Alors plutôt mourir que d'aller en Écosse où le temps était déjà horrible en été : grisaille, bourrasques, crachin... Et on pouvait s'estimer heureux quand on échappait à la neige fondue !

Il n'était pourtant guère soucieux de son confort. L'Égypte était, à proprement parler, plus rude encore. Mais le pays regorgeait de trésors à découvrir quand l'Écosse ne lui offrait rien du tout. Il ne trouverait là-bas aucun mystère ancien à élucider.

— Mains a tout essayé, même les pots-de-vin, rétorqua son père. Crois-moi, Pérégrine, rien n'y fera tant qu'un homme de la famille ne sera pas sur place. Ces Écossais ont une mentalité clanique. Chez eux, c'est le laird qui commande. Moi, je ne peux pas y aller. Il m'est impossible de laisser ta mère alors qu'elle est si fragile.

En d'autres termes, elle était encore enceinte.

La marquise porta une main tremblante à son front.

— Il semble que vous allez devoir m'abandonner quand même, mon bon ami. Pérégrine ne s'est jamais soucié que du grec, du latin et du pope !

— Du *copte*, corrigea Lisle. C'est la langue ancienne des…

— L'Égypte, toujours l'Égypte ! se lamenta sa mère avec un petit sanglot théâtral. Des pyramides, des momies, des parchemins ! Et nous dans tout cela ? Tes frères ne savent même pas qui tu es !

— C'est faux. Ils savent que c'est moi qui leur envoie tous ces cadeaux amusants de l'étranger.

Pour ses cadets, il était ce grand frère mystérieux et plein d'audace qui vivait des aventures extraordinaires dans un pays lointain fourmillant de dangers. De fait, il leur faisait parvenir le genre de présents propres à enchanter des petits garçons : des bestioles momifiées, des mues de serpent, des dents de crocodile, et de superbes scorpions parfaitement conservés. Il leur écrivait également, avec une grande régularité.

Cependant, il ne parvenait pas à faire taire la petite voix intérieure qui lui murmurait qu'il avait abandonné ses frères. Même s'il savait que sa présence ici, en Angleterre, n'aurait rien changé, et l'aurait seulement astreint à partager leur quotidien tragique.

Une seule personne était capable de raisonner le marquis et la marquise d'Atherton : lord Rathbourne, connu dans la bonne société sous le nom de lord Parfait. C'était lui qui avait arraché Lisle aux griffes de ses parents. Mais à présent, il avait sa propre famille sur laquelle veiller.

Lisle avait beau se sentir coupable vis-à-vis de ses frères, il n'était pas question qu'il aille se geler en Écosse. Cela aurait eu pour conséquence de retarder de plusieurs semaines son retour en Égypte. Et pour quel résultat ?

— Je ne vois pas le rapport entre mes frères et ce château croulant, s'impatienta-t-il. Je ne vais tout de même pas parcourir presque deux cents lieues pour galvaniser une bande d'ouvriers superstitieux ! Je les comprends, notez bien. En Écosse, tous les châteaux sont hantés. Sans parler du reste : champs de bataille, arbres, rochers. Les Écossais adorent leurs fantômes.

— Il ne s'agit pas de banales apparitions, objecta son père. De graves incidents sont survenus. On a entendu des hurlements à vous glacer le sang au milieu de la nuit.

— On prétend qu'une malédiction endormie depuis des siècles a été réveillée quand le cousin Frédérick a marché par mégarde sur la tombe de l'arrière-arrière-grand-mère de Malcom MacFetridge, ajouta la marquise avec un frisson. Frédérick est tombé malade tout de suite après. Et trois ans plus tard, il était *mort* !

Lisle jeta un regard autour de lui. Mais il n'y avait personne vers qui il aurait pu se tourner pour s'exclamer : « Avez-vous déjà entendu un tel ramassis de bêtises ? »

Ses parents n'étant pas plus capables d'entendre raison que lui d'entendre le chant des sirènes, à ce stade de la conversation il était grand temps de se raccrocher à des faits tangibles.

— Frédérick Dalmay avait quatre-vingt-quatorze ans, rappela-t-il. Il est mort dans son sommeil, chez lui à Édimbourg, à cinq lieues du château prétendument maudit.

Son père balaya ce piètre argument.

— Là n'est pas la question. Ce qui importe, c'est que Gorewood appartient aux Dalmay et qu'il est en train de s'écrouler.

« Et c'est maintenant que vous vous en souciez ? », faillit répliquer Lisle. Le château n'était pas entretenu depuis des années. Pourquoi devenait-il tout à coup si important ?

Ce n'était pas bien compliqué à deviner. Étant physiquement présent, Lisle ne pouvait ignorer ses parents comme il ignorait leurs lettres. Toute cette histoire n'était en réalité qu'une ruse afin de l'obliger à rester en Angleterre. Pas parce qu'il leur manquait ou parce qu'ils avaient besoin de lui, simplement parce qu'à leurs yeux, c'était là qu'il devait être.

— Mais regarde-le, il s'en moque ! gémit sa mère. Quand Pérégrine s'est-il soucié de nous, de toute façon ?

La marquise s'arracha à son fauteuil et courut vers la fenêtre, comme si elle avait l'intention de se jeter dans le vide sous l'emprise du désespoir. Lisle ne s'alarma pas. Sa mère ne s'était encore jamais défenestrée, pas plus qu'elle ne s'était fracassé le crâne contre le manteau de la cheminée. Chez ses parents, les manifestations dramatiques remplaçaient la réflexion.

— Quels crimes monstrueux avons-nous donc commis, Jasper, pour que Dieu nous ait donné un enfant au cœur de pierre ? ulula-t-elle encore, agrippée aux rideaux de velours.

Lord Atherton porta la main à son front dans la posture du Roi Lear, sa préférée.

— Oh, Lisle ! Lisle ! Vers qui un père peut-il se tourner, si ce n'est vers son héritier ?

Avant même que le marquis puisse se lancer dans son monologue habituel sur l'ingratitude d'une progéniture inconséquente, son épouse geignit :

— Voilà comment tu nous remercies de t'avoir laissé la bride sur le cou, Pérégrine. Jamais nous n'aurions dû te confier à Rupert Carsington. C'est l'homme le plus irresponsable de toute l'Angleterre !

— Les Carsington ! Il n'y en a que pour eux, renchérit le marquis. Combien de lettres nous as-tu écrites durant toutes ces années passées sur les rives du Nil ? Je peux les compter sur les doigts d'une seule main !

— Pourquoi nous écrirait-il quand il est évident qu'il ne pense jamais à nous ?

— Je lui demande un tout petit service, et il me répond par la raillerie, tonna le marquis qui s'en alla donner du poing contre le manteau de la cheminée. Seigneur, quelle déconvenue ! En me causant tous ces soucis et ces contrariétés, tu me mènes droit à une mort prématurée, Lisle, crois-moi.

— Cher ami, ne parlez pas ainsi ! se récria la marquise. Je ne supporterais pas de vous perdre ! Je vous suivrais dans la tombe et nos pauvres petits garçons se retrouveraient orphelins.

Elle quitta la fenêtre et retourna s'écrouler dans un fauteuil où elle se mit à sangloter bruyamment. Le marquis désigna de la main son épouse éplorée.

— Regarde dans quel état tu as mis ta mère !

— C'est son état normal, rétorqua Lisle.

Son père laissa retomber la main et, après avoir tiré de sa poche un mouchoir, alla l'offrir à la marquise qui avait déjà trempé le sien. Lisle ne laissait d'être stupéfait des torrents de larmes que sa mère était capable de verser.

— Dans l'intérêt de ces pauvres enfants, prions pour que ce jour funeste arrive le plus tard possible, déclara le marquis, les yeux embués, en tapotant l'épaule de sa femme. Car là non plus il ne faudra pas compter sur Lisle, qui sera encore parti chez les barbares, laissant ses frères aux mains d'étrangers indifférents.

Lisle songea que c'était déjà le cas.

Il savait que si d'aventure ses parents disparaissaient, ses frères seraient recueillis par une tante paternelle. Même si lord Atherton avait perdu l'une de ses sœurs – la première épouse de lord Rathbourne –, il lui en restait six en grande forme, elles-mêmes chargées d'une progéniture si nombreuse qu'y ajouter deux garçons ne ferait guère de différence.

De toute façon, aucune n'élevait vraiment ses enfants, dont l'éducation était assurée par une tripotée de domestiques, gouvernantes et précepteurs. Dans la pratique, les parents n'intervenaient pas souvent, sauf quand ils s'avisaient d'avoir des exigences aussi soudaines que ridicules qui, en général, faisaient perdre du temps à tout le monde.

Lisle ne leur permettrait pas de le manipuler. S'il se laissait entraîner dans ce tourbillon émotionnel, il n'en sortirait jamais.

Pour ne pas s'égarer sur ce terrain dangereux, il ne devait s'attacher qu'aux faits.

— Il y aura toujours quelqu'un dans la famille pour s'occuper des garçons, qui, en outre, ne manquent pas d'argent. Il n'y a aucun risque qu'ils se retrouvent à l'orphelinat. Et moi, je n'irai pas en Écosse !

— Comment peux-tu être aussi dur ? s'écria sa mère. Quand je pense qu'un trésor familial est menacé d'extinction !

Renversée contre le dossier de son siège, elle ferma les yeux. Le mouchoir de son époux échappa à sa main tremblante comme si elle était sur le point de défaillir.

À cet instant, le majordome fit son entrée. Comme toujours impassible face aux débordements de sa maîtresse, il se contenta d'annoncer que la voiture était avancée.

Le mélodrame se poursuivit durant tout le trajet jusqu'à Hargate House.

En raison de leur départ tardif et de la circulation dense dans les rues de la capitale, ils arrivèrent parmi les derniers. Le déluge de reproches s'interrompit le temps de saluer leurs hôtes, puis reprit alors qu'ils se frayaient un chemin dans la foule pour aller féliciter l'invitée d'honneur, la comtesse douairière de Hargate dont on célébrait l'anniversaire.

Lisle la trouva inchangée. Grâce aux lettres d'Olivia, il savait que la vieille dame adorait toujours autant médire de son prochain, lever le coude et jouer au whist avec ses amies – surnommées les Harpies par la famille Carsington. Et au milieu de tout ça, la douairière trouvait encore le temps et l'énergie de terroriser son entourage.

Pour l'heure, sanglée dans une coûteuse robe à la dernière mode, une coupe de champagne à la main, elle trônait dans un large fauteuil, flanquée des pires commères que la terre ait jamais portées, lady Cooper et lady Withcote – les Harpies.

On aurait dit un trio de vautours avant la curée.

— Ma pauvre Pénélope, vous êtes affreusement pâlotte ! lança-t-elle à la marquise d'Atherton qui venait de lui souhaiter un bon anniversaire. Certaines femmes s'épanouissent lorsqu'elles procréent, d'autres pas. Quel dommage que vous fassiez partie de la première catégorie – sauf en ce qui concerne le nez. Il bourgeonne, et vos yeux aussi sont tout rouges. À votre âge, je ne passais pas mon temps à pleurnicher. Ni à pondre des marmots, d'ailleurs. Il faut faire des enfants tant qu'on est jeune, sur sa lancée. Pourquoi attendre de s'être fanée et d'avoir les muscles relâchés ?

La douairière se désintéressa de la marquise, écarlate et momentanément privée de l'usage de la parole, pour se tourner vers Lisle.

— Ah, notre vagabond est de retour ! Ma foi, tu es aussi basané qu'un sauvage. Tu vas sûrement avoir un choc à la vue de ces jeunes filles couvertes de vêtements, mais il va falloir t'y habituer.

Les Harpies gloussèrent.

— Je parie que ces oiselles vont se demander s'il a le même hâle sur le reste du corps, pouffa lady Cooper, la plus jeune, qui n'avait pas encore soixante-dix ans.

La marquise d'Atherton étouffa un gémissement.

La douairière se pencha vers Lisle et poursuivit dans un chuchotement qui dut s'entendre jusqu'à l'autre bout de la salle :

— Ta mère a toujours été la pire des chochottes. Ne fais pas attention à elle. C'est mon anniversaire, et je veux que les jeunes gens s'amusent. Nous avons ici des tombereaux de jolies filles qui sont prêtes à s'entretuer pour être présentées à note grand aventurier. À présent sauve-toi, Lisle. Et si tu croises Olivia en train de se fiancer, préviens-la que le ridicule peut parfois tuer.

Elle le congédia d'un geste de la main, et se tourna vers le marquis et la marquise, prête à les supplicier derechef. Lisle les abandonna sans l'ombre d'un remords pour se perdre dans la foule.

Comme l'avait promis la douairière, il y avait là pléthore de filles ravissantes. Qu'elles soient vêtues ou non, Lisle n'était pas insensible au charme de l'espèce. Et il adorait danser. Il n'eut aucun mal à trouver des cavalières, et ne quitta pas la piste durant un long moment. Toutefois son regard ne cessait de parcourir la salle, à la recherche d'une chevelure d'un roux ardent.

Si Olivia ne dansait pas, c'est qu'elle devait jouer aux cartes, autrement dit plumer allègrement les malheureux qui avaient été assez sots pour accepter de disputer une partie avec elle. À moins qu'elle ne soit dans un coin sombre, occupée à embobiner un pauvre type, comme le soupçonnait la douairière. Olivia avec beau rompre ses fiançailles les unes après les autres – ce qui aurait ruiné la réputation d'une jeune fille moins gâtée par le destin –, cela ne décourageait pas les prétendants. Ils se moquaient aussi qu'elle ne soit pas une beauté. Olivia Carsington demeurait un bon parti.

Feu son père, Jack Wingate, avait été le benjamin fantasque du comte de Fosbury. Récemment décédé, ce dernier avait légué sa fortune à la jeune fille. Son beau-père, le vicomte Rathbourne, qui était également l'oncle de Lisle, était un homme riche, en plus d'être l'héritier présomptif du compte de Hargate, lui-même détenteur d'une fortune colossale.

Entre deux danses – et même pendant –, le nom d'Olivia revenait fréquemment dans la conversation. On évoquait la robe scandaleusement provocante qu'elle portait lors du couronnement le mois passé ; on racontait comment elle avait battu lady Davenport dans une course d'attelage, et comment elle avait défié en duel lord Bentwhistle après qu'il eut fouetté un jeune valet, etc.

Cela faisait quatre ans maintenant qu'elle avait fait ses débuts dans la bonne société. Elle n'était toujours pas mariée, et Londres ne parlait que d'elle. Ce qui ne surprenait pas le moins du monde Lisle.

Bethsabée, la mère d'Olivia, était issue d'une branche pourrie de la famille DeLucey qui comprenait son lot d'escrocs, d'imposteurs et d'époux bigames. À l'époque où Bethsabée Wingate n'avait pas encore épousé lord Rathbourne, Olivia montrait déjà une forte propension à suivre les traces de ses canailles d'ancêtres. Depuis, une éducation aristocratique avait un peu arrondi les angles, mais sous ce fragile vernis bouillonnait le même tempérament volcanique.

Lisle se rappelait encore quelques lignes d'une lettre qu'elle lui avait écrite peu de temps après la naissance de son premier frère, David : *J'ai hâte d'être une célibataire pour mener une _vie de patachon_*.

À en juger par les ragots qui circulaient, elle avait parfaitement réussi.

Il allait partir à sa recherche quand il remarqua un attroupement de messieurs qui jouaient des coudes pour tenter de se rapprocher d'un angle de la pièce où se trouvait sans doute la beauté la plus fêtée du moment.

Lisle s'avança dans cette direction. Les rangs étaient si serrés que, dans un premier temps, il entrevit juste la coiffure féminine extravagante qui surplombait les têtes masculines : deux oiseaux de paradis perchés sur un nid, lequel nid était en réalité une épaisse tresse de cheveux roux.

Très roux.

Il n'y avait qu'une fille au monde à posséder cette couleur de cheveux.

Découvrir Olivia au milieu d'une foule d'admirateurs n'avait rien d'étonnant quand on connaissait son rang et le montant de sa dot. Cela compensait largement le fait qu'elle ne soit, hélas, pas très…

La foule s'écarta, et il la vit enfin. Comme elle pivotait vers lui, il se figea.

Foudroyé par ces yeux d'un bleu incroyable.

Il avait oublié.

L'espace d'un instant, il se perdit dans ce bleu aussi lumineux que celui du ciel égyptien. Puis il cilla, engloba le reste du regard, depuis les oiseaux ridicules piqués dans ses cheveux jusqu'aux mules pointues qui dépassaient du volant de sa robe vert pâle.

Son regard remonta, et son cerveau se mit à tourner au ralenti.

Entre la coiffure et les souliers, il y avait un cou de cygne. Des épaules laiteuses. Un décolleté plongeant qui révélait une poitrine généreuse. Une taille mince, prolongée de hanches épanouies.

Non, il devait y avoir erreur. Olivia était drôle, charmante, espiègle, exaspérante, mais elle n'avait jamais été… *belle*. Pourtant c'était bien son visage sous cet entrelacs de tresses…

Interdit, il la fixait. La chaleur dans la salle lui parut tout à coup oppressante. Son cœur battait curieusement dans sa poitrine. Dans son esprit défilaient des souvenirs en contradiction totale avec ce qu'il avait sous les yeux.

La bienséance aurait voulu qu'il parle, il en avait vaguement conscience, mais pour dire quoi ? Les phrases toutes faites ne lui venaient pas naturellement. Depuis le temps qu'il vivait en Égypte, ses réflexes mondains s'étaient émoussés. Il s'était habitué à un autre monde, un autre climat, d'autres gens. Et en cet instant, il restait coi.

— Lord Lisle, le salua-t-elle avec un gracieux hochement de tête qui fit voleter le plumage des oiseaux de paradis Tout le monde se demandait si vous viendriez. Les paris étaient lancés.

Au son familier de sa voix, la Raison commença à se frayer un chemin à travers l'épais brouillard qui engluait le cerveau de Lisle. « C'est Olivia, disait la Raison. Les faits sont là : ce sont sa voix, ses yeux, ses cheveux, son visage. » Mais ses traits étaient différents, adoucis, plus féminins ; ses lèvres étaient plus pleines...

Il avait conscience qu'autour de lui les gens s'étaient mis à murmurer, que l'un demandait qui il était, qu'un autre lui répondait à voix basse. Mais tout cela se passait, semblait-il, dans un autre monde. Il ne voyait ni n'entendait ni ne pensait à rien d'autre qu'à Olivia.

Il discerna alors une étincelle moqueuse dans ses yeux bleus, tandis que les coins de sa bouche rose se retroussaient légèrement.

Il retomba brutalement sur terre.

— Ne pas venir ? Mais je n'aurais raté cette occasion pour rien au monde, répondit-il enfin.

— Je suis heureuse de vous voir, et pas seulement parce que j'ai gagné mon pari.

Sans vergogne, elle l'évalua d'un lent regard caressant qui fit naître une chaleur diffuse dans son bas-ventre. Seigneur Dieu, elle était plus dangereuse que jamais ! Il s'interrogea sur ce regard. Était-elle simplement en train de se faire les griffes ou essayait-elle de provoquer l'ensemble de ses soupirants en feignant de ne voir que lui ?

Dans un cas comme dans l'autre, c'était du travail d'orfèvre. Mais cela suffisait maintenant. Elle n'était plus une petite fille – si tant est qu'elle l'ait jamais été – et il n'était pas un petit garçon. Lui aussi savait jouer à ce jeu-là.

— Vous avez bien grandi, commenta-t-il en laissant son regard errer sur le renflement de ses seins.

— Je me doutais que vous vous moqueriez de ma coiffure.

Elle savait bien qu'il ne parlait pas de cela. Olivia n'avait jamais été du genre naïf. Il comprit cependant, et leva consciencieusement les yeux sur les bestioles multicolores. Elle n'était pas la seule parmi les invitées de ce soir à arborer une coiffure excentrique. C'était du dernier cri, alors que la mode masculine avait au contraire tendance à devenir de plus en plus sobre.

— Je ne sais pas si vous êtes au courant, mais des oiseaux ont atterri sur votre tête. Et apparemment, ils y sont morts.

— Ils ont dû se croire au paradis ! lança quelqu'un dans le parterre d'admirateurs.

— Je pencherais plutôt pour une rigidité cadavérique, objecta Lisle.

Olivia lui adressa un sourire fugitif. Quelque chose de curieux se produisit alors dans sa poitrine. Dans la foulée, il éprouva un peu plus bas une autre sensation, bien trop familière celle-là. Il s'efforça d'occulter les deux. Décidément, Olivia était une friponne. Ce n'était pas sa faute, c'était héréditaire. Elle était une « horrible » DeLucey, comme on les appelait. Il ne devait rien y voir de personnel. Elle était son amie, presque sa sœur

Il se la remémora telle qu'elle était le jour de leur première rencontre, une gamine maigrichonne de douze ans qui avait tenté de l'assommer avec son carton à dessins ; une fille déjà fascinante.

— C'est en votre honneur que je me suis apprêtée, affirma-t-elle. Pour le héros qui poursuit sa Noble Quête en Égypte. J'ai choisi la soie de ma robe afin qu'elle s'accorde au vert de ce Nil que vous représentez dans vos aquarelles. Et faute d'ibis, je me suis rabattue sur des oiseaux de paradis.

Elle avait pris un ton complice et, penchée en avant, lui offrait le spectacle réjouissant de ses courbes à la blancheur d'albâtre faites pour remplir la main d'un homme. Il distinguait la fine pellicule humide qui recouvrait sa peau et percevait son voluptueux parfum de femme, mélange létal de chair échauffée et de fleurs coupées.

Pourquoi ne lui avait-elle pas dit qu'elle était devenue éblouissante ?

« Pense à la gamine maigrichonne », s'enjoignit-il.

— J'ai d'abord songé à porter une tunique comme ces dames, qui sont représentées sur les tombeaux égyptiens. Hélas, cela *ne se fait pas*.

Elle esquissa une petite moue contrariée. La vue de ces lèvres roses le rendait idiot. Son parfum lui brouillait l'esprit. Les faits. Il devait se raccrocher aux faits. Comme…

Où diable étaient passées ses taches de rousseur ?

Peut-être étaient-elles atténuées par la flamme des bougies qui illuminaient la salle de bal ? Ou peut-être s'était-elle poudré les seins ? À moins qu'elle n'ait éclairci sa peau avec du jus de citron ?

« Arrête de penser à ses seins, s'ordonna-t-il. La folie est sur cette pente[1]. Qu'est-ce qu'elle vient de dire ? Ah oui, les Égyptiennes ! »

Il se concentra sur les silhouettes longilignes et plates.

— En réalité, ce ne sont pas des tuniques, mais une simple pièce de lin très fin étroitement drapé sur le corps, expliqua-t-il. À leur mort, en revanche, on les emmaillotait de la tête aux pieds de plusieurs couches de lin. Que vous ayez choisi l'une ou l'autre de ces tenues, cela n'aurait pas été très pratique pour un bal.

---

1. *Le Roi Lear*, Shakespeare, acte III scène 4. (Traduction : François-Victor Hugo.) *(N.d.T.)*

Elle se redressa brusquement.

— Vous ne changez pas. Vous êtes toujours très terre à terre.

— Comptez sur Lisle pour laisser passer une occasion en or ! ironisa un des admirateurs d'Olivia. Au lieu de complimenter la dame, comme l'aurait fait n'importe qui à moins d'être aveugle, et de tenter de gagner ses faveurs, il s'égare et nous inflige une ennuyeuse leçon sur les traditions païennes.

« Parce que c'est beaucoup moins dangereux », songea Lisle, avant de protester à voix haute :

— Mon attention ne s'est nullement égarée, mademoiselle Carsington, croyez-moi.

Il aurait volontiers étranglé celui qui s'était mêlé de lui donner ce visage et ce corps – comme si elle avait besoin d'armes supplémentaires ! Ce ne pouvait être que le Diable en personne. Au cours des cinq dernières années, elle avait dû pactiser avec lui, et il y avait gros à parier qu'il s'était fait rouler dans la farine.

Quand Olivia concluait un marché, il s'agissait forcément d'un marché de dupes.

Dans un coin de son cerveau, la petite voix qui l'alertait toujours en présence de serpents, de scorpions ou de malandrins, lui criait à présent : « Attention ! Péril en la demeure ! »

Mais il se tenait déjà sur ses gardes parce qu'il connaissait Olivia. Belle ou maigrichonne, avec ou sans seins, elle exerçait une fascination quasi hypnotique sur des hommes par ailleurs plutôt intelligents et qui, en sa présence, se transformaient inexplicablement en idiots irrécupérables.

Lisle ne l'ignorait pas. À longueur de pages, elle lui avait relaté ses nombreuses « déconvenues sentimentales », entre autres choses. Et ce soir, depuis qu'il avait fait son entrée dans la salle de bal, il avait entendu bien d'autres anecdotes la concernant. Il la connaissait par cœur

S'il était momentanément déstabilisé, c'est qu'il n'était qu'un homme lui aussi. Sa réaction était purement physique et fort naturelle face à une jolie femme. Ce n'était pas la première fois qu'il éprouvait cela, mais ce qui le perturbait évidemment, c'est qu'il s'agissait d'*Olivia*.

Son amie, son alliée, quasiment sa sœur

C'est du moins ainsi qu'il l'avait toujours considérée. Et cela continuerait. Il avait éprouvé un choc en la retrouvant si changée, voilà tout. Il n'y avait pas de quoi s'alarmer.

— J'ai d'ailleurs été si attentif, reprit-il, que je vais vous demander de m'accorder la prochaine danse.

— Pardon, s'interposa un jeune homme, mais Mlle Carsington me l'a promise.

Olivia ouvrit son éventail d'un élégant mouvement du poignet.

— Vous en aurez une autre, lord Belder. Je n'ai pas vu lord Lisle depuis une éternité, et il doit bientôt repartir. C'est l'homme le plus insaisissable au monde. Si je ne saute pas sur l'occasion, qui sait quand la prochaine se présentera ? Et entretemps, il se sera peut-être noyé lors d'un naufrage, ou aura été dévoré par un crocodile, ou mordu par une vipère, ou piqué par un scorpion. Sans parler de la peste. Tel est le quotidien des aventuriers qui risquent leur vie à chaque instant pour faire avancer notre connaissance des civilisations anciennes. En revanche, je peux danser avec *vous* quand je veux, lord Belder.

Belder décocha un regard meurtrier à Lisle, mais s'effaça docilement en souriant à Olivia.

Comme Lisle escortait la jeune femme vers la piste, il comprit enfin pourquoi tant d'hommes s'étaient tirés dessus pour ses beaux yeux.

Tous la désiraient. Ils ne pouvaient s'en empêcher.

Elle le savait et cela lui était parfaitement égal.

2

La main gantée de Lisle était plus forte et plus ferme que dans son souvenir. Lorsqu'elle se referma sur la sienne, Olivia eut chaud partout. Étrange.

Avait-elle jamais eu l'occasion de tendre la main à Lisle ? Elle n'arrivait pas à s'en souvenir. Elle l'avait fait instinctivement, bien qu'il ne soit plus le jeune garçon qu'elle connaissait depuis l'enfance.

Pour commencer, il était beaucoup plus imposant, et pas seulement physiquement, encore que ce changement-là soit impressionnant en soi.

Il avait toujours été grand, mais ses épaules s'étaient élargies. Il était devenu un homme d'une virilité vertigineuse. Et, apparemment, elle n'était pas la seule à être saisie de vertige. Difficile en effet de ne pas remarquer les regards admiratifs que lui glissaient les femmes au passage. Elle aussi l'avait dévoré des yeux quand il avait fait son apparition, alors qu'elle le connaissait pourtant si bien. Il retenait l'attention parce qu'il ne ressemblait à nul autre.

Le soleil égyptien avait bruni sa peau et éclairci sa chevelure striée de mèches dorées. La redingote noire mettait sa carrure en valeur tandis que son pantalon soulignait la musculature de ses longues jambes. Avec sa chemise d'un blanc immaculé et ses souliers vernis noirs, il était aussi élégant que les autres hommes présents, et cependant, il sortait indéniablement du lot. Peut-être parce que chez aucun de ces derniers on ne devinait de manière aussi évidente le corps puissant qui se dissimulait sous les beaux habits.

Olivia vit plusieurs jeunes femmes s'interrompre en pleine conversation pour le suivre du regard. Mais elles ne voyaient de lui que l'enveloppe extérieure, même s'il fallait admettre que le spectacle était agréable. Olivia, elle, savait précisément ce qui faisait de lui un être différent.

Il n'avait pas reçu l'éducation ordinaire d'un garçon de la bonne société. Daphné Carsington lui avait enseigné bien plus que ce qu'il aurait appris au collège et à l'université. Et son époux, Rupert, lui avait montré des techniques de survie dont la plupart des gentlemen londoniens n'avaient que faire, par exemple, comment manier un couteau, et comment balancer un homme par la fenêtre.

Olivia savait tout cela. Ce qui l'avait surprise, en revanche, c'était sa voix. Cette pointe d'exotisme qui perçait sous l'accent aristocratique et évoquait des turbans, des tentes et des femmes à demi nues, alanguies sur des tapis turcs.

Sa démarche aussi était différente. Depuis presque dix ans maintenant, il vivait dans un monde hostile où il avait dû apprendre à évoluer de manière aussi silencieuse et furtive qu'un félin. Cette souplesse animale, sa peau hâlée et ses cheveux dorés faisaient penser à un tigre, mais cette comparaison ne reflétait pas vraiment sa façon d'être. Il se déplaçait comme... de l'eau. Et tandis qu'il se frayait un chemin dans la foule, celle-ci semblait s'écarter en ondes mouvantes.

Dans leur sillage, les femmes se pâmaient mentalement et les hommes grinçaient des dents.

Sans doute en avait-il conscience, bien que son expression n'en trahisse rien. Olivia, qui le connaissait bien, percevait une certaine tension derrière ce détachement affiché. Sous ses airs d'érudit cartésien se cachait une nature farouche et obstinée. Cet aspect de son caractère n'avait sûrement pas changé. Et à la crispation de sa mâchoire, Olivia croyait même deviner que ses nerfs avaient été mis à rude épreuve quelque temps plus tôt.

Elle tira sur sa main pour attirer son attention. Il tourna vers elle un regard interrogateur. À la lueur des chandelles, ses yeux gris avaient un éclat argenté.

— Par ici, dit-elle en l'entraînant de côté.

Au passage, elle saisit deux coupes de champagne sur le plateau d'argent d'un valet, puis se faufila dans un couloir qui débouchait dans une antichambre.

— Fermez la porte, lui enjoignit-elle quand il eut franchi le seuil à sa suite.

— Olivia...

— Oh, je vous en prie ! coupa-t-elle avec impatience. Vous n'allez pas me faire le coup de la réputation à préserver.

— Je le devrais pourtant.

— La mienne ne craint rien.

— C'est ce qu'on dirait. Elle aurait dû être ruinée depuis longtemps.

— Que voulez-vous, une bonne dot rachète toutes les incartades. Tenez, prenez ceci que nous fêtions dignement votre retour.

Comme il acceptait la coupe qu'elle lui tendait, ses doigts gantés frôlèrent les siens. Elle sentit comme une étincelle qui crépitait sous sa peau, et son cœur se mit à battre plus vite.

Reculant d'un pas, elle trinqua avec lui dans un cliquetis de cristal.

— Bienvenu à la maison, mon cher ami. Je n'ai jamais été aussi heureuse de voir quelqu'un !

Elle se serait jetée à son cou sans retenue si son expression ne l'avait arrêtée dans son élan. C'est vrai, elle avait oublié. C'était un homme à présent.

Elle reprit :

— Je m'ennuyais à mourir, et puis vous êtes arrivé ! Oh, cette tête que vous avez faite quand vous vous êtes aperçu que j'avais des seins... C'était impayable ! Je ne sais pas comment j'ai fait pour ne pas exploser de rire.

Il baissa les yeux sur son décolleté, et elle eut l'impression que son regard l'embrasait. Un voile de transpiration la recouvrit, comme un peu plus tôt dans la salle de bal. Elle saisit l'avertissement : mieux valait ne pas jouer avec ce feu-là.

Mais Lisle étudiait sa poitrine avec la même attention critique que s'il s'était agi d'une ligne de hiéroglyphes.

— Vous n'en aviez pas la dernière fois que je vous ai vue. J'ai été pris au dépourvu, je l'avoue. Où diable les avez-vous trouvés ?

Cela lui ressemblait bien de s'interroger sur ses seins comme s'il s'agissait de mystérieux tessons de poteries anciennes. Elle rit, but une gorgée de champagne.

— Ils ont poussé, c'est tout. Tout pousse. Très lentement. C'est étrange, n'est-ce pas ? C'est le seul domaine dans lequel je n'étais pas précoce. Mais oublions mes seins, voulez-vous ?

— Facile pour vous. Vous n'êtes pas un homme. Et moi, je ne m'y suis pas encore habitué.

De même qu'elle ne s'était pas habituée à ce qu'il la regarde de cette façon. Et à la façon dont elle y réagissait.

Elle rit de nouveau.

— Bon, alors reluquez-les tant que vous voudrez. Grand-mère Hargate dit qu'il faut en profiter, que le temps viendra bien trop vite où les hommes se désintéresseront de mon anatomie.

— Je constate qu'elle n'a pas changé.

— Elle est plus fragile et se fatigue plus vite qu'autrefois, mais elle est encore vaillante. Je ne sais pas ce que je ferai quand elle nous aura quittés.

Grand-mère Hargate était sa confidente, la seule à connaître tous ses secrets. Olivia n'aurait pas pu se confier aussi librement à sa mère ou à son beau-père. Elle les aurait choqués, inquiétés. Elle préférait les protéger.

— Ce soir, elle m'a sauvé la mise, avoua Lisle. Elle a capturé mes parents dans ses filets et m'a permis de m'échapper. Je sais bien que leur sempiternel chantage affectif devrait me laisser de marbre, mais il semblerait que je ne maîtrise toujours pas l'art qui consisterait à les ignorer.

— Et que ne pouvez-vous pas ignorer, cette fois ?

Il haussa les épaules.

— La folie habituelle. Je ne vais pas vous ennuyer avec les détails.

Le marquis et la marquise d'Atherton étaient un fardeau pour leur fils, elle le savait. Le monde tournait autour d'eux. Les autres, y compris leurs enfants, étaient tout au plus des rôles secondaires dans le grand mélodrame de leur existence. Seule grand-mère Hargate était capable de leur fermer le clapet, parce qu'elle disait et faisait exactement ce qu'elle voulait. Les autres étaient soit trop polis, soit trop désemparés face à ces outrances, et le dernier tiers préférait s'en laver les mains. Le beau-père d'Olivia lui-même n'intervenait que dans les cas extrêmes tant cela lui mettait les nerfs à rude épreuve.

— Racontez-moi tout, intima Olivia. J'adore la folie de vos parents. En comparaison, je me sens très sage et rationnelle, voire carrément ennuyeuse.

Il lui adressa un sourire en coin et elle sentit son cœur faire une cabriole dans sa poitrine. Dans un tourbillon de soie, elle s'éloigna pour aller s'installer dans le fauteuil placé près de la cheminée.

— Venez vous réchauffer, l'invita-t-elle en désignant le fauteuil voisin. La salle de bal est une étuve, mais je suppose que vous vous gelez quand même après tout ce temps passé dans la moiteur des corps dénudés sous le soleil égyptien.

Il s'approcha, mais demeura debout, les yeux rivés sur les flammes qui dansaient dans l'âtre.

— C'est en rapport avec un vieux château en ruine que nous possédons près d'Édimbourg, déclara-t-il enfin.

— C'est surprenant, commenta Olivia après que Lisle lui eut résumé son altercation avec ses parents.

— Surprenant ? J'aimerais que ce le soit. Mais en ce qui les concerne, c'est leur quotidien.

— Non, je parlais des fantômes qui font fuir les ouvriers. Songez au nombre d'esprits qui hantent la Tour de Londres ! Il y a celui du bourreau qui poursuit la comtesse de Salisbury[1] autour du billot...

---

1. Exécutée le 27 mai 1541, elle dut être traînée jusqu'au billot où elle refusa de poser la tête. Le bourreau, peu habile, dut s'y reprendre à plusieurs fois pour la décapiter. *(N.d.T.)*

— Celui d'Anne Boleyn[1] qui porte sa tête…

— Ceux des jeunes princes[2]… Pour ne parler que d'un seul lieu. Il y a pléthore de fantômes partout, et personne ne s'en soucie. Voilà pourquoi je trouve surprenant que ces ouvriers écossais s'effarouchent de la sorte. Je croyais au contraire qu'ils appréciaient les apparitions et s'enorgueillissaient d'en avoir autant chez eux.

— J'ai tenu exactement ce langage à mes parents, mais aucun argument logique ne peut les ébranler. En réalité, cela n'a rien à voir avec le château ou de quelconques fantômes. Ce qu'ils veulent, c'est m'empêcher de retourner en Égypte.

— Voyons, vous deviendriez fou ici !

Depuis le premier jour, Olivia l'avait soutenu et encouragé à vivre sa passion égyptienne. Sa « Noble Quête », comme elle l'appelait.

— Cela me mettrait moins en colère si mes parents avaient réellement besoin de moi, poursuivit-il. Bien que je reste convaincu que mes jeunes frères auraient eux vraiment besoin d'aide. Mais que faire ? J'ai bien pensé à les emmener en Égypte – je doute qu'ils manquent à nos parents –, mais ils sont trop jeunes pour s'accommoder des terribles chaleurs.

Olivia renversa légèrement la tête en arrière pour le considérer de ses extraordinaires yeux bleus. Une réaction bizarre se produisit en lui, et qui n'impliquait pas uniquement ses instincts primaires et ses organes reproductifs. Quelque chose sautillait dans sa poitrine, et c'était assez douloureux, comme des petits coups de couteau.

Il reporta le regard sur le feu.

---

1. Seconde femme de Henry VIII. *(N.d.T.)*
2. Édouard V et Richard duc d'York, disparus en 1483, peut-être assassinés sur l'ordre du futur Richard III. *(N.d.T.)*

— Qu'allez-vous faire? demanda-t-elle.

— Je ne sais pas encore. Ils me sont tombés dessus quelques minutes avant de venir ici. Je n'ai pas eu le temps de réfléchir. Je me moque bien de ce château, mais je dois penser à mes frères. Il va falloir que je passe un peu de temps avec eux avant de me décider.

— Vous avez raison. Ce château ne mérite pas que vous vous inquiétiez à son sujet. Ce serait perdre votre temps. Si vous…

Elle s'interrompit. La porte venait de s'ouvrir sur lady Rathbourne. Avec ses yeux bleus et sa chevelure sombre, c'était une femme d'une grande beauté, pour laquelle Lisle éprouvait une sincère affection.

— Pour l'amour du ciel, Olivia, que fais-tu ici? Lord Belder te cherche partout! Tu es censée danser avec lui. Et vous, Lisle, vous auriez dû avoir le bon sens de ne pas vous laisser entraîner dans un tête-à-tête avec ma fille!

— Cela fait cinq ans que nous ne nous sommes pas vus, mère! protesta celle-ci.

— Lisle peut passer te voir demain à la maison, si cela ne le dérange pas de se frayer un chemin parmi la horde de tes soupirants. Pour le moment, les autres jeunes filles le réclament pour danser. Quant à lord Belder, ton absence prolongée lui fait monter la moutarde au nez. Venez, Lisle, vous n'avez sûrement pas envie de conclure cette soirée en vous battant en duel avec un prétendant jaloux. Ce serait du plus haut ridicule.

Ils quittèrent la pièce, et Lisle et Olivia furent bientôt séparés. Elle s'en alla rejoindre Belder et le reste du troupeau, tandis que, de son côté, il allait divertir un bouquet de jeunes filles qui, comparées à Olivia, lui faisaient l'effet de tristes moineaux.

Ce n'est que plus tard, alors qu'il dansait avec l'une d'elles, qu'il se souvint de l'étincelle qui s'était allumée dans les yeux d'Olivia juste avant l'entrée de lady Rathbourne dans le boudoir.

Elle mijotait quelque chose.

Et ça, ça n'augurait jamais rien de bon.

Somerset House, Londres, mercredi 5 octobre

Ce n'était pas une réunion officielle de la Société d'Égyptologie dont les membres se rencontraient d'ordinaire le jeudi. D'ailleurs, les sessions ne commençaient pas avant novembre. Mais à cette date, Lisle serait sans doute reparti, et il séjournait si rarement en Angleterre que sa présence suscitait forcément l'intérêt de tous les égyptologues distingués. Ainsi, l'auditorium était plein à craquer, alors que la conférence n'avait été annoncée que quelques jours auparavant.

Lors de son dernier passage, bien qu'il ne fût alors âgé que de dix-huit ans, Lisle avait fait lecture d'une communication d'une grande portée sur les noms des différents pharaons. En réalité, elle avait été rédigée par Daphné Carsington, la spécialiste des hiéroglyphes. Le problème, c'est que Daphné était une femme, et qu'il fallait qu'un représentant du sexe masculin prenne sa place, sans quoi ses découvertes et théories auraient été férocement attaquées et bruyamment moquées par la majorité des hommes qui haïssaient et craignaient ces femmes intelligentes, sans parler de celles qui l'étaient plus qu'eux.

À l'époque, le frère de Daphné, qui se chargeait d'habitude de tenir ce rôle, se trouvait à l'étranger. Son mari, Rupert Carsington, loin d'être aussi stupide que certains le prétendaient, n'aurait pu lire un exposé aussi savant en conservant une expression sérieuse – ou sans risquer de s'endormir au milieu de son propos. Alors, comme Lisle et Daphné avaient collaboré pendant des années et qu'il avait le plus grand respect pour elle, il avait accepté avec enthousiasme de présenter ses derniers travaux en public.

Mais aujourd'hui, il y avait parmi l'assistance au moins une personne qui se moquait éperdument de l'Égypte et de ses secrets.

Lord Belder était assis au premier rang, à côté d'Olivia. Depuis le début de la conférence, il se permettait des commentaires à voix haute et tournait en ridicule chaque idée avancée par Lisle.

Si le but était d'impressionner la jeune femme, Belder se fourvoyait. Mais il y avait gros à parier qu'il cherchait juste à provoquer Lisle. Quand ce dernier avait rendu visite à Olivia la veille, Belder ne les avait pas lâchés d'une semelle. La maison était de toute façon pleine à craquer et Lisle avait à peine pu échanger quelques mots avec elle, le temps de la prévenir qu'il donnait une conférence le lendemain. Elle avait promis d'y assister et Belder s'était proposé pour l'accompagner. Pour rien au monde il n'aurait voulu rater ce « petit exposé », avait-il ricané.

Lisle, qui n'était déjà pas d'un naturel très patient, bouillait d'entendre Belder ridiculiser les travaux de Daphné. Mais on n'était pas au bal, et l'assistance n'allait sûrement pas supporter très longtemps ces interventions déplacées.

De fait, un moustachu donna bientôt de la voix :

— Monsieur, auriez-vous l'amabilité de réserver vos manifestations d'humour à des endroits plus appropriés ? Par exemple votre club, ou une taverne.

Nous sommes venus écouter lord Lisle et nous n'entendons que vous.

Lisle feignit d'ôter un grain de poussière de sa pile de notes. Sans relever la tête, il déclara :

— De l'humour ? C'était de cela qu'il s'agissait ? Mille pardons si je n'ai pas réagi à vos remarques, lord Belder. Je vous ai pris pour un saint.

— Un saint ?

Belder éclata d'un rire bruyant, sans doute pour prouver à Olivia qu'il fallait plus qu'une réprimande publique pour le déstabiliser.

— Oui, poursuivit Lisle, car voyez-vous c'est ainsi qu'on appelle les simples d'esprit en Égypte. La déficience mentale y est considérée comme un signe de bénédiction divine.

L'assemblée explosa de rire. Belder devint écarlate. Lui ayant rivé son clou, Lisle acheva tranquillement sa conférence, avant de répondre aux questions du public. Lorsque celui-ci commença à se disperser, Lisle quitta l'estrade et rejoignit Olivia, autour de qui une foule d'hommes étaient agglutinés. On aurait dit des volailles caquetant stupidement autour d'un crocodile assoupi, songea-t-il, avant de lui proposer de la raccompagner jusqu'à sa voiture.

Se détournant aussitôt de Belder, elle récompensa Lisle d'un sourire si radieux qu'il en fut un instant ébloui. Elle prit le bras qu'il lui offrait et ils sortirent, Bayley, la camériste d'Olivia, sur leurs talons.

La jeune fille s'apprêtait à monter en voiture quand un jeune garçon apparut soudain à l'angle de la rue et se mit à courir sur le trottoir dans leur direction.

Il zigzagua entre les messieurs qui s'étaient attardés pour comparer leurs impressions après la conférence, évita Lisle d'un bond, mais commit l'erreur de jeter un coup d'œil à Olivia dont l'éclatante beauté le cueillit par surprise.

Cette demi-seconde d'inattention lui fut fatale. Il heurta de plein fouet lord Belder, qui se dirigeait d'un pas pressé vers la voiture d'Olivia. Tous deux chutèrent, le garçon sur le trottoir, Belder dans le caniveau.

Le garçon se releva aussitôt, lança un regard effaré à Belder, puis reprit ses jambes à son cou.

— Au voleur! cria Belder. Au voleur, arrêtez-le!

Deux de ses amis, qui se trouvaient un peu plus loin, arrêtèrent le garçon qui tentait de les contourner. Belder se releva sous les quolibets.

— C'est à cette heure-là qu'on se réveille, Belder?

— Tu as décidé de prendre les eaux, mon vieux?

Des taches brunâtres d'origine indéterminée souillaient son pantalon beige, sa belle veste bleue, sa cravate au nœud compliqué et ses gants beurre frais. Vexé comme un pou, il tourna un regard furieux vers le garçon que maintenaient ses deux camarades.

Livide, celui-ci s'exclama:

— C'était un accident, milord! J'le jure, j'ai rien pris!

La voix d'Olivia s'éleva, claire et ferme:

— C'est la vérité. J'ai tout vu. S'il avait cherché à dérober quelque chose, il n'aurait pas...

Lisle l'interrompit avant qu'elle puisse expliquer comment devait s'y prendre un pickpocket digne de ce nom; il est vrai qu'elle en connaissait un rayon sur la question.

— Laissez-moi régler cela, et attendez-moi dans la voiture, Olivia.

— Ne soyez pas ridicule, riposta-t-elle. Je peux très bien m'en charger moi-même.

Il voulut l'entraîner, mais elle se dégagea et se dirigea d'une démarche assurée vers les deux hommes qui retenaient le garçon.

— Lâchez-le, leur enjoignit-elle. C'était un *accident*.

Lisle repéra les signes avertisseurs : la rougeur qui s'était propagée de son cou gracile à ses joues ; le « bande de crétins ! » sous-entendu dans sa façon d'accentuer le mot « accident ».

Il ne pouvait l'emmener *manu militari*. Il devait donc trouver le moyen de la calmer. Hélas, Belder reprit la parole !

— Chère mademoiselle Carsington, vous ne connaissez pas les ruses qu'emploient ces canailles. Ils font exprès de heurter les gens pour leur subtiliser leur bourse au passage.

Lisle tenta de s'interposer.

— Peut-être, mais…

— Pas ce garçon, coupa Olivia d'un ton incisif. Un vrai voleur aurait été si rapide et si efficace que vous ne vous seriez aperçu de rien, lord Belder. Il aurait pris soin au contraire de ne pas attirer l'attention ni de faire de mouvement brusque, ne se serait pas arrêté et aurait continué sa route comme si de rien n'était. Qui plus est, les voleurs travaillent d'ordinaire en duo.

Elle avait raison, et tout homme dans son état normal en aurait convenu. Mais Belder était en rage. Il avait une revanche à prendre, et le jeune garçon faisait un bouc émissaire tout désigné.

Après avoir adressé un sourire paternaliste à Olivia, il se tourna vers les gens attroupés autour d'eux.

— Qu'on aille chercher un agent !

— Non ! cria le garçon. J'ai rien pris !

Il commença à se débattre et à lancer des coups de pied pour tenter de se libérer. Belder le gifla.

— Espèce de brute ! s'insurgea Olivia.

Elle brandit son parapluie et en assena un coup vigoureux sur l'épaule de Belder, qui étouffa un juron.

— Lâchez immédiatement cet enfant, ordonna-t-elle en retournant le parapluie contre les deux hommes qui ceinturaient le garçon.

Lisle regarda la main gantée maculée de boue de Belder se refermer sur le bras d'Olivia. Il vit rouge. S'approchant de Belder, il lui agrippa le bras et lui fit brutalement lâcher prise.

— Je vous interdis de poser la main sur elle, articula-t-il d'une voix grondante.

3

Deux minutes plus tard

— Oh, mademoiselle, ils vont s'entretuer ! s'exclama Bailey.

Lisle avait repoussé Belder, mais celui-ci, bien sûr, n'avait pas voulu en rester là. Il avait à son tour poussé Lisle, qui avait riposté un peu plus fort, l'envoyant rebondir contre la clôture.

À ce stade des hostilités, Belder avait arraché ses gants, jeté son chapeau par terre et relevé les poings. Face à lui, Lisle l'avait imité.

« Je vous interdis de poser la main sur elle », avait-il dit de cette voix sourde qui avait arraché un frisson à Olivia.

Ridicule. Elle n'était plus une écolière. Pourtant son cœur battait la chamade comme jamais, alors même que des hommes se battaient pour elle tout le temps, et qu'elle savait en outre que cela ne signifiait rien de particulier pour Lisle. Il avait réagi instinctivement, emporté par son instinct protecteur, et peut-être aussi un tempérament un poil belliqueux.

Elle ne l'avait pas vu se battre depuis des années. Ni lui ni un autre, tout bien réfléchi, car, en général, les messieurs se rencontraient sur le pré à l'aube, loin du regard des curieux. Si le duel au pistolet tombait sous le coup de la loi, on avait en revanche tout à fait le droit de se battre à mains nues. Néanmoins cela se produisait rarement entre messieurs bien élevés, en plein jour, sur l'une des artères principales de Londres.

Pas étonnant donc qu'elle soit tout excitée.

— Mais non, Bailey, ils ne vont pas s'entretuer, ils vont juste *essayer*. Dans les faits, ils vont se rouer mutuellement de coups, ce qui est tout de même mieux que de se tirer dessus à vingt pas. Belder meurt d'envie d'en découdre, et avec Lisle, il est bien tombé.

Bailey semblait tout émoustillée, elle aussi. Jolie petite brune, elle n'était pas aussi délicate qu'elle le paraissait. Et heureusement, sinon elle n'aurait jamais supporté d'être au service d'Olivia.

— Tu n'as jamais vu Lisle se battre ? poursuivit celle-ci. Il ne faut pas se fier à sa blondeur angélique. Il est féroce. Je l'ai vu autrefois faire de la chair à pâté d'une grande brute qui faisait deux fois sa taille !

Cela s'était passé le jour où elle s'était embarquée pour Bristol dans sa Noble Quête. Lisle l'avait mise en garde contre le compagnon de voyage qu'elle s'était choisi, un certain Nat Diggerby pour qui, il est vrai, elle n'avait pas beaucoup d'estime. Même si elle n'en avait rien dit, elle avait été soulagée que Lisle prenne finalement sa place.

S'efforçant de voir ce qui se passait, elle se haussa sur la pointe des pieds et tendit le cou, mais un mur humain l'empêchait de profiter pleinement du spectacle. Les spectateurs criaient des encouragements aux deux adversaires, tout en pariant sur l'issue du combat. Olivia entendait seulement des *ahans* et des grognements étouffés, ponctués par le bruit mat d'un poing entrant en contact avec la chair.

Même elle ne se serait pas risquée à jouer des coudes pour s'immiscer dans ce cercle exclusivement masculin. Une dame comme il faut se tenait à l'écart des scènes vulgaires.

Si elle s'était juchée sur le perchoir des valets de pied, à l'arrière de la voiture, elle aurait eu une meilleure vue, mais cela non plus ne se faisait pas.

Elle ne pouvait qu'attendre en espérant que Lisle s'en sortirait en un seul morceau. Mais elle lui faisait confiance. Il avait l'habitude des bagarres. Ne risquait-il pas sa vie tous les jours en Égypte ?

Cela dit, il fallait compter avec la jalousie de Belder et sa rage depuis que Lisle l'avait humilié devant tous ces messieurs importants.

Après ce qui lui parut une éternité, il y eut un cri, puis le silence retomba. Le mur humain commença alors à se fragmenter. Olivia aperçut Belder étendu sur le sol. Deux de ses amis étaient agenouillés près de lui.

À l'aide de son parapluie, elle se fraya un passage parmi la foule.

— Venez, lui fit-elle en prenant Lisle par le bras. Allons-nous-en.

Il lui jeta un regard hagard. Il avait les cheveux en bataille et sa lèvre saignait. Du sang avait coulé sur sa cravate déchirée. Une manche de sa veste pendouillait, à moitié arrachée.

— Allez, insista-t-elle. Il ne peut plus se battre, de toute façon.

Lisle regarda l'homme à terre. Il sortit son mouchoir, voulut s'essuyer la lèvre et grimaça de douleur. Le lui ôtant des mains, Olivia se mit à tamponner doucement la plaie.

— Vous aurez un beau coquard demain, et vous allez devoir vous nourrir de purée pendant quelques jours, prédit-elle.

Il grommela :

— Vous avez le don d'attirer les imbéciles.

Elle laissa retomber le bras, le fusilla du regard et répliqua :

— Votre lèvre va gonfler et, avec un peu de chance, vous ne pourrez plus parler !

Puis, secouant la tête, elle pivota et s'éloigna en direction de sa voiture.

Lisle lui emboîta le pas.

— Vous ne devriez pas encourager ces pauvres garçons à vous faire la cour si vous ne voulez pas d'eux, insista-t-il.

— Je n'ai pas besoin de les encourager. Les femmes de la famille DeLucey ont toujours attiré les hommes. Et les hommes, dans leur grande majorité, sont des imbéciles. Vous y compris. Vous cherchiez tout autant que lui un prétexte pour vous battre.

— Peut-être, reconnut Lisle. Je ne me rappelle pas avoir pris autant de plaisir à casser la figure à quelqu'un.

Comme il lui tendait la main pour l'aider à monter en voiture, elle baissa les yeux sur ses doigts sales et meurtris, et haussa les sourcils.

— On fait la délicate ?

— Sûrement pas. Je me disais juste que cela allait vous faire un mal de chien, tout à l'heure.

— Cela en valait la peine.

Mon Dieu, les hommes ! songea-t-elle.

Elle accepta sa main, s'installa sur la banquette, bientôt suivie de Bailey qui prit place face à elle.

— Je ne suis pas sûre que le plaisir de rosser Belder valait le prix à payer, soupira-t-elle.

— Ce n'est qu'un petit coquard, rien de grave.

— Ce n'est pas ce que je voulais dire. Vos parents ne vont pas apprécier quand ils apprendront la nouvelle. Vous feriez mieux de me laisser vous raccompagner chez vous.

56

— Ce n'est pas sur votre chemin. Et Nichols sera là dès qu'il aura retrouvé mon chapeau.

À cet instant, le valet s'approcha d'un pas vif tout en époussetant le couvre-chef de son maître. Il était plutôt bien de sa personne, mais Bailey le gratifia d'un regard acéré et renifla d'un air dédaigneux avant de déclarer :

— Nous ferions mieux de rentrer tout droit à la maison, mademoiselle.

— Elle a raison, approuva Lisle. Bientôt, tout Londres saura que vous avez donné un coup de parapluie à Belder. Il vaut mieux que vous soyez de retour chez vous au plus vite si vous voulez édulcorer un peu les faits.

Olivia savait déjà que sa version de l'histoire ne serait guère écoutée. Ses parents étaient las des scandales à répétition. Ses grands-parents s'en mêleraient certainement, et pas pour la féliciter. Tous estimaient qu'elle aurait dû être mariée depuis longtemps. Un mari et des enfants la calmeraient, prophétisait-on. Il fallait se méfier du sang DeLucey qui courait dans ses veines.

Mais Olivia savait aussi qu'une fois mariée, sa vie se réduirait à celle d'une épouse et d'une mère. Elle s'étiolerait doucement au fil des ans, parce qu'il ne lui arriverait plus rien de passionnant. Déjà qu'elle était loin d'avoir vécu les grandes aventures dont elle avait toujours rêvé...

Mais tant qu'elle était célibataire, et tant que grand-mère Hargate était là pour prendre sa défense, Olivia conservait une certaine liberté à laquelle elle ne renoncerait que contrainte et forcée.

— Venez dîner à la maison, proposa-t-elle à Lisle.

— Il faudrait que je commence par faire un brin de toilette.

Il eut un sourire canaille qui lui rappela le collégien crasseux qu'il avait été, celui-là même qui avait boxé Nat Diggerby avant d'endosser le rôle de preux chevalier sur la route de Bristol. Ce sourire, ajouté aux souvenirs, la rendit toute chose.

Il referma la portière, et elle s'adossa à la banquette pour ne pas être tentée de le suivre des yeux. Les suspensions de l'attelage fléchirent au moment où les laquais grimpaient sur leur perchoir. L'un d'eux donna du poing contre le toit et la voiture s'ébranla.

Au bout d'une minute ou deux, Bailey remarqua :

— Vous avez oublié de rendre son mouchoir à lord Lisle, mademoiselle.

Olivia baissa les yeux sur le carré de tissu. Elle le ferait laver, repasser, puis l'ajouterait à sa collection. À la main droite, sous son gant de chevreau, se cachait le scarabée qu'il lui avait offert des années plus tôt, et qu'elle avait fait monter en bague afin de pouvoir le porter tout le temps. Et puis elle avait conservé ses lettres. Toutes. Il n'y en avait pas beaucoup, comparées à toutes celles qu'elle lui avait écrites, néanmoins pas une seule ne manquait. Et elle avait gardé chaque babiole qu'il lui avait envoyée.

Il ne fallait rien exiger de plus de la part de Lisle. Il s'était donné corps et âme à l'Égypte de nombreuses années auparavant.

— Ça ne lui manquera pas, assura-t-elle.

Atherton House, le soir même

— Pérégrine, comment as-tu pu ? gémit lady Atherton. Te battre en pleine rue, comme la pire des crapules ! Mon Dieu… Tout cela est la faute de Rupert Carsington !

Il n'y avait aucune logique là-dedans. Lisle se battait depuis toujours et, dans ce domaine, il n'avait pas eu besoin des conseils d'oncle Rupert. Quels que soient le gabarit et le nombre de ses adversaires, il ne s'était jamais défilé devant une bagarre. Ce n'est pas aujourd'hui qu'il allait commencer.

— Tu es devenu un vrai sauvage ! lança son père. Tu ne peux même pas faire une simple conférence devant la Société d'Égyptologie sans que cela dégénère en émeute.

— En l'occurrence, il ne s'agissait pas d'une *émeute*, contre Lisle. Juste d'une rixe.

La marquise repartit à l'attaque :

— Les gazettes sont toujours à l'affût d'une histoire croustillante, et Dieu sait qu'elles sont servies avec Olivia Carsington qui change de fiancé tous les quarts d'heure ! Et toi, tu ne trouves rien de mieux à faire que de la laisser te ridiculiser. Seigneur, quelle honte ! Je suis *mortifiée*. Comment garder la tête haute après une telle avanie ?

Comme à son habitude, elle s'effondra sur le siège le plus proche et éclata en sanglots.

— Tout ça, c'est à cause de l'Égypte ! fulmina lord Atherton. Mais cette fois c'en est trop ! Tant que tu n'auras pas montré que tu te souviens de ce qu'est le devoir filial, tu n'obtiendras plus un liard de ma part.

Lisle s'était attendu à une scène. Le contraire l'eût étonné, en fait. Mais là il fut estomaqué et demeura bouche bée, pas tout à fait certain d'avoir bien compris ce que venait de dire son père.

Comme tous les fils d'aristocrate, il dépendait totalement de son père sur le plan financier. L'argent était la seule chose que ses parents lui aient jamais donnée. Pour ce qui était de l'affection, de la compréhension et des encouragements, il n'avait pu compter que sur les Carsington. Mais à vingt-quatre ans, il ne se voyait pas se tourner vers ces derniers pour leur réclamer des subsides.

— Vous me coupez les vivres ?

— Tu te moques de nous, tu nous ignores, tu te sers de nous en abusant de notre générosité, débita son père. Nous avons tout enduré, mais cette fois tu vas trop loin. Tu fais *honte* à ta mère !

Sur ce, avec un bel esprit d'à-propos, la marquise s'évanouit.

— C'est insensé ! se récria Lisle. De quoi vais-je vivre ?

Son père s'empressa d'aller brandir un flacon de sels sous le nez de sa mère affalée dans son fauteuil.

— Si tu veux de l'argent, tu feras comme les autres jeunes gens, répondit-il, tout en soulevant avec sollicitude la tête de sa femme, commodément retombée sur un coussin. Tu respecteras la volonté de tes parents, tu iras en Écosse et, pour une fois dans ta vie, tu assumeras tes responsabilités. Et il te faudra me passer sur le corps avant de retourner en Égypte !

Finalement, Lisle ne vint pas dîner ce soir-là. En fin d'après-midi, Olivia reçut un message de sa part :

Si je venais dîner, je risquerais de tuer quelqu'un. Il vaut mieux que je reste à l'écart. Vous avez assez d'ennuis comme ça, je suppose.

L.

Elle lui répondit :

M'écrire est trop <u>risqué</u>. Retrouvez-moi à Hyde Park Corner, demain. 10 heures du matin. NE ME FAITES PAS FAUX BOND.

O.

Hyde Park, le lendemain matin

Quelques années plus tôt, toutes les élégantes et les beaux messieurs se promenaient dans Hyde Park le matin, puis, de nouveau, le soir entre 17 et 19 heures.

Désormais, être aperçu dans les allées avant midi était du dernier vulgaire. La matinée était donc le moment idéal pour un rendez-vous secret.

Bien entendu, Olivia était en retard. Lisle n'était guère patient, pourtant il oublia d'un coup sa contrariété lorsqu'elle apparut sur sa jument, l'aigrette bleu pâle de son chapeau frémissant au vent telle une bannière sur un champ de bataille.

Elle portait une tenue d'amazone de coupe militaire ornée de soutaches dorées, dont le bleu profond s'accordait avec ses yeux. Le soleil matinal jetait des flammèches dans sa chevelure rousse.

Lorsqu'elle arrêta son cheval à la hauteur du sien, il n'avait toujours pas retrouvé son souffle.

— Vous n'imaginez pas le mal que j'ai eu à me débarrasser de Bailey, expliqua-t-elle. Allez savoir pourquoi, elle qui déteste le parc tenait absolument à m'accompagner. J'ai réussi à la convaincre de rester à la maison, mais, du coup, j'ai dû accepter une escorte.

Elle désigna du menton le jeune valet en livrée qui demeurait discrètement en retrait, à quelques pas de là.

— Nous n'avons rien à cacher, reprit-elle, mais toute la famille m'en veut de vous avoir poussé à vous battre avec Belder.

— Je suis le seul à blâmer.

— Votre œil n'est pas joli-joli, commenta-t-elle en se penchant pour le scruter.

— Ç'aurait pu être pire. Nichols s'en est occupé, sinon je ne verrais rien de ce côté-là. Et contrairement à ce que vous espériez, ma lèvre n'est pas aussi gonflée que prévu.

— Il n'empêche que vous n'êtes pas aussi beau qu'au bal. Ma mère, à qui l'on a décrit la bagarre et vos blessures avec force détails, est furieuse. Elle dit que je dois garder mes distances avec vous, que vous avez suffisamment de problèmes, que je ne fais que vous créer des ennuis.

— C'est ridicule! À qui parlerais-je si vous n'êtes pas là? Venez. Il y a trop de bruit ici.

Le parc en soi avait beau être désert – selon les critères de la bonne société, du moins –, Hyde Park Corner était encombré de marchands, colporteurs, livreurs, soldats et traîne-savates en tout genre. Sur la chaussée, les diligences, les calèches élégantes, les cavaliers et les piétons circulaient tant bien que mal, sans compter les gamins des rues, les chiens et les chats qui se faufilaient entre deux véhicules.

C'était ici même, se souvint-il, que leur grande aventure avait débuté, quand ils avaient grimpé ni vu ni connu dans une charrette, juste après qu'il eut flanqué une bonne correction à ce rustaud de Nat Diggerby.

Il se rappelait très bien la gamine menue qu'elle était alors et ne s'était pas encore habitué à la beauté qu'elle était devenue. Elle éveillait en lui des sentiments déplacés; des sentiments qu'il aurait pu éprouver avec n'importe quelle jolie femme, mais pas *elle*, son amie, son alliée.

Avant de lui parler, il devait s'éclaircir l'esprit.

— Une petite course ? proposa-t-il alors qu'ils venaient de pénétrer dans le parc.

Le regard d'Olivia s'illumina.

Leurs chevaux à peine sortis des écuries piaffaient et s'envolèrent dans un galop trépidant sur Rotten Row. La jument d'Olivia était aussi fringante que son étalon, et la jeune fille était aussi bonne cavalière que lui. Lisle l'emporta de peu, et ils finirent dans un éclat de rire, savourant le plaisir que leur avait procuré ce galop par une belle matinée d'automne.

Ils s'enfoncèrent plus avant dans le parc au petit trop, et attendirent de s'être écartés des sentiers les plus fréquentés pour mettre leurs montures au pas. Lisle lui fit alors part de l'ultimatum de son père.

Olivia tomba des nues.

— Il vous a coupé les vivres ! répéta-t-elle, incrédule. Mais il n'a pas le droit ! Si vous restez ici, vous serez vite bon pour l'asile.

— Mes parents veulent m'empêcher de repartir, je vous l'avais dit. Mais je ne pensais pas qu'ils étaient à ce point déterminés. Je croyais les avoir à l'usure, or ils n'en démordent pas. Ils veulent à tout prix m'envoyer en Écosse.

— Peut-être votre père espère-t-il qu'une fois là-bas, votre passion pour l'Égypte se transformera en passion pour les vieilles pierres. À leurs yeux, toutes ces vieilleries, c'est du pareil au même.

Il lui sourit. Elle le comprenait si bien ! Sans doute parce qu'elle était une DeLucey. Ses ancêtres avaient survécu durant des générations grâce à leur talent pour cerner les caractères… et manipuler les gens !

— J'imagine que je devrais m'estimer heureux qu'ils ne m'aient pas coupé les vivres plus tôt, soupira-t-il.

— Lord Rathbourne vous aurait aidé.

— Votre beau-père en a déjà fait bien assez pour moi.

— Si je pouvais disposer de mon argent, je vous en donnerais, vous le savez.

— Ce serait monstrueusement incorrect. Par chance, c'est impossible.

— Je ne les laisserai pas vous piéger ainsi, assura-t-elle. Nous allons réfléchir et trouver une solution.

Elle était de nouveau là, cette étincelle dans ses yeux qui ne présageait rien de bon.

— Non, nous n'allons rien faire de tel, décréta Lisle d'un ton ferme.

Olivia était son amie et sa confidente, mais parfois son impulsivité, sa morale approximative et sa nature exaltée l'épouvantaient, lui qui affrontait sans sourciller serpents, scorpions, crocodiles, voleurs et, pire que tout, fonctionnaires.

Dire que son discernement était discutable était, au mieux, un euphémisme.

Neuf ans plus tôt, elle l'avait entraîné dans une improbable chasse au trésor qui aurait pu se terminer très mal pour lui sans l'intervention du beau-père d'Olivia. Il avait failli se retrouver dans l'un de ces horribles pensionnats écossais, et savait qu'il devait remercier lord Rathbourne de l'avoir emmené en Égypte à la place. Mais il n'était plus un enfant. Il ne pouvait ni ne voulait plus se tourner vers autrui chaque fois qu'il rencontrait une difficulté.

— Lisle, écoutez-moi! Je viens d'avoir une idée extraordinaire!

Olivia et ses idées. N'importe quel homme doté d'un minimum d'intelligence et d'un instinct de conservation normal aurait frémi de peur en entendant de telles paroles.

— Je ne veux pas le savoir, la prévint-il.

— Partons pour l'Écosse. Ensemble !

Le cœur d'Olivia battait si fort qu'on devait l'entendre jusqu'à Kensington Palace. Depuis qu'il avait évoqué ce château en Écosse, l'avant-veille, elle n'avait cessé d'y penser.

— Avez-vous perdu l'esprit ? se récria-t-il.

— Je savais que vous diriez cela.

— Je n'ai pas l'intention d'aller en Écosse.

— Mais nous irions *ensemble*. Ce serait une aventure passionnante.

— Ne soyez pas ridicule. Nous ne sommes plus des enfants. Et puis, vos parents ne vous laisseront jamais voyager seule avec un homme.

— Ils n'en sauront rien. Ils partent demain pour le Derbyshire. De mon côté, je suis censée rester à Londres avec grand-mère Hargate.

Lisle secoua la tête.

— De mieux en mieux…

— Écoutez, j'ai bien réfléchi…

— Depuis quand ? coupa-t-il, la fixant d'un regard pénétrant. Je viens tout juste de vous apprendre ce qui s'est passé avec mes parents.

— J'ai réfléchi à cette histoire de château. Je cherchais un plan pour vous tirer d'affaire.

Avec Lisle, mieux valait rester le plus près possible de la vérité. Car en plus d'être d'une logique à toute épreuve et d'une franchise excessive, elle le soupçonnait d'être capable de lire en elle.

— Olivia, je vais avoir vingt-quatre ans. Je suis parfaitement capable de me débrouiller sans vous.

— Oh, épargnez-moi votre numéro de fierté masculine ! Si vous vouliez seulement m'écouter, vous verriez que mon idée est tout à fait réalisable.

— Il y a neuf ans, il vous a aussi paru tout à fait réalisable d'aller chercher un trésor à Bristol, au fond du jardin du comte de Mandeville, pour sauver votre mère de la misère! lui rappela-t-il.

— En effet, et nous nous sommes bien amusés, pas vrai? dit-elle avec un soupir nostalgique. Quelle aventure! Vous vivez cela quotidiennement à présent, tandis que moi… je me contente de rompre mes fiançailles et de donner un coup de parapluie à l'occasion.

Il lui adressa un regard qu'elle ne parvint pas à déchiffrer. Puis éperonna sa monture pour s'éloigner.

Il avait besoin de prendre ses distances, mais Olivia le suivit. Elle continua d'argumenter:

— Gardez l'esprit ouvert. Vous êtes un scientifique, vous devez être capable d'envisager toutes les solutions sans *a priori*.

— Sauf lorsqu'elles sont abracadabrantes. Vous ne pouvez pas partir sur les routes simplement parce que vous vous ennuyez au milieu de votre cour de soupirants que vous frappez à coups de parapluie. Je suis désolé que les femmes aient une vie étriquée, mais je n'y peux rien. Vous savez pertinemment qu'en agissant ainsi vous provoqueriez un terrible scandale.

— Ce ne sera pas le premier. Le scandale, c'est ma spécialité. Quoi que je fasse, quoi que je dise lors d'une fête ou d'un dîner, il est certain que cela aura fait le tour de Londres le lendemain matin. Olivia Carsington-la-Scandaleuse, c'est moi. Je devrais le faire inscrire sur mes cartes de visite.

Lisle jeta un regard éperdu autour de lui. Le parc était tranquille, quasi désert. Il avait l'impression que les battements de son cœur couvraient le chant des oiseaux. Il était tenté, horriblement tenté. Il devait admettre que depuis qu'ils se connaissaient, elle avait passé son temps à le soumettre aux pires tentations. S'il ne s'était pas réfugié en Égypte durant les dix dernières années, elle aurait fait de sa vie un véritable désastre.

— Je ne devrais pas avoir à vous le dire, reprit-il, mais puisque vous avez perdu l'esprit, je n'ai pas le choix: vous me considérez comme un frère, mais ce n'est pas le cas. Vous ne pouvez pas voyager avec moi sans la présence d'un chaperon.

— Je suis au courant, merci. Mais laissez-moi m'occuper de tous ces détails. Tout ce que vous avez à faire…

— Je ne ferai rien du tout, coupa-t-il. De toutes les idées insensées que vous avez pu avoir, celle-ci remporte la palme! Mon père m'a coupé les vivres, je n'ai nulle part où aller, et vous voudriez que je vous emmène dans un château en ruine à l'autre bout de l'Écosse. En octobre! Savez-vous à quoi ressemble l'Écosse en octobre?

— C'est froid, humide, lugubre, et terriblement romantique.

— Je n'irai pas! Je ne comprends même pas que nous soyons encore en train d'en discuter.

— Ce sera drôle. Une grande aventure. Et c'est la toute dernière chance qui s'offre à moi! plaida-t-elle encore. Mes parents et mes grands-parents en ont assez de mes incartades. Ils exigent que je me marie. Vous savez bien que c'est leur dada de marier les gens. Ils veulent me voir *casée*, et quand cela arrivera, il ne se passera plus jamais rien d'intéressant dans ma vie!

Il se rappelait la gamine audacieuse qu'elle avait été, qui n'hésitait pas à sortir seule, à grimper dans une charrette inconnue, à convaincre deux nigauds de valet de disputer une partie de cartes avec elle. Et aujourd'hui, le moindre de ses écarts déclenchait un esclandre et faisait chuchoter les matrones derrière leur éventail.

— Bon sang, Olivia, n'essayez pas de m'avoir par les sentiments !

— Vous savez que ce que je dis est vrai. Les femmes vivent par procuration. Elles sont d'abord la fille de quelqu'un, puis la femme de quelqu'un, et enfin la mère de quelqu'un. Elles n'ont pas d'existence propre. Quant à vous, vous n'avez guère le choix. Cette fois, vous ne pouvez pas faire la sourde oreille aux injonctions de vos parents. Ils ont fini par découvrir qu'ils disposaient d'un excellent moyen de pression sur vous.

— Et vous, vous faites leur jeu. Avez-vous la moindre idée de ce que représente la rénovation d'un château ?

— Je crois, oui.

— Cela pourrait prendre des années. *Des années !* En *Écosse*. Avec les *cornemuses !*

Elle sourit.

— Rassurez-vous, cela ne prendra pas tout ce temps si je vous aide. Autant faire croire à vos parents qu'ils ont gagné cette bataille. Et si nous jouons finement, vous serez de retour en Égypte… disons au printemps prochain.

Ce sourire aurait suffi à le faire plier. Sauf que la petite voix qui l'avait gardé en vie toutes ces années murmurait : « Attends. Réfléchis. »

Mais comment réfléchir quand Olivia dardait sur lui son regard bleu au pouvoir hypnotique ?

Cela dit, il n'était pas complètement ensorcelé. Il avait l'esprit cartésien et les pieds sur terre, et demeurait l'observateur détaché qui l'avait vue à l'œuvre récemment. Il savait qu'elle pouvait faire croire n'importe quoi à n'importe qui – surtout aux hommes.

— Olivia, répondit-il le plus gentiment possible, si je cédais aujourd'hui, mes parents n'hésiteraient pas à employer la méthode à chaque nouvelle exigence. Ce serait sans fin.

À sa grande surprise, le sourire d'Olivia ne vacilla pas.

— Bon, eh bien, si vous ne voulez pas, tant pis, répliqua-t-elle avec bonne humeur et un petit haussement d'épaules.

Il eut un soupir de soulagement.

— Je savais que vous comprendriez.

— Oh, mais il n'y avait pas de raison que je ne comprenne pas !

— Tant mieux, parce que franchement…

— Inutile de vous justifier, coupa-t-elle. Pardonnez-moi, mais je ne peux m'attarder. J'ai beaucoup à faire aujourd'hui. À bientôt.

Elle frôla de sa cravache le bord de son chapeau avant de s'éloigner au galop.

4

Atherton House, vendredi 7 octobre

Lisle aurait dû voir venir la suite.

Mais comment prévoir quoi que ce soit avec elle ?

Olivia. Fantasque. Tête brûlée.

Ce matin-là, quand il descendit prendre son petit déjeuner, elle était là. Non pas seule, mais accompagnée de la douairière, lady Hargate, et des deux Harpies, lady Cooper et lady Withcote.

Lisle n'avait pas bien dormi.

La veille, ayant trouvé refuge dans son club, il avait échafaudé divers plans pour échapper au traquenard tendu par ses parents. Hélas, tous s'étaient révélés voués à l'échec !

Puis lord Winterton était arrivé. Leurs chemins s'étaient croisés à plusieurs reprises en Égypte, et ils avaient beaucoup à se raconter. Finalement, Winterton l'avait invité à dîner chez lui pour lui montrer une liasse de papyrus. Heureux de trouver une distraction momentanée à ses pensées moroses, Lisle avait accepté. Le temps avait passé. Résultat, il n'était pas plus avancé ce matin.

À son entrée dans la salle à manger, toutes les personnes présentes l'accueillirent d'un grand sourire.

Lisle se targuait d'avoir l'esprit scientifique. Il ne croyait pas aux funestes prémonitions.

Jusqu'à aujourd'hui.

Il s'approcha de la desserte et remplit son assiette avant d'aller s'asseoir à côté de lady Withcote, face à Olivia.

— Pérégrine, Olivia nous a parlé de ta brillante idée, annonça sa mère.

— Mon… idée ? répéta Lisle.

Un grand froid l'envahit. Il leva des yeux inquiets sur Olivia.

— De m'emmener en Écosse pour vous aider dans votre mission, précisa cette dernière avec un sourire délicieux.

— *Quoi ?*

— Je pensais que vous aviez prévenu vos parents, dit-elle. Oh, vous comptiez leur faire la surprise ? Je suis désolée, j'ai tout gâché…

— Ma chère enfant, intervint grand-mère Hargate, c'est un projet si excitant, tout le monde comprend que tu n'aies pas pu attendre.

— *Quoi ?* répéta Lisle, hébété.

— Pour une surprise, c'en fut une, convint la marquise d'Atherton. Et je t'avoue qu'au début j'avais des réticences.

— Mais… bredouilla Lisle.

La douairière expliqua :

— Ta mère estimait qu'il était incorrect que deux jeunes gens partent ainsi ensemble. Comme si nous n'avions pas tout prévu !

— Tout prévu…

— Lady Cooper et lady Withcote ont généreusement accepté de nous chaperonner, intervint Olivia. Chacune de nous emmènera sa femme

72

de chambre, et grand-mère Hargate veut bien nous prêter quelques domestiques le temps que nous en engagions là-bas. J'emprunterai à mes parents leur cuisinier et leur majordome. Ils ne leur manqueront pas puisqu'ils partent pour le Derbyshire.

Lisle regarda tour à tour les visages joyeux tournés vers lui. Elle l'avait fait. Elle avait osé passer outre à sa décision ! C'était un cauchemar. Il devait rêver. Ses parents étaient-ils aveugles ? Était-il le seul à avoir remarqué que la douairière se comportait *étonnamment* bien ? Non, bien sûr, ils n'avaient rien vu ! Parce qu'Olivia avait magnifiquement entourloupé son monde.

Il allait devenir fou. Cooper et Withcote ! Ces deux-là passaient leur vie à picoler, à jouer aux cartes et à reluquer les jeunes gens. Il n'existait pas pires chaperons au monde en dehors des pensionnaires de bordels.

Il devait mettre un terme à cette pitrerie.

— Olivia, je pensais avoir été clair…

— Oh, vous avez été limpide, l'interrompit-elle avec un regard innocent. *Je comprends tout à fait.* Si j'avais comme vous une passion dévorante, j'aurais du mal à m'intéresser à autre chose. Lisle, personne ne vous en veut parce qu'un obscur château écossais ne titille pas votre imagination.

— Je n'ai aucune imagination. Je ne vois que ce qui est, rétorqua-t-il.

— Je sais. C'est pourquoi vous auriez un mal fou à voir la beauté potentielle qui réside dans un tas de pierres. Vous avez besoin de l'œil d'un expert, de quelqu'un qui possède cette imagination qui vous fait défaut. Je me chargerai de la partie esthétique, tandis que vous vous occuperez de l'aspect pratique. Il ne pourrait y avoir meilleure association que la nôtre.

— Cher Pérégrine, fit la marquise en se penchant vers son fils, je suis désolée, je n'avais pas compris quels problèmes se posaient à toi. Comme le dit si justement Olivia, t'envoyer là-bas seul reviendrait à envoyer un soldat au front sans munitions.

Lisle tourna un regard effaré vers son père qui, assis en bout de table, lui adressa un sourire indulgent. Indulgent ! Son père !

— C'est la solution idéale, approuva le marquis. Tu seras là pour protéger ces dames des possibles désagréments qui pourraient survenir sur place, et je ne doute pas que Gorewood retrouve rapidement sa splendeur passée.

— Pour peu que tu laisses Olivia s'occuper de la décoration, ajouta finement la marquise.

Il y eut un rire général.

— Ha-ha ! grinça Lisle. J'ai tellement hâte, je ne tiens pas en place. Je ne peux même pas finir mon assiette. Je crois que je vais aller faire un tour dans le jardin. Olivia, cela vous ennuierait de m'accompagner ?

— Rien ne me ferait plus plaisir, assura-t-elle avec un sourire candide.

Dans le jardin, dix minutes plus tard

Lisle faisait face à Olivia. Ses yeux gris avaient l'éclat dur du silex.

— Avez-vous perdu l'esprit ? N'avez-vous pas écouté ce que je vous ai dit hier ? Ma parole, vous devenez comme mes parents !

Bien que la comparaison ne soit guère flatteuse, Olivia conserva son sourire et s'abstint de lui envoyer un coup de pied dans le tibia.

— C'est parce que je vous ai écouté que j'ai compris que vous étiez en train de vous fourvoyer. Il fallait bien que je prenne des mesures drastiques pour vous sauver de vous-même.

— Je sais exactement ce que je fais et pourquoi, riposta-t-il. Je vous ai dit qu'il n'était pas question que je cède au chantage de mes parents !

— Vous n'avez pas le choix.

— On a toujours le choix. J'ai juste besoin de temps pour réfléchir.

— Vous ne voyez donc pas que plus vous ferez traîner les choses et plus ils augmenteront la mise ? Vous ne savez pas comment fonctionne leur esprit. Moi, si. Pour une fois, fiez-vous à mon jugement.

— Quel jugement ? Vous ne savez pas ce que vous voulez. Vous vous ennuyez à Londres et vous ne voyez dans cette histoire qu'un moyen de vous divertir. C'est tout ce qui vous importe. J'ai bien vu vos yeux se mettre à briller quand je vous ai parlé de ce château hanté. Je pouvais presque deviner vos pensées : Des fantômes, un mystère, du danger… Cela vous apparaît comme une aventure, mais pas à moi, je vous le garantis !

— Parce que ce n'est pas l'Égypte, et que rien d'autre ne trouve grâce à vos yeux.

— Ce n'est pas…

— Et aussi parce que vous êtes têtu comme une mule. Vous refusez d'envisager toutes les possibilités. Comme d'habitude, vous allez droit à l'affrontement plutôt que d'essayer de tirer le meilleur parti possible des occasions qui vous sont offertes. Je sais, vous n'êtes pas un opportuniste. Ça, c'est plutôt ma spécialité. Mais ne comprenez-vous pas qu'il est beaucoup plus malin d'allier nos ressources ?

— Je me fiche d'être malin ! Je ne suis pas en train de jouer.

— Parce que vous croyez que moi je le suis ?

— *Tout* est un jeu pour vous. Hier, je vous ai parlé en toute confiance. J'ai cru que vous comprendriez. En réalité, vous vous amusez à manipuler les gens comme autant de pions.

— Je le fais pour vous, espèce de demeuré !

Sans l'écouter, il poursuivit avec amertume :

— Vous avez mené votre affaire de main de maître, je dois le reconnaître. Vous m'avez démontré que vous pouviez même manœuvrer mes parents et les faire se ranger à votre point de vue. Mais je ne suis pas comme eux, je vous connais, vous et vos petits stratagèmes. Je ne veux pas que ma vie soit sens dessus dessous dans l'unique but de tromper votre ennui !

— C'est la chose la plus détestable, la plus blessante que vous m'ayez jamais dite ! Vous êtes obtus et vous vous comportez comme un idiot ! Je ne supporte pas les idiots ! Allez au diable !

Elle lui donna une violente bourrade. Pris au dépourvu, il perdit l'équilibre et bascula les quatre fers en l'air dans un massif.

Olivia s'éloignait déjà au pas de charge.

— Crétin, grommela-t-elle.

White's Club, peu après minuit

Lisle avait tenté d'épuiser sa rage par la pratique frénétique de la boxe, de l'escrime et de l'équitation. En désespoir de cause, il s'était mis à pulvériser des cibles dans la salle de tir.

Peine perdue. Il avait toujours envie de tuer quelqu'un.

À présent, il était assis dans la salle de jeu et scrutait par-dessus le bord de son verre les autres occupants de la pièce en se demandant à qui il pourrait bien mettre une correction.

Une voix pleine de déférence l'arracha à cette agréable occupation.

— Je suis désolé de vous déranger, milord, mais on vient de vous apporter un pli.

Le domestique posa un plateau d'argent sur la table, près de son coude. Lisle baissa les yeux. Son nom apparaissait sur le feuillet plié et scellé d'un cachet de cire. Il n'eut aucun mal à identifier l'écriture, même si sa vision était légèrement brouillée en raison du vin qu'il avait bu – une ou deux bouteilles, pas plus.

Il ne fallait pas être grand clerc pour deviner qu'un message émanant d'Olivia à minuit passé ne contenait aucune bonne nouvelle.

Il arracha le sceau.

Ormont House, vendredi 7 octobre,

Milord,

Après avoir attendu <u>en vain</u> toute la journée une EXCUSE de votre part, j'ai <u>perdu espoir</u>. Je vous laisse donc le soin d'expliquer à lord et lady Atherton votre <u>refus absurde</u> de faire ce qui <u>satisferait</u> TOUT LE MONDE. Toutes les dispositions ont été prises. Mes malles sont faites. Les domestiques sont prêts à s'embarquer dans cette Grande Expédition. Les deux Charmantes Dames qui ont été assez <u>bonnes</u> pour abandonner le confort de leur logis londonien afin de nous accompagner dans cette Noble Quête sont elles aussi prêtes à partir et, ajouterai-je, très <u>impatientes</u>.

Si nous vous abandonnons, vous ne pouvez vous en prendre qu'à <u>vous-même</u> et à votre <u>stupéfiante</u>

ingratitude. En ce qui me concerne, j'ai la conscience
tranquille. Vous ne m'avez pas laissé LE CHOIX.
Quand vous lirez cette lettre, je serai déjà partie.

Bien à vous,
Olivia Carsington

— Non ! gémit-il. Pas encore.

Sur la vieille route du Nord, une heure plus tard

— Cela fait des années que je n'avais pas voyagé
en berline, déclara lady Withcote. J'avais oublié
comme on est secoué. Surtout quand on roule sur
les pavés.

La voiture venait de faire halte, le temps pour
le cocher de régler les droits de passage à la porte
de Kingsland Road.

— Vous pouvez le dire, opina lady Cooper. Cela
me rappelle ma nuit de noces. Quel ébranlement,
mon Dieu ! Cela a failli me dégoûter définitivement
de la chose.

— C'est toujours ainsi avec un premier mari,
raisonna lady Withcote. C'est dû au fait que la fille
est jeune et que sa science se limite à savoir que
le bidule va dans le machin.

— Et encore, quand elle est au courant !

— En conséquence, comment voudriez-vous
qu'elle donne les bonnes directives ?

— Et quand elle a acquis l'expérience voulue,
le mari a déjà pris trop de mauvaises habitudes.

Lady Withcote se pencha vers Olivia qui était
assise sur la banquette opposée, à côté de Bailey.

— Cela dit, ce n'était pas si terrible. Le premier
mari a été choisi par nos parents. Les nôtres avaient
plus du double de notre âge. De fait, ils n'ont pas

tardé à casser leur pipe. À ce moment-là, nous étions plus sages et plus mûres, et nous avons su choisir avec discernement la deuxième fois.

— Certaines essaient le second mari avant de consentir à l'épouser, précisa lady Cooper.

— Mais d'autres ne se donnent même pas le mal de se remarier et s'offrent quand même du bon temps, ajouta lady Withcote.

Elle faisait évidemment allusion à grand-mère Hargate qui avait été scrupuleusement fidèle à son mari de son vivant mais qui, après sa disparition, avait papillonné d'amant en amant.

L'attelage s'ébranla de nouveau.

— C'en est enfin fini des pavés, annonça gaiement Olivia.

La robuste berline était capable d'affronter les longs périples et les routes les plus cahoteuses. En revanche certains détails laissaient à désirer, par exemple le crissement des roues sur les cailloux. Dans l'habitacle, il fallait hausser la voix pour se faire entendre. Et on était si rudement ballotté qu'Olivia avait déjà mal aux fesses alors qu'ils n'avaient parcouru que quelques lieues.

Les habitations alentour se firent plus rares et le cocher laissa ses bêtes filer. Bientôt ils entamèrent l'ascension de Stamford Hill, d'où l'on était censé apercevoir la cathédrale de Saint-Paul. Olivia baissa la vitre et se pencha dehors. Il faisait nuit noire, et elle n'entrevit que l'éclat de quelques réverbères.

Elle remonta la vitre et se rassit avec un soupir déçu.

— Aucun signe de lui ? s'enquit lady Cooper.

— Oh non, il est bien trop tôt ! Il va lui falloir un certain temps pour nous rattraper, et alors nous serons trop loin pour faire demi-tour.

— Faire demi-tour ? Il n'en est pas question ! se récria lady Withcote.

— Ce voyage est la chose la plus excitante que nous ayons faite depuis une éternité !

— L'époque est si ennuyeuse.

— Ah, de notre temps !

— Ma chère Olivia, si vous aviez connu cela !

— Au moins, les messieurs savaient s'habiller.

— On aurait dit des paons.

— Ils avaient beau se parer de dentelles et de soieries, le sang bouillait dans leurs veines. Ah, ils étaient moins policés que la génération actuelle, je vous le garantis !

« Excepté Lisle », songea Olivia. Mais il avait grandi parmi les hommes de la tribu Carsington, qui n'étaient pas vraiment domptés, même les plus civilisés d'entre eux.

— Vous souvenez-vous quand Eugénia s'est querellée avec lord Drayhew ? s'enquit lady Cooper.

— Comment pourrais-je l'oublier ? répliqua lady Withcote. J'étais jeune mariée à l'époque, et elle était la plus fringante des veuves. Il s'est montré trop autoritaire à son goût, et elle ne l'a pas supporté. Elle a plié bagage.

— Et il l'a pourchassée jusque chez lord Morden qu'elle était partie rejoindre dans le Dorset. Quelle scène, mes aïeux, quand Drayhew leur est tombé dessus !

— Bien entendu, les deux hommes se sont battus en duel. Un duel qui n'en finissait pas.

— En ce temps-là, on se battait à l'épée.

— Oui, on se battait *vraiment*, on ne se visait pas vaguement à vingt pas avec un pistolet.

— Les adversaires étaient deux fines lames. Ils s'égratignaient à tour de rôle, mais personne ne dominait l'autre et aucun ne voulait céder.

— Ils ont fini par s'effondrer d'épuisement.

— Oui, c'était vraiment une belle époque ! soupira lady Withcote, nostalgique.

— Les hommes étaient des hommes, renchérit lady Cooper, tout aussi rêveuse.

Olivia songea que les hommes seraient toujours des hommes. Leur apparence pouvait changer, leur cerveau demeurait le même.

— N'ayez crainte, nous n'avons pas besoin des hommes, affirma-t-elle. Avec ou sans eux, nous allons vivre une grande aventure !

Pendant ce temps, à Londres

Lisle arriva à Ormont House au moment où une voiture chargée de bagages et de domestiques remontait péniblement la rue. Avec un peu de chance, il s'agissait de la voiture de tête, se prit-il à espérer. Mais à vrai dire, il ne comptait pas beaucoup sur la chance dans cette histoire.

Il paya le cocher du fiacre qui l'avait amené, gravit deux à deux les marches du perron et secoua le heurtoir avec énergie.

Dudley, le majordome de lady Hargate, vint lui ouvrir. Son visage prit une expression ennuyée, et Lisle se rappela alors qu'il avait un œil au beurre noir, dont les couleurs se déclinaient du rouge au violet, en passant par le jaune. Dans sa précipitation, il avait oublié son chapeau et ses gants à son club.

Jamais Nichols ne l'aurait laissé sortir sans ces derniers.

Toutefois un bon majordome se garde de tirer des conclusions hâtives. Dudley prit le temps de dévisager ce visiteur inattendu qui se présentait à l'heure où les ivrognes, les vagabonds et les cambrioleurs entamaient leur ronde nocturne. Au bout de quelques secondes, ses traits se détendirent.

— Bonsoir, lord Lisle.

— Il est déjà là ? lança une voix féminine un peu chevrotante, dans le dos du majordome. Faites-le donc entrer, Dudley.

Le majordome s'inclina, puis s'effaça. Lisle pénétra dans le vestibule et entendit la porte se refermer derrière lui tandis qu'il s'avançait vers la comtesse douairière de Hargate, appuyée sur sa canne.

Elle portait une robe de chambre agrémentée de multiples volants et ruchés, d'un style qui devait déjà être démodé depuis longtemps quand les Parisiens avaient pris la Bastille.

Elle le parcourut du regard.

— Tu as l'air contrarié, déclara-t-elle enfin.

Elle avait beau être vieille comme Hérode et terrifier tout le monde, y compris lui, en cet instant il n'était pas d'humeur à faire des ronds de jambes.

— Vous l'avez laissé partir, lâcha-t-il. Vous devez être complètement entichée d'elle pour ne pas l'avoir retenue !

En guise de réponse, lady Hargate émit un gloussement.

— Quand est-elle partie ? reprit Lisle, les dents serrées.

— Aux douze coups de minuit. Tu connais Olivia. Elle adore les effets dramatiques.

Il était un peu plus d'1 heure du matin.

— C'est insensé ! s'exclama-t-il. Je ne peux pas croire que vous lui ayez permis de partir pour l'Écosse seule, au beau milieu de la nuit !

— Qu'est-ce que tu racontes ? Elle n'est pas seule. Agatha et Millicent sont avec elle, sans parler d'une armée de serviteurs. J'admets que le majordome est plutôt malingre, mais le cuisinier pèse son quintal. Elle a emmené six robustes femmes de chambre, et autant de valets, et tu sais combien j'aime m'entourer de beaux garçons costauds.

Même si, désormais, je me contente d'admirer la vue.

On pouvait légitimement se demander ce qu'elle avait trafiqué avec les valets avant d'être réduite à l'impuissance par le grand âge, mais Lisle ne voulait pas se laisser distraire :

— Une poignée de domestiques et deux vieilles dames excentriques ! C'est au-delà de la folie !

— Olivia est capable de veiller sur elle-même. Tout le monde la sous-estime, en particulier les hommes.

— Pas moi.

— Vraiment ?

Il refusa de se laisser déstabiliser par le regard noisette qui le fixait sans ciller.

— Elle a agi ainsi à dessein, lança-t-il. Pour me forcer la main !

Olivia savait qu'il se sentirait responsable même si elle avait tous les torts. Jamais il ne pourrait dire à ses parents qu'il l'avait laissé partir seule pour Gorewood et rester tranquillement à la maison.

À la maison.

Peut-être pour toujours.

Sans Olivia non loin pour rendre le climat familial supportable.

Maudite soit-elle !

— Je n'arrive pas à croire que personne dans cette famille ne soit capable de lui imposer son autorité ! Et maintenant, c'est à moi de tout lâcher pour lui courir après. En pleine nuit…

— Inutile de te précipiter. Avec Agatha et Millicent, elle aura de la chance si elle atteint le Hertfordshire avant l'aube, assura la douairière.

Olivia savait bien qu'en voyageant avec un tel équipage elle ne battrait pas des records de vitesse. Néanmoins, quand la douairière lui avait prédit qu'il faudrait deux semaines pour atteindre Édimbourg, elle avait cru à une boutade, ou peut-être à une référence au siècle passé.

Elle était en train de réviser son jugement.

Il fallait s'arrêter toutes les cinq lieues pour changer de chevaux, parfois plus souvent quand la route grimpait. Les meilleurs palefreniers étaient capables d'effectuer l'opération en deux minutes pour satisfaire aux horaires stricts de la malleposte et de la diligence, mais cela ne s'appliquait pas à leur petit cortège.

Elle commençait aussi à comprendre que les deux vieilles dames auraient besoin de pauses plus longues dans les auberges d'étape. Il fallait bien qu'elles soulagent leur vessie, se dégourdissent les jambes et se requinquent en mangeant et en buvant.

Surtout en buvant.

Le grand panier plein de victuailles que leur avait préparé le cuisinier était déjà vide.

Mais il fallait voir le bon côté des choses, il n'existait pas compagnie plus divertissante lors d'un long périple. Et des heures durant, les deux vieilles chouettes avaient régalé Olivia d'histoires plus croustillantes les unes que les autres.

Ils avaient fini par atteindre le Hertfordshire. Les chevaux encore frais auraient pu au moins les conduire jusqu'à Ware, mais le cocher des Carsington avait ses habitudes et s'arrêta à l'auberge du *Faucon*.

— Enfin! s'écria lady Withcote lorsque la voiture s'immobilisa dans la cour.

— Ma vie contre une tasse de thé! renchérit lady Cooper qui cogna sur le toit avec son parapluie, avant d'ajouter: Ne vous inquiétez pas, chère Olivia, je sais que nous sommes pressées. Nous n'en avons que pour une minute.

Olivia en doutait fortement.

— Je viens avec vous, décida-t-elle. C'est plus sage. Il fait nuit, il pleut, et la cour n'est pas bien éclairée.

— Voyons, nous n'avons pas besoin d'une bonne d'enfants pour monter quelques marches. J'espère ne pas être aussi décrépite que cela.

— Certainement pas, assura Olivia, mais...

— Je connais cette taverne comme ma poche, coupa lady Withcote.

— Et moi, je pourrais y trouver mon chemin un bandeau sur les yeux et ivre morte.

— Mais c'est exactement ce que vous avez fait, Millicent. Nous rentrions d'une fête chez lady Jersey si ma mémoire est bonne.

Un serviteur ouvrit la portière et déplia le marchepied. Tels deux châteaux branlants, les Harpies descendirent de voiture.

— Et quelle fête! s'extasia lady Cooper. Rien à voir avec ces pâles réceptions d'aujourd'hui où l'on se rase copieusement.

— Plus personne ne se fait tuer de nos jours, déplora lady Withcote.

La portière fut refermée et le bruit de leurs voix décrut. Par la vitre, Olivia vit leurs silhouettes courtaudes disparaître derrière le rideau de pluie. Elle s'adossa à la banquette. Ils étaient partis depuis plus de trois heures. Maintenant que l'excitation des débuts était retombée, la colère et l'indignation reprenaient peu à peu le dessus.

Cette insupportable tête de mule!

Elle aurait dû le pousser plus fort. Et emporter son parapluie pour lui en flanquer des coups sur le crâne.

Elle avait cru qu'il verrait toute l'ingéniosité de son plan, mais non, il s'était comporté comme tous les autres hommes.

Les minutes passaient. La pluie crépitait sur le toit de la voiture, étouffant le bruit des roues et des sabots sur les pavés de la cour. Même au cœur de la nuit, et par ce temps exécrable, les voyageurs continuaient d'aller et venir. On ne dormait jamais dans une auberge d'étape.

Olivia dut somnoler, car elle se redressa tout à coup dans un sursaut en entendant des voix à l'extérieur. La portière s'ouvrit. Le cocher apparut, flanqué de deux valets de la maison Hargate qui brandissaient des parapluies, et d'un quatrième bonhomme.

— Si vous voulez bien descendre, mademoiselle, dit le cocher. Une tempête se prépare.

— Les bourrasques sont déjà fortes, renchérit l'autre homme – l'aubergiste, vraisemblablement. J'ai conseillé aux autres dames d'attendre au moins une heure ou deux avant de reprendre la route.

Une rafale de vent balaya la cour, tentant d'emporter les parapluies auxquels s'agrippaient les valets. La pluie avait redoublé. Olivia avait beau être impatiente de repartir, elle n'était pas stupide au point de risquer la vie des domestiques et des chevaux.

Suivie de Bailey, elle descendit de voiture et courut se réfugier dans l'auberge.

Même si la douairière semblait croire qu'il rattraperait facilement Olivia, et bien qu'il ait eu une journée éprouvante, Lisle n'alla pas dormir quelques heures, comme l'aurait fait l'homme raisonnable qu'il était en temps normal.

De retour chez lui, il se baigna rapidement et se changea après avoir ordonné à son valet de préparer ses bagages. Habitué aux départs en catastrophe, Nichols réagit avec sa diligence coutumière, et ils furent prêts à quitter Londres vers 2 h 30 du matin.

Une voiture les suivait, emportant malles et valises qui contenaient tout ce que Nichols avait jugé utile pour le voyage.

C'est ainsi que Lisle et son valet prirent eux aussi la vieille route du Nord. Ils se trouvaient à environ cinq lieues de Londres quand le vent se leva brusquement et qu'un déluge s'abattit sur la campagne.

5

Olivia trouva ses compagnes de voyage confortablement installées dans la salle de l'auberge, devant un étalage de victuailles et de chopines. D'autres voyageurs surpris par le mauvais temps s'étaient rassemblés là. Certains séchaient leurs vêtements devant la cheminée, d'autres se restauraient, d'autres encore profitaient de ce répit pour se raser ou nettoyer leurs bottes crottées.

Olivia aimait bien l'atmosphère de ces auberges où l'on rencontrait tant de personnes différentes, de toutes classes sociales, contrairement aux salons du beau monde où les gens se ressemblaient tous et où la plupart étaient apparentés.

D'ordinaire, elle ne s'arrêtait jamais assez longtemps dans ce genre d'endroits pour profiter de cette compagnie distrayante. Et aujourd'hui qu'elle en avait l'occasion, elle était trop lasse. Depuis deux jours qu'elle préparait ce voyage, elle n'avait presque pas dormi. C'est qu'il fallait d'habitude une bonne semaine pour organiser un tel périple.

Elle se résolut donc à louer une chambre, « la plus confortable de toutes », lui assura l'aubergiste, et se laissa tomber dans un grand fauteuil devant la cheminée. En dépit du calme et de la douce chaleur, son esprit demeura agité de pensées fébriles un long moment avant qu'elle parvienne enfin à s'assoupir.

Une main légère posée sur son bras la réveilla en sursaut un instant plus tard, lui sembla-t-il.

— Je suis désolée de vous réveiller, mademoiselle, s'excusa Bailey.

L'esprit encore embrumé, Olivia se redressa. Elle remarqua tout de suite la petite ride d'inquiétude qui creusait le front de sa femme de chambre. Ce n'était pas bon signe. Bailey n'était pas d'un tempérament anxieux.

— Les Harpies? s'inquiéta-t-elle en se levant d'un bond.

— Oui, mademoiselle. Une partie de cartes qui a mal tourné. Elles se sont disputées avec le fils d'un hobereau. Il est en train de faire une scène et réclame à cor et à cri la présence du juge de paix. Personne n'ose le remettre à sa place. Même l'aubergiste a peur de lui. J'ai préféré venir vous prévenir...

Tout en parlant, Bailey avait remis de l'ordre dans la chevelure d'Olivia et défroissé sa jupe. Devinant qu'elles allaient sans doute devoir quitter l'auberge précipitamment, elle s'arrangea pour que sa maîtresse enfile son mantelet avant d'avoir atteint l'escalier.

Du palier, on entendait les éclats de voix qui montaient du rez-de-chaussée. Olivia dévala les marches. Elle se rendit alors compte qu'elle avait dormi plus longtemps qu'elle ne l'avait cru. La lumière grisâtre du jour avait envahi la salle pleine de voyageurs affamés et de serviteurs qui entraient et sortaient, un plateau à la main.

Dehors, il avait cessé de pleuvoir.

Une voix masculine aux accents coléreux dominait le brouhaha. La tension était palpable. Manifestement, l'aubergiste était dépassé par les événements.

En temps ordinaire, Olivia se serait plutôt amusée de la situation. Le souci, c'est que les autorités n'allaient pas tarder à débarquer, et que leur intervention les retarderait encore plus.

Elle repéra le fauteur de troubles, un jeune homme corpulent aux cheveux blonds, qui avait dû boire toute la nuit et tapait du poing sur la table où Olivia avait laissé les deux dames. À en juger par le capharnaüm qui jonchait le plateau, les Harpies s'étaient débrouillées pour vider la cave, le garde-manger et la bourse des autres clients.

— Vous avez triché ! beuglait l'ivrogne. Je vous ai vues !

Très digne, lady Cooper se leva.

— S'il y a quelque chose que je ne supporte pas, ce sont bien les mauvais perdants, déclara-t-elle.

Le tavernier s'interposa.

— Voyons, monsieur Flood, ce n'est qu'une petite partie de cartes…

— Tu parles ! Ces deux corneilles m'ont dépouillé de cinquante livres !

— Ce n'est quand même pas notre faute si vous ne tenez pas l'alcool, intervint lady Withcote avec hauteur. De là à nous accuser de tricher…

— Ce n'est pas notre faute si le vin vous brouille la vue et que vous confondez le valet de cœur avec le roi de carreau, enchaîna lady Cooper.

— Et si vous êtes incapable de vous rappeler les cartes que vous avez en mains, conclut lady Withcote.

— J'y vois assez clair pour savoir que vous avez triché, espèce de vieille bique !

Lady Withcote poussa un cri outragé. Lady Cooper glapit :

— Comment osez-vous, jeune faquin ! Si j'étais un homme…

— Si vous étiez un homme, je vous casserais la figure ! mugit M. Flood.

Olivia se fraya un chemin jusqu'aux Harpies.

— Venez mesdames, leur dit-elle. Ce triste sire doit avoir perdu l'esprit pour se comporter de manière aussi indigne et menacer des femmes sans défense.

Le visage rubicond, l'ivrogne pivota vers elle. Il ouvrit la bouche sans qu'aucun son n'en sorte. Olivia produisait souvent cet effet sur les hommes qui la voyaient pour la première fois. M. Flood était imbibé, mais pas aveugle. Profitant de son hébétude passagère, elle poussa les deux vieilles dames vers la sortie. Mais, à son grand dépit, l'homme reprit rapidement ses esprits.

— Ah non, sûrement pas ! cria-t-il. Ces vieilles toupies m'ont fait boire pour mieux m'entourlouper. Elles ne s'en tireront pas comme ça. J'exige qu'on fasse venir un juge ! Je veux qu'on me rende mon argent !

Pour prouver sa détermination, il attrapa une chaise et la fracassa contre le mur. Cette démonstration de force n'affecta nullement Olivia. Elle ne craignait pas la confrontation avec un juge, mais elle n'était pas d'humeur à supporter cet odieux crétin. Elle était fatiguée, elle avait faim, et celui qu'elle considérait comme son meilleur ami venait de lui infliger une sévère rebuffade. Cela suffisait à la rendre acariâtre.

— Monsieur, dit-elle du ton froid et coupant qu'employait son beau-père lorsqu'il voulait remettre à leur place les ignorants et les parvenus, vous venez d'insulter ces dames. J'exige que vous leur présentiez des excuses.

L'homme venait de saisir une autre chaise dans l'intention de lui faire subir le même sort qu'à la première. Incrédule, il la reposa sur le sol.

— *Quoi ?*

Un murmure d'appréhension parcourut l'assistance.

— Présentez vos excuses, répéta Olivia.

— À ces deux vieilles chouettes ? fit-il dans un rire gras. Ma parole, vous avez perdu la tête !

— Dans ce cas, choisissez votre arme, rétorqua-t-elle, imperturbable.

— *Quoi ?*

— Le pistolet ou l'épée.

— C'est une plaisanterie ? Parce que je n'ai pas l'intention de me laisser ridiculiser.

Olivia ôta un de ses gants, marcha droit sur l'homme et le souffleta.

— Lâche ! jeta-t-elle.

Une exclamation collective accueillit son geste.

Olivia recula d'un pas et jaugea rapidement son environnement, repérant d'un coup d'œil les armes potentielles, les différentes issues de secours et les obstacles.

— Votre conduite est abjecte, indigne d'un gentilhomme, articula-t-elle.

— Espèce de…

Il n'acheva pas et se rua sur elle. Elle empoigna une cafetière sur la table la plus proche et lui en flanqua un coup sur la tête.

À partir de là, l'ambiance s'anima.

La tempête faisant rage, Lisle avait dû se réfugier à l'auberge d'Enfield, située à une demi-lieue de là. Lorsqu'il pénétra enfin dans la cour de l'auberge du *Faucon*, il faisait grand jour. L'endroit lui parut curieusement désert, à l'exception d'un groupe d'hommes agglutinés devant la porte d'entrée.

Lisle mit pied à terre et laissa Nichols s'occuper de leurs montures pour se diriger vers l'attroupement.

— Que se passe-t-il ?

— C'est le fils Flood. Il s'est encore saoulé et fait un raffut de tous les diables, répondit quelqu'un.

— Rien de nouveau sous le soleil ! rétorqua un autre en haussant les épaules.

— Oui, mais cette fois il y a une rouquine qui est en train de lui donner une leçon.

Lisle joua des coudes pour pénétrer dans l'auberge, priant pour ne pas arriver trop tard. Hélas, au moment où il débouchait dans la salle, il vit Olivia cingler de son gant la joue d'un jeune homme furieux et manifestement ivre ! L'instant d'après, elle lui donnait un coup de cafetière sur la tête.

L'homme s'effondra. Un domestique qui apportait un plateau trébucha sur lui, entraînant un client dans sa chute. Certains se précipitèrent vers la porte, d'autres grimpèrent sur les chaises pour mieux voir. Tandis que Lisle se démenait pour rejoindre Olivia, il aperçut Bailey qui, très calme, était en train de pousser les deux vieilles dames vers la sortie.

La voix d'Olivia fusa soudain :

— Vous êtes la honte de la gent masculine tout entière. S'attaquer à d'inoffensives vieilles dames. Espèce de brute avinée ! C'est bien dommage que personne n'ait le courage de vous donner la rossée que vous méritez.

— Bien dit, mamzelle ! cria quelqu'un qui s'était prudemment retranché à l'autre bout de la salle.

— Ce coq est toujours en train de faire l'important, renchérit un autre.

— Et personne ne lui dit jamais rien parce qu'il est le fils de son père !

La foule s'excitait. En temps normal, Lisle aurait pris grand plaisir à infliger lui-même à cet imbécile une tannée qu'il n'aurait pas été près d'oublier. Mais les bagarres se terminaient parfois de manière imprévisible, tout comme les accès de colère d'Olivia. Il ne voulait pas prendre de risques, surtout pour elle.

Il lui tapa sur l'épaule. Elle se tourna à peine, le temps de lui jeter un regard furieux, avant de reporter sa hargne sur l'ivrogne. Lisle n'était pas sûr qu'elle l'ait reconnu.

Il ne lui restait plus qu'une seule chose à faire.

D'un bras, il la ceintura tout en la cambrant en arrière pour la déséquilibrer. Elle se débattit, mais comme il l'entraînait vers la porte, elle fut bien obligée de suivre le mouvement.

— Lâchez-moi ! Je ne lui ai pas encore dit son fait, à cette brute ! protesta-t-elle en se tortillant pour lui échapper.

— Taisez-vous. Nous devons nous éclipser avant l'arrivée des autorités. Si les gens découvrent qui vous êtes, vous allez encore finir à la une des journaux.

— *Lisle* ?

— Qui d'autre ?

Il y eut une seconde de silence, puis elle se démena de plus belle.

— Ôtez vos sales pattes de ma personne ! Je vous dis que je n'en ai pas terminé avec ce crétin !

Sans l'écouter, il continua de la traîner jusqu'à la voiture qui les attendait dans la cour.

— Lâchez-moi ! criait-elle en tentant de lui flanquer des coups de pied.

— Si vous ne vous calmez pas, je jure de vous assommer, de vous ligoter, de vous bâillonner, et de vous emmener tout droit dans le Derbyshire, siffla-t-il.

— Ooooh, vous êtes si grand et si fort, je suis morte de peur !

— À moins que je ne vous abandonne saucissonnée sur le bord de la route.

L'aubergiste, qui les avait suivis, courut ouvrir la portière avant qu'un valet ait le temps de réagir. Lisle poussa Olivia à l'intérieur où Bailey la rattrapa de justesse. Il claqua la portière.

— En avant ! lança-t-il au cocher. Je chevaucherai derrière vous.

Il regarda le lourd véhicule s'ébranler et quitter la cour de l'auberge. À son côté, le propriétaire s'essuya le front.

— Merci bien, m'sieur. Quand il y a du grabuge comme ça, il vaut mieux écarter les dames.

— Désolé pour cet épisode désagréable, dit Lisle en lui glissant une bourse emplie de pièces entre les mains.

Sans perdre de temps, il alla retrouver Nichols. Quelques minutes plus tard, ils reprenaient la vieille route du Nord.

Il était en sueur.

Elle allait finir par le tuer.

À moins qu'il ne la tue le premier.

Ware, Hertfordshire, à dix lieues de Londres

À l'heure du petit déjeuner, lady Cooper et lady Withcote annoncèrent qu'elles mouraient de faim et investirent l'auberge de la *Tête de Sarrasin*. Olivia demanda à Bailey de les accompagner, mais demeura dans la voiture. Elle avait besoin de calme pour réfléchir, ce qui n'était guère facile avec les deux Harpies qui péroraient à qui mieux mieux.

Depuis qu'ils avaient quitté l'auberge du *Faucon*, ces dames ne cessaient de s'extasier, à leur manière grivoise, sur Lisle, ses muscles et sa virilité. Pour Olivia, qui avait déjà du mal à oublier la pression de son corps puissant contre le sien, leurs commentaires n'arrangeaient rien. La sensation perdurait, comme s'il avait laissé son empreinte sur elle. Maudit soit-il !

Il les avait rejointes plus tôt que prévu, même si elle se doutait bien qu'il les suivrait de près. Lisle se considérait un peu comme son grand frère, et il avait l'instinct protecteur. Sans compter que, comme tous les hommes, il était persuadé qu'elle n'arriverait à rien sans lui. Les hommes ne faisaient jamais confiance aux femmes, sauf pour s'occuper d'une maisonnée et des enfants – et encore, seulement parce qu'elles étaient assistées d'une armée de domestiques.

Ces préjugés mettaient Olivia hors d'elle. Même sa mère, qui connaissait pourtant ses défauts, la savait tout à fait qualifiée pour entreprendre un long voyage et s'atteler à la restauration d'une propriété.

Tout s'était déroulé selon ses plans, jusqu'à cet incident regrettable, quoique cocasse, à l'auberge du *Faucon*.

La tête ahurie de ce sac à vin quand elle l'avait giflé de son gant ! Elle avait bien ri intérieurement, mais il avait fallu que Lisle fasse irruption dans l'auberge et la ramène *manu militari* dans la voiture…

À ce souvenir, elle pinça les lèvres. À cet instant, la portière s'ouvrit.

Lisle se tenait devant elle, la mine impassible.

— Vous feriez mieux de venir prendre votre petit déjeuner maintenant, dit-il. Nous ne nous arrêterons plus avant midi.

Elle haussa les sourcils :

— *Nous* ? Mais vous ne deviez pas venir, si ma mémoire est bonne. Vous préfériez vivre comme un indigent en Égypte plutôt que de vous soumettre à la volonté de vos parents. N'avez-vous pas décrété que ce voyage en Écosse était un sort pire que la mort ?

— C'est voyager *avec vous* qui risque d'être un sort pire que la mort. Alors, venez-vous manger, oui ou non ? Il se passera des heures avant que vous ayez une autre occasion de vous restaurer.

— Pardonnez-moi, mais ce n'est pas à vous de prendre ce genre de décisions.

— Maintenant si. Vous avez fait ce qu'il fallait pour m'y contraindre. À présent, c'est moi qui donne les ordres. Mangez ou pas, cela m'est égal. Pour ma part, je vais aller voir le fameux lit[1].

Sans prendre la peine de refermer la portière, il tourna les talons et regagna l'auberge.

Olivia fit irruption dans la chambre dix minutes plus tard.

— Vous… commença-t-elle.

Mais même aveuglée par la fureur, il était difficile de ne pas voir le lit à baldaquin qui trônait au milieu de la pièce. Elle s'arrêta net.

— Bonté divine, il est énorme ! s'exclama-t-elle.

Lisle leva nonchalamment les yeux d'un des piliers sculptés qu'il était en train d'examiner.

Le bonnet d'Olivia était de travers, et de longues boucles rousses s'en échappaient. Une fois de plus, Lisle fut pris de court par son éclatante beauté. Il aurait dû y être habitué, à présent, pourtant elle continuait de le déstabiliser.

— C'est précisément pour cette raison qu'on l'appelle le Grand Lit de Ware, répondit-il avec un calme en totale contradiction avec les battements anarchiques de son cœur. Vous ne l'aviez jamais vu ?

Elle secoua la tête.

---

1. Curiosité de la ville de Ware. On dit qu'il peut accueillir plus de quinze dormeurs. *(N.d.T.)*

— C'est une vénérable antiquité, reprit-il. Shakespeare y fait référence dans *La Nuit des rois*.

— J'ai vu des tas de meubles du même genre, en chêne sculpté, tarabiscotés, mais rien d'aussi immense.

Chaque centimètre carré avait été travaillé dans un style foisonnant. On voyait là des fleurs, des fruits, des animaux et diverses créatures mythologiques.

Pour lutter contre son trouble qui persistait, Lisle se réfugia une fois de plus dans les faits.

— Il mesure presque trois mètres de haut, précisa-t-il. Tenez, jetez un coup d'œil à ces panneaux.

Olivia s'approcha. Il sentit son parfum, se souvint de son corps contre le sien quand il l'avait arrachée à l'atmosphère surchauffée de l'auberge.

« Les faits, se cantonner aux faits », s'enjoignit-il. Il s'obligea à concentrer son attention sur le lit. Deux panneaux sculptés représentaient des scènes urbaines. On y reconnaissait les cygnes qui colonisaient la rivière. Doucement, il fit courir l'index sur les incrustations de bois. Ce travail n'avait pas la grâce de l'art égyptien, mais, à sa grande surprise, il ne l'en trouva pas moins magnifique.

— Cela ressemble à des fenêtres, reprit-il. Ces ornementations sont faites pour divertir. Elles devaient être encore plus époustouflantes au temps de leur création. Ici et là on remarque quelques éclats de peinture. Le lit devait être très coloré autrefois – comme les temples et les tombeaux d'Égypte. Et comme là-bas, les visiteurs ont laissé leur marque, ajouta-t-il en désignant deux initiales gravées dans le bois.

Il s'autorisa à la regarder de nouveau. Son visage exprimait une sincère admiration. Sa colère était retombée parce qu'elle aussi était émerveillée. Olivia était rusée et n'avait jamais été naïve. Elle aurait pu être blasée. Son imagination était cependant sans limites, si bien qu'elle pouvait se laisser captiver comme une enfant.

Elle se pencha pour examiner une tête de lion qui arborait une tache rouge sur le museau.

— Je ne suis jamais venue ici auparavant parce que nous ne prenons pas cette route quand nous voyageons avec mes parents, expliqua-t-elle. Et puis, quand je quitte Londres, c'est en général parce que je suis en disgrâce et qu'on m'expédie au loin le plus vite possible. Je n'ai pas le temps de visiter des lieux pittoresques.

Il détourna les yeux. Contempler ses traits parfaits lui embrouillait les idées. Il reporta son attention sur l'un des satyres qui ornaient un pilier.

— Quand j'y songe… Gifler cet ivrogne et le traiter de lâche n'est pas la chose la plus intelligente que vous ayez faite.

— Sans doute, mais j'ai éprouvé une immense satisfaction.

— Vous vous êtes mise en colère.

Et dans ces cas-là, tout était possible, il le savait d'expérience.

Il se redressa, croisa les mains dans le dos dans une attitude réprobatrice.

— Et qu'a dit votre mère à propos de vos colères ?

Elle tourna la tête dans sa direction. Ses yeux d'un bleu irréel étincelèrent.

— Je pense que je vais compter jusqu'à dix avant de vous répondre, articula-t-elle.

— Ce serait faire preuve d'une étonnante maîtrise.

— Je suis tout à fait capable de me maîtriser. Tout à l'heure, je n'étais pas d'humeur.

— Au lieu de lui voler dans les plumes, vous auriez dû lui faire votre numéro de charme habituel, battre des cils, verser quelques pleurs. À la fin, toute la salle, y compris lui, aurait eu la larme à l'œil. Et vous auriez pu vous esquiver tranquillement.

100

— Je regrette de ne pas l'avoir fait. Cela m'aurait évité d'être traînée hors de l'auberge de manière aussi indigne. Du reste, c'est lui que vous auriez dû tirer dehors pour lui plonger la tête dans l'abreuvoir ! Tout le monde avait peur de ce rustre, mais pas vous, je pense... Il n'empêche que vous avez préféré me malmener *moi*.

— C'était beaucoup plus drôle de vous traîner dehors.

Elle s'approcha et le dévisagea. Son parfum flotta jusqu'à lui, lui monta au cerveau. Les battements de son cœur s'accélérèrent.

— Belder aurait dû taper beaucoup plus fort, lâcha-t-elle.

Sur ce, elle quitta la chambre dans une envolée de jupons.

C'était une journée grise et froide. Sur la route, la boue avait remplacé la poussière. Les Harpies réclamaient de l'air frais. Suffoquer dans une voiture sombre et exiguë ne correspondait pas à l'idée qu'elles se faisaient d'un voyage agréable, arguèrent-elles pour qu'on baisse les vitres. Olivia les soupçonnait cependant d'avoir un motif moins avouable : reluquer le spécimen mâle tout proche.

Elle-même ne pouvait s'empêcher de jeter de fréquents coups d'œil au spécimen en question, bien qu'il l'ait cruellement déçue.

Lisle chevauchait en effet à côté de la voiture, pratiquement à sa hauteur, sans chercher à les distancer en dépit de l'allure de tortue qu'ils maintenaient afin de ménager les vieux os des Harpies.

Cette lenteur désespérante portait sur les nerfs d'Olivia qui aurait bien aimé voyager à cheval, elle aussi. Malheureusement sa selle était enfouie au fond du coffre de la berline. Elle aurait pu louer une monture dans n'importe quelle auberge d'étape, et était capable de maîtriser les bêtes les plus ombrageuses, mais pour ce qui était de la selle, c'était une autre histoire. La selle d'une dame était conçue pour son usage exclusif ; c'était un objet aussi personnel qu'un corset.

Bien sûr, elle aurait pu monter à cru. N'était-elle pas la digne fille de Jacques Wingate ? Mais personne n'était censé savoir qu'elle en était capable. Tout comme personne ne devait entendre parler de ces vêtements masculins que Bailey avait repris à sa taille, et qui se trouvaient soigneusement pliés dans un carton, parmi ses autres affaires.

Lisle lui-même avait été choqué la première fois qu'il l'avait vue habillée en garçon. Elle se remémorait l'expression comique qui s'était affichée sur ses traits quand la voiture s'arrêta brusquement. Les valets sautèrent à terre et l'un d'eux courut vers les chevaux de tête pour leur tenir la bride.

— Que se passe-t-il ? s'enquit lady Cooper.

— J'imagine que Lisle a remarqué un problème quelconque avec une roue, suggéra lady Withcote.

La portière s'ouvrit. Un valet déplia le marchepied. Lisle se tenait derrière lui.

— Inutile de vous déranger, mesdames. Je suis juste venu chercher Olivia.

— Je ne descends pas. Il a menacé de m'abandonner au bord de la route, prévint cette dernière.

— Ne soyez pas sotte, vous savez bien qu'il n'en fera rien, ma chère, la gourmanda lady Withcote.

Il avait fait pire, songea Olivia. Il avait eu tout le temps de ruminer sur la blessure grave qu'elle avait infligée à sa fierté, et voulait sans doute se venger en lui assenant l'un de ces sermons à la fois assommants et exaspérants dont il avait le secret.

— Nous ne sommes pas censés nous arrêter maintenant, répliqua-t-elle. La prochaine étape est… Buntingford, annonça-t-elle après avoir consulté son guide.

— Descendez. Je veux vous montrer quelque chose.

Elle se pencha, sortit la tête dehors, regarda à droite, puis à gauche.

— Il n'y a rien à voir.

Rien d'autre qu'un homme d'une folle prestance, qui faisait corps avec sa monture.

— Ne commencez pas, grommela-t-il.

— Olivia, soyez gentille, intervint lady Cooper. Si ce garçon veut vous montrer « quelque chose », faites-lui plaisir.

— Je ne serais pas contre une petite pause, ajouta lady Withcote. J'aimerais fermer les yeux un moment sans rebondir dans tous les sens. J'ai une telle migraine…

— Olivia, vous ne voulez pas voir ce qu'il a à vous montrer ? insista lady Cooper.

De mauvaise grâce, la jeune fille descendit de voiture.

Les Harpies se penchèrent pour ne rien manquer de ce qui allait suivre.

Olivia approcha du cheval de Lisle, lui caressa les naseaux tout en lorgnant du coin de l'œil la cuisse musclée qui se trouvait à sa hauteur.

— Eh bien ? fit-elle.

— Vous avez dit que vous n'aviez jamais le temps de visiter des lieux pittoresques. Justement, il y en a un là-bas.

Un peu surprise, elle pivota dans la direction qu'il indiquait et aperçut une pancarte de bois qui pointait sur la gauche.

— Tranquillisez-vous, je ne vais pas vous attirer dans un lieu désert pour vous assassiner, reprit-il comme elle le regardait d'un air suspicieux. En tout cas pas ici et pas maintenant. La chose ne passerait pas inaperçue et la prudence m'incite à attendre. Ce n'est pas très loin, enchaîna-t-il, mais le chemin doit être boueux. Il vaut mieux que vous preniez le cheval de Nichols.

Voyant que le valet s'apprêtait à mettre pied à terre, Olivia l'arrêta d'un geste.

— Ne bougez pas Nichols. Je chevaucherai derrière Sa Seigneurie.

— Non, ce n'est pas possible, décréta Lisle.

— Ce n'est pas loin, avez-vous dit. Si je prends le cheval de Nichols, il va falloir régler les étriers, et nous perdrons un temps fou. Ce sera plus rapide si vous me prenez en croupe.

Le silence retomba. Lisle la regarda, puis regarda Nichols.

— Qu'est-ce qui vous inquiète ? Vous craignez que je ne vous désarçonne ? ironisa Olivia.

— Je crains plutôt que vous ne me plantiez un couteau dans le dos. Jurez-moi que vous n'êtes pas armée.

— Ne dites pas de bêtises. Je ne m'abaisserais pas à vous frapper dans le dos. Je viserais plutôt la gorge ou le cœur

— Parfait, dans ce cas.

Il libéra un étrier. Olivia y prit appui du pied gauche, empoigna le bras qu'il lui tendait et se jucha en selle, à califourchon derrière lui.

— Regardez ce qu'elle vient de faire ! s'exclama lady Withcote. Je n'y suis jamais arrivée.

— On vous disait pourtant très souple dans d'autres domaines, ma chère Millicent, rétorqua son amie avec malice.

C'est à cet instant qu'Olivia comprit qu'elle venait de commettre une grave erreur.

6

Elle avait agi sans réfléchir. Et après ?

Telle une gitane, Olivia était à l'aise sur n'importe quelle monture. Elle avait chevauché d'innombrables fois derrière son père. Mais il s'agissait de son père, et elle était alors une petite fille.

Lisle n'était pas son père. Il lui était arrivé de la prendre en croupe une ou deux fois de par le passé, mais c'était des années plus tôt, bien avant qu'il ne devienne aussi viril.

Il ne lui était pas venu à l'esprit de s'agripper à son manteau. Non, elle lui avait passé les bras autour de la taille parce que c'était là un geste naturel.

À présent elle avait une conscience aiguë de ce corps dur qu'elle enlaçait, de la largeur du dos contre lequel ses seins étaient pressés. Elle pensait à ses cuisses qui frôlaient les siennes et aux mouvements cadencés de leurs deux corps accolés.

Sa fibre morale était en train de se désintégrer de seconde en seconde.

La joue appuyée contre l'omoplate de Lisle, elle inhala profondément son parfum masculin auquel se mêlaient des odeurs de cheval, de grand air et de pluie.

— Je me demande dans quels autres domaines lady Withcote était renommée pour sa souplesse, remarqua-t-il au bout d'un moment.

— Rien d'aussi exotique que vous l'imaginez, répondit-elle. Rien de commun avec vos danseuses de harem, oserais-je dire.

— Un, je n'*imagine* rien. Et deux, sachez que les danseuses du ventre ne sont pas, d'un point de vue technique, des danseuses de harem.

Parfait, un cours de langue! Cela la distrairait de cette odeur virile qui menaçait de la rendre folle.

— Le mot « harem » désigne une sorte de gynécée, bien que la signification précise de ce mot fasse en réalité référence à un lieu sacré ou interdit. Les danseuses au contraire...

— Je croyais que nous devions tourner à gauche ? coupa-t-elle avec étonnement.

— Ah oui, c'est vrai...

Il fit bifurquer sa monture.

Quelques instants plus tard, ils débouchèrent dans une prairie et se dirigèrent vers une petite zone ceinte d'une clôture au milieu de laquelle se dressait un bloc de pierre.

— Nous y voilà, annonça-t-il.

Comme ils s'approchaient, Olivia distingua une plaque gravée fixée sur le rocher.

— Un rocher! s'exclama-t-elle. Vous avez interrompu notre voyage pour me montrer un vulgaire rocher.

— Il s'agit de la Pierre du Ballon, qui commémore le premier vol ascensionnel d'une montgolfière en Angleterre. Elle a atterri à cet endroit précis.

— Vraiment?

— Certains affirment avoir tenté l'expérience auparavant, mais...

— Oh, il faut que je voie ça!

Pressée de mettre pied à terre et de s'éloigner de lui pour se remettre les idées en place, elle prit appui sur l'arrière de la selle et, sans hésiter, posa la main gauche sur la cuisse de Lisle.

Elle ne s'attendait pas au choc violent qu'elle éprouva à ce contact intime. Mais il était trop tard pour retirer sa main. Elle se serait sentie trop bête.

Comme elle faisait passer sa jambe droite par-dessus la croupe du cheval, elle sentit la pression des doigts de Lisle sur les siens. Il la retenait pour assurer sa prise. Le cœur battant, elle se laissa glisser à terre. Puis, sans attendre, elle s'avança vers la petite clôture et, tenant d'une main ses jupes retroussées, passa par-dessus.

Ce faisant, elle avait tout à fait conscience de lui offrir une vue de premier ordre sur ses jupons et ses bas. Elle n'ignorait pas l'effet qu'un tel spectacle produisait sur un homme. Mais lui-même l'avait bouleversée physiquement, alors cette petite vengeance n'était que justice.

— Que la Postérité sache qu'en ce jour du 15 septembre 1784, Vincent Lunardi, né à Lucca en Toscane, fut le premier voyageur aérien de Grande-Bretagne à quitter le terrain d'Artillery Ground à Londres pour un vol d'une durée de deux heures et quinze minutes, au terme duquel il regagna la terre ferme à cet endroit précis, déclama Olivia du ton grandiloquent qu'il était d'usage d'employer lors des cérémonies officielles.

Lisle était resté derrière la clôture. Il ne s'était pas encore remis de leur brève chevauchée : les bras d'Olivia noués autour de sa taille, ses seins de créature satanique plaqués contre son dos, ses longues jambes collées aux siennes... Sa réaction physique ne s'était pas fait attendre et irradiait encore certaines parties de son anatomie, en particulier celle qui avait fait connaissance avec le pommeau de la selle.

Il avait été si perturbé qu'il avait failli se tromper de chemin.

Puis, sans lui laisser le temps de se ressaisir, elle avait enjambé la petite clôture dans un envol de jupons qui avait révélé ses mollets gainés de soie blanche.

C'était là un comportement typique de garçon manqué, celui-là même qu'Olivia affichait par le passé en sa compagnie. Elle le considérait comme un frère. Voilà pourquoi elle ne s'embarrassait pas de pudeur avec lui, et n'avait pas hésité à monter à califourchon derrière lui.

Mais il n'était pas son frère, et il n'était plus ce gamin aventureux parfaitement indifférent aux appas et aux sous-vêtements féminins. D'autant que, enfant, elle n'aurait jamais porté des dessous aussi affriolants, avec ces broderies bleues et ces volants de dentelle. Et à l'époque, elle n'avait pas ces jambes galbées ni ces chevilles d'une finesse admirable – ou alors il ne l'avait pas remarqué.

Au terme de ces intéressantes réflexions, un peu calmé et de nouveau maître de ses organes génitaux, il consentit à franchir la clôture pour la rejoindre de l'autre côté, tandis qu'elle achevait la lecture de la plaque commémorative.

Elle se tourna vers lui.

— N'est-ce pas incroyable ? Cette tranquille petite prairie a été le théâtre d'un événement majeur. C'est merveilleux qu'on ait songé à honorer cet endroit.

— Vous disiez que vous ne connaissiez rien des curiosités locales.

Aussi fâché qu'il ait été – et il l'était toujours un peu –, il avait eu pitié d'elle. Quand il était enfant, le beau-père d'Olivia, lord Rathbourne, emmenait souvent Lisle dans ses déplacements. Il prenait toujours le temps de lui faire découvrir les panoramas, les monuments et les sites d'intérêt, et de lui raconter les histoires qui s'y rattachaient, surtout quand elles parlaient de crimes atroces et de fantômes.

Il lui avait donc semblé injuste qu'on ait privé de tout cela une petite fille à l'imagination flamboyante, qui ne demandait qu'à voir du pays et à vivre des aventures palpitantes.

— Je n'ai jamais entendu parler de ce vol ascensionnel, remarqua-t-elle. Songez un peu... Cela s'est passé il y a presque cinquante ans ! Qu'ont dû penser les gens du coin quand ils ont vu ce ballon au-dessus de leur tête ?

— Ils ont dû avoir la frayeur de leur vie. Mettez-vous à la place d'un villageois de l'époque. Vous levez les yeux et, tout à coup, vous voyez apparaître cette chose énorme dans le ciel.

— Personnellement je ne sais pas si cela m'aurait fait si peur que cela.

— Pas vous en particulier. Mais si vous étiez une paysanne ou une personne ordinaire...

Ce qui était inconcevable. Olivia était tout sauf ordinaire.

— J'ai toujours rêvé de monter dans une montgolfière.

Il ne fut pas surpris par cet aveu.

— Ce doit être ahurissant de voir le monde d'une telle hauteur !

— Monter très haut, c'est une chose, mais redescendre, c'en est une tout autre. Lunardi n'avait pas la moindre idée de la façon dont il fallait s'y prendre pour manœuvrer un ballon. Il avait même emmené des rames, persuadé qu'il pourrait se diriger grâce à elles.

— En tout cas, il a le mérite d'avoir essayé. C'était un visionnaire, qui est allé jusqu'au bout de sa folle aventure – sa Noble Quête à lui. Et voici la pierre qui commémore cet acte courageux pour que la postérité se garde de l'oublier.

— Vous ne trouvez pas sa prose un peu boursouflée ? osa Lisle.

Le jeu de mots était facile, mais il n'avait pas pu résister. Olivia retint un rire et lui donna un petit coup de poing sur l'épaule. Il se sentit bêtement content et, pour le cacher, s'empressa d'ajouter :

— Lunardi n'était pas seul à bord de la nacelle. Il avait emmené un chat, un chien, un pigeon, et plein de provisions. Pour la nourriture, je comprends. Pour les animaux, pas vraiment. Bien entendu, le pigeon s'est échappé à tire-d'aile. Quant au chat, son appareil digestif n'a pas du tout aimé cette escapade aérienne, et il a fallu le débarquer de toute urgence peu de temps après le départ.

Son rire franc et spontané le prit par surprise. Rien à voir avec celui, cristallin, qu'affectionnaient tant de femmes. C'était un rire de gorge, bas et velouté, qui lui donna la chair de poule, et évoqua aussitôt une suite d'images dangereuses : des tentures de lits agitées par la brise, des draps froissés...

Il lui sourit stupidement.

— Je vois d'ici la scène ! s'exclama-t-elle. Le ballon qui s'élève dans les airs, la nacelle encombrée de victuailles, une paire de rames, des instruments divers, et au milieu de tout cela, le chat, le chien et le pigeon ! La tête qu'a dû faire Lunardi quand le chat a été malade ! Il a vraiment dû avoir envie de le passer par-dessus bord. Je me demande tout de même si le ballon a touché terre lorsqu'il l'a relâché.

— Olivia, vous savez bien que je n'ai aucune imagin…

Mais il ne put finir sa phrase et éclata de rire à son tour, diverti par la scène qu'elle venait de décrire. L'espace d'un instant, ses rancœurs et ses frustrations s'évanouirent. Il fut de nouveau un gamin insouciant et, la tête renversée en arrière, il rit comme cela ne lui était pas arrivé depuis une éternité.

Après quoi, il lui raconta l'histoire de Mme Letitia Sage, qui pesait plus de quatre-vingt-dix kilos, la première femme à avoir voyagé dans les airs à bord d'une autre montgolfière, en compagnie d'un ami de Lunardi nommé Biggins.

Naturellement, Olivia se chargea de dépeindre la scène avec sa verve coutumière : la nacelle ballottée par le vent, la femme obèse qui glissait inexorablement vers le pauvre Biggins, terrifié à l'idée d'être écrasé par cette montagne de chair.

Olivia ne se contentait pas de raconter. Elle interprétait les différents personnages en changeant de voix et en mettant des dialogues de son cru dans leur bouche, animaux compris.

Ces échanges de récits hilarants les rapprochèrent le plus naturellement du monde. Ils étaient bien ensemble, complices, sans la moindre gêne, comme autrefois.

Lisle aurait pu rester ainsi des heures durant, à jouir de sa compagnie. Il avait oublié ses griefs. Olivia lui avait manqué, indéniablement. Quand elle l'avait attiré dans l'antichambre à l'écart de la salle de bal, quelques jours plus tôt, il avait eu l'impression que le monde se remettait à l'endroit.

Bien sûr, Olivia étant Olivia, elle n'avait pas tardé à le remettre sens dessus dessous, à un degré spectaculaire. Et à dire vrai, il avait toujours envie de l'étrangler. Mais il était aussi ébloui, sous le charme, et en cet instant, il était plus heureux qu'il ne l'avait été depuis fort longtemps.

Il n'était pas du tout pressé de partir et ne réagit pas quand une bourrasque de vent lui cingla le visage. Mais Olivia frissonna et il déclara à regret :

— Il va falloir rebrousser chemin.

Les yeux fixés sur le monument de pierre, elle acquiesça :

— Nous sommes partis depuis suffisamment longtemps pour que ces dames en soient à se demander ce que nous avons traficoté.

— Ces deux-là ! Comment diable avez-vous réussi à convaincre vos parents et les miens qu'elles feraient des chaperons convenables ? Je suis sidéré qu'on vous ait laissée partir...

— Lisle, vous savez bien que les DeLucey ont plus d'un tour dans leur sac, mais qu'ils ne révèlent jamais leur méthode.

Il étudia son profil.

— Il y a donc bien une entourloupe derrière tout cela.

— Sans aucun doute, répondit-elle en tournant vers lui son regard bleu qui semblait n'avoir rien à cacher. Êtes-vous toujours en colère contre moi ?

— Je suis furieux.

— Moi aussi je suis furieuse contre vous. Mais j'accepte de mettre cela de côté pour le moment, parce que vous m'avez montré ce rocher au lieu de m'infliger le sermon moralisateur auquel je m'attendais.

— Un sermon ? Je ne sermonne pas les gens !

— Si, tout le temps. D'ordinaire je trouve cela plutôt attendrissant, mais aujourd'hui je n'étais pas d'humeur. Puisque vous vous êtes retenu, je suis prête à vous donner le baiser de la réconciliation. Métaphoriquement parlant.

Lisle se rendit compte qu'il fixait déjà ses lèvres roses. Prudent, il s'obligea à dévier le regard vers son oreille, qui semblait moins dangereuse. Pure illusion. Elle était petite, délicatement ourlée. Une perle de jade sertie d'or était suspendue à son lobe.

Il se détourna d'un mouvement raide. Mieux valait s'intéresser à la Pierre du Ballon, ou à la prairie, enfin à n'importe quoi sauf elle. Il était trop proche de cette féminité envahissante. Et pourquoi diable le vent était-il retombé aussi vite qu'il s'était levé ? À présent, il percevait son parfum...

Il pivota pour lui signifier qu'il était temps de rentrer.

Au même moment, elle se tourna vers lui tout en se penchant.

Leurs bouches s'entrechoquèrent.

La foudre s'abattit sur lui.

Pendant une seconde, ils se dévisagèrent, avant de s'écarter d'un bond.

Olivia se frotta rudement la bouche, comme si un insecte venait de s'y poser. Le cœur tambourinant dans sa poitrine, il fit de même.

Cela ne servait à rien de se frotter la bouche. Olivia savait qu'il serait impossible d'effacer la sensation de ses lèvres chaudes et fermes, qui lui laissait entrevoir le goût qu'aurait un vrai baiser.

— Qu'est-ce que votre bouche faisait là ? s'indigna-t-elle.

— Je me suis tourné pour vous parler. Votre bouche n'avait rien à faire là non plus !

— Quand j'ai parlé de baiser de la réconciliation, j'ai précisé qu'il serait *métaphorique*.

— Vous m'avez embrassé !

— Je pensais à un petit baiser sur la joue tout ce qu'il y a de plus fraternel.

Elle espérait qu'elle avait bien pensé cela. Qu'elle n'avait pas perdu l'esprit.

Elle franchit la barrière pour quitter l'enclos. Il la suivit et, de ce ton pédant qu'il prisait parfois et qui l'horripilait, déclara :

— Je ne suis pas votre frère. Nous n'avons aucun lien de parenté en dehors du fait que votre beau-père a été autrefois marié à la sœur de mon père.

— Merci pour le petit cours de généalogie.

— Le problème…

— Je ne recommencerai pas, soyez-en sûr.

— Le problème, continua-t-il avec entêtement, c'est qu'un homme ne fait pas ce genre de distinguo. Quand il se trouve en compagnie d'une jolie femme et que celle-ci semble lui faire des avances…

— Je ne vous faisais pas d'avances !

— J'ai dit « semble ». Vous n'écoutez donc pas ?

— En ce moment, je voudrais être sourde !

— Les femmes sont subtiles, elles font des distinctions pleines de finesse. Pas les hommes. Les hommes sont comme les chiens et… Bon sang, pourquoi est-ce que je vous explique tout ça ? Vous savez très bien comment sont les hommes.

Olivia pensait en avoir une assez bonne idée, en effet.

Ils avaient rejoint le cheval.

— Dépêchons-nous avant que les Harpies meurent de curiosité. Vous continuerez votre sermon en chemin.

— Il n'est pas question que je remonte sur cet animal avec vous, décréta-t-il.

Elle non plus n'en avait pas envie. Les muscles, la chaleur animale et l'odeur d'une peau masculine constituaient un effroyable mélange qui détruisait un cerveau féminin. Elle ne supportait pas de devenir stupide avec n'importe quel homme, et plus encore celui-là.

— À vous l'honneur, fit-il en joignant les mains pour l'aider à grimper en selle.

C'était la seule chose à faire. Pourtant...

— Le chemin est boueux. Vous allez ruiner vos bottes.

— J'en ai une autre paire. Montez.

Elle ravala un soupir de soulagement, empoigna les rênes et posa le bout de sa bottine dans le creux de ses mains pour y prendre appui. La seconde d'après, elle était en selle.

La mine concentrée, il régla les étriers, rabattit pudiquement sa jupe.

— Oh, pour l'amour de Dieu ! s'écria-t-elle en levant les yeux au ciel. Vous êtes devenu bien puritain.

— Les gens sont mauvaises langues. Et vous êtes d'une insouciance abominable, à montrer vos... vos affaires intimes à tout le monde.

Ainsi donc cela l'ennuyait ?

Tant mieux. Lui aussi l'ennuyait.

Dissimulant un sourire, elle fit claquer sa langue et la jument se mit au pas.

À leur retour, ils constatèrent que les Harpies s'étaient assoupies. Elles ne se réveillèrent d'ailleurs pas quand la voiture repartit.

Au son de leurs ronflements, Olivia ouvrit son guide routier et, pour faire passer le temps, lut à Bailey les indications concernant les villages et hameaux qu'ils traversaient, citant le nom des personnages importants qui y avaient vécu.

Une montée interminable les amena à Buntingford, où ils changèrent de chevaux. Ensuite, la route continua de grimper jusqu'à Royston. Après cela, les chevaux purent accélérer l'allure, car le terrain s'aplanit. Ils traversèrent la rivière Cam et atteignirent Arrington où ils s'arrêtèrent à l'auberge de *Hardwicked Arms*.

Ils furent accueillis par la propriétaire en personne. Cette dernière avait reconnu la berline de la comtesse douairière de Hargate et, comme tout aubergiste qui se respecte, elle savait lire un blason et en extraire la principale signification : Fortune et Prodigalité.

Les Harpies se réveillèrent en même temps. Évidemment, elles mouraient de faim et avaient la gorge sèche. Dès que le valet eut déplié le marchepied, elles jaillirent de la voiture pour investir l'auberge. Olivia était sur le point de descendre à son tour quand Lisle, qui avait mis pied à terre, s'approcha du véhicule.

— Je sais bien que vous vous êtes intronisé chef de cette expédition, mais il faut bien s'arrêter pour manger, lui dit-elle. Nous sommes toutes affamées.

À l'auberge du *Faucon*, trop occupée à invectiver le sieur Flood, elle n'avait pas eu le temps d'avaler quoi que ce soit. Et à Ware, elle était trop énervée pour manger.

— Je n'avais pas l'intention de vous laisser mourir de faim, rétorqua-t-il.

Il lui offrit sa main qu'elle accepta avec désinvolture, ignorant les petits papillons qui lui butinaient l'estomac. Dès qu'elle eut posé le pied sur la terre ferme, elle le lâcha pour se diriger vers l'auberge d'un pas vif. Elle ne réussit toutefois pas à le distancer, ses enjambées étant beaucoup plus longues que les siennes.

— Si vous m'aviez rappelé que vous n'avez pas eu le temps de prendre votre petit déjeuner, j'aurais fait halte plus tôt, lui dit-il d'un ton de reproche. Ne comptez pas trop sur moi pour songer à ce genre de choses. En Égypte, je ne me soucie jamais des repas. C'est la responsabilité des serviteurs. Sans compter qu'en général nous voyageons à bord de la *dahabeya* qui dispose de son propre cuisinier. Celui-ci fournit les provisions de bouche, ainsi, nous ne sommes pas obligés de nous arrêter pour nous sustenter. Du reste, il n'y a pas d'auberges dans les environs du Caire. Naviguer à bord de la *dahabeya*, c'est un peu comme voyager en étant dans une maison.

Des images exotiques et colorées défilèrent aussitôt dans l'esprit d'Olivia, si nettes et vivaces qu'elle en oublia son trouble.

— Ce doit être merveilleux, commenta-t-elle. Ces gracieuses embarcations qui remontent le Nil, les membres d'équipage en robes blanches et turbans... Rien à voir avec ceci, ajouta-t-elle en désignant la campagne environnante. On glisse le long du fleuve, cerné de paysages extraordinaires. Près des rives, la végétation est luxuriante, au-delà, c'est le désert, ses étendues ocre et, plus loin encore, la montagne. On voit défiler des temples, des pyramides, tous ces fantômes d'un ancien monde...

Ils étaient à l'intérieur de l'auberge quand elle acheva la description de sa vision. Elle surprit Lisle en train de l'étudier d'un air perplexe.

— Quoi ? Quoi encore ? Mon col ne monte pas assez haut ? On me voit les oreilles ?

— Je m'étonne juste de cette facilité que vous avez à imaginer les choses.

Pour elle, c'était aussi naturel que de respirer.

— En l'occurrence, j'ai plutôt l'impression de faire appel à mes souvenirs. Vous m'avez envoyé tant de dessins et d'aquarelles. Et nous possédons aussi des tonnes de livres sur le sujet.

Qu'elle avait elle-même achetés pour la plupart, afin de suivre les voyages qu'il lui contait, trop brièvement, dans ses lettres.

— Je n'ai sûrement pas les mêmes images que vous en tête, mais je comprends pourquoi tout cela vous manque.

— Alors pourquoi… commença-t-il, avant de se raviser. Non, je me tais. Nous avons signé une trêve.

Elle savait ce qu'il avait failli lui demander. Pourquoi, si elle comprenait si bien qu'il se languisse de l'Égypte, l'avait-elle contraint à entreprendre cet éprouvant voyage pour une destination qu'il détestait – de surcroît pour satisfaire des parents qui ne se souciaient ni de lui ni de son bonheur ?

Elle comprenait mieux que quiconque ce besoin viscéral de vivre un autre genre d'existence, de poursuivre un rêve.

Elle souhaitait de tout cœur qu'il mène la vie pour laquelle il était fait.

Elle l'aurait souhaité pour elle aussi, mais elle avait compris depuis longtemps que c'était presque impossible pour une femme. Cependant elle n'avait pas renoncé à tout espoir. « Presque impossible », ce n'était pas la même chose qu'« impossible ».

En attendant, elle vivait ses aventures par procuration. Mais si Lisle restait coincé en Angleterre… Non, ce n'était même pas envisageable. Il finirait par se pendre, et elle se pendrait également par solidarité. Si elle ne périssait pas d'ennui avant.

Il aurait dû le savoir, mais c'était un homme, autant dire une buse. Voilà pourquoi il ne comprenait pas l'ingéniosité de son plan.

S'il avait soupçonné ce qu'elle avait dû faire pour avoir les coudées franches, il se serait enfui en hurlant d'horreur. Non, il l'aurait étranglée.

Tout ça parce qu'il manquait d'imagination.

Auberge George, *Stamford, Lincolnshire, à quarante-cinq lieues de Londres, peu avant minuit*

Les cris réveillèrent Lisle en sursaut alors qu'il dormait profondément après cette journée épuisante.

— Une rixe, grommela-t-il. Il ne manquait plus que ça.

Acheminer trois dames, et pas des plus faciles, sur une telle distance n'était pas une tâche de tout repos. Il fallait les nourrir et les abreuver, comme les chevaux. Mais contrairement à ces derniers, on ne pouvait pas les échanger à chaque arrêt. On ne pouvait pas non plus leur mettre un harnais. Il fallait donc rester d'une vigilance absolue lors des étapes. On ne devait pas laisser les femmes flâner, sinon on ne repartirait jamais. Et plus on s'attardait dans un même endroit, plus on risquait de s'attirer des ennuis.

Par chance, ils avaient atteint le *George* sans encombre un peu après 21 heures. C'est là que les avaient rejoints les deux autres voitures. Avec tous ces domestiques et cette montagne de bagages, ils occupaient presque toutes les chambres distribuées par l'un des couloirs.

Au grand soulagement de Lisle, ces dames s'étaient promptement retirées dans leurs chambres respectives.

— J'ai besoin d'un bon bain, avait décrété Olivia. Les Harpies prétendent que je sens l'écurie.

Il y avait gros à parier que les deux vieilles chouettes avaient dit bien plus que cela – dont des allusions douteuses sur les dames qui montaient à califourchon. Lisle préférait ne pas s'attarder sur le sujet, et n'avait pas besoin en plus d'imaginer Olivia dans son bain.

Il se retourna dans le lit, ramena l'un des oreillers sur sa tête. On entendait toujours brailler, même s'il ne parvenait pas à distinguer les mots.

Comment se rendormir dans ces conditions ?

Un bruit de pas furieux se fit entendre. Les voix se rapprochèrent :

— Je t'ai vu le faire !

— Tu rêves, ma parole !

— Tu la regardais avec tes yeux de merlan frit !

— Tu peux parler ! Tu as minaudé toute la soirée avec ce type.

— Tu es rond comme une queue de pelle, tu dis n'importe quoi !

Lisle renonça à dormir. Il rejeta l'oreiller, se résigna à écouter, à l'instar sans doute des autres clients, qui n'avaient pas le choix.

— Tu me dégoûtes ! cria la femme. Qu'est-ce que tu trafiquais derrière cette voiture ?

— Je pissais, espèce d'idiote !

— Je ne suis pas plus idiote qu'aveugle. Je vous ai vus tous les deux dans la cour, derrière les écuries.

— Alors tu as des visions. Bon sang, Elspeth, ne m'oblige pas à te poursuivre dans ce couloir !

— Oui Elspeth, qu'il aille plutôt dans un *autre* couloir, marmonna Lisle.

— Reviens ici tout de suite !

Un cri aigu. Puis :

— Ôte tes sales pattes, espèce de porc ! Immonde brute lubrique !

— Tu es ma femme, bon Dieu !

— Ça ne t'a pas empêché de me trahir ! Je te déteste ! Oh, pourquoi n'ai-je pas écouté mon père ?

À cet instant, on tambourina à la porte de Lisle, qui sursauta. Il s'assit dans son lit. La porte qui communiquait avec le réduit adjacent s'entrouvrit sur la mince silhouette de Nichols.

— Voulez-vous que j'aille ouvrir ? s'enquit le valet à mi-voix.

— Seigneur, non. Nous n'allons pas nous mêler de cette querelle d'amoureux. On ne sait jamais comment cela peut...

— Ne me touche pas ou je crie !

Cette fois, on entendit frapper à la porte de la chambre voisine.

— Monsieur ? insista Nichols.

— Non, pas question.

— Je te hais ! hurla la femme.

— Elspeth, ça suffit ! Ne m'oblige pas à utiliser la manière forte.

— Ça te ferait plaisir, hein ? Espèce de brute !

Nouveau tambourinement, un peu plus loin dans le couloir.

— Femme stupide. Tu peux bien cogner à toutes les portes, personne n'aurait l'idée d'ouvrir à des inconnus à cette heure de...

Un silence abrupt.

Puis une autre voix s'éleva, que Lisle n'eut aucun mal à identifier même s'il ne distinguait les paroles prononcées.

— La peste l'emporte ! gronda-t-il en bondissant hors du lit.

7

Avec un sanglot, la femme se jeta contre Olivia qui, instinctivement, referma les bras autour d'elle et l'attira à l'intérieur de la chambre.

Elle la poussa doucement en direction de Bailey.

— Hé, c'est ma femme ! protesta l'homme.

Olivia s'approcha du seuil. Si elle n'avait rien contre une bonne dispute, il n'en allait pas de même pour les scènes de ménage. Il y avait de fortes probabilités pour que la femme ait raison, mais le mariage était ainsi conçu, qu'il donnait tous les droits à l'homme. Néanmoins, cela n'empêchait pas que la femme puisse éventuellement se conduire comme une idiote. Ce qui semblait le cas en l'occurrence.

Quoi qu'il en soit, il était impensable de tourner le dos à une femme en détresse.

Elle adressa son sourire le plus éblouissant à l'homme, qui recula d'un pas.

— Votre épouse semble bouleversée, monsieur.

— Bouleversée ? Je dirais plutôt « dérangée ». Elle croit que…

— Je sais, j'ai entendu. Tout le village est au courant, je pense. En toute franchise, vous n'avez pas réagi de manière très maligne. À votre place, je m'en irais réviser ma stratégie. Dessoûler serait un bon début.

— Je ne suis pas saoul! Et je ne reçois pas d'ordre d'une femme.

Le sourire d'Olivia s'élargit:

— Vous défendez mal votre cause.

— Je m'en fiche! Rendez-moi ma femme.

L'air menaçant, l'homme se pencha vers Olivia.

Il n'était pas très grand, mais râblé, avec des bras de forgeron. Il était tout à fait capable de la soulever et de la jeter de côté pour libérer le passage. Du moins s'il avait atteint un stade d'ébriété suffisamment avancé.

Se redressant de toute sa taille, elle croisa les bras, tâchant d'oublier qu'elle était en chemise de nuit, Bailey n'ayant pas réussi à retrouver sa robe de chambre dans la malle à la seule lueur d'une petite chandelle.

— Soyez raisonnable. Je ne peux pas, en toute bonne conscience, vous rendre votre femme si elle ne souhaite pas repartir avec vous. Pourquoi n'essayez-vous pas de vous réconcilier avec elle?

— Elspeth! Viens ici tout de suite! beugla l'homme.

C'était cela qu'il appelait se «réconcilier». Ah, les hommes!

— Brute! glapit Elspeth, réfugiée dans les bras de Bailey. Traître! Coureur de jupons!

— Bon sang, Elspeth, je n'ai rien fait d'autre qu'un petit tour dans la cour pour me soulager. Tu es ridicule. Viens ici ou c'est moi qui vais te chercher!

Puis, à Olivia:

— Si j'étais vous, mademoiselle, je la ferais sortir, ou je m'écarterais. Cette histoire ne vous regarde pas.

Il avança d'un pas.

124

Puis recula brusquement. Une main venait de se refermer sur son bras et le fit pivoter.

— N'y songez même pas, prévint Lisle.

— Ma femme est là-dedans !

— Je sais. Mais vous, vous n'entrerez pas.

L'homme baissa les yeux sur la main qui lui enserrait le biceps, les fit remonter jusqu'au visage de Lisle qui, quoique fort calme, arborait une expression implacable. Olivia connaissait bien cette expression. En général, elle précédait ses actions les plus violentes.

La plupart des gens la déchiffraient sans peine.

Ce fut sans doute le cas du mari outragé, car au lieu d'envoyer son poing dans la figure de Lisle, il tourna un regard courroucé vers Olivia.

— Ah, les bonnes femmes, je vous jure ! vitupéra-t-il.

— Croyez que je compatis, assura Lisle. Toutefois, je vous conseille de vous retirer. Il paraît que l'absence renforce les liens d'affection. Vous devriez redescendre et attendre que votre épouse revienne à de meilleurs sentiments.

— Quelles créatures stupides, grommela l'homme, un ton en dessous.

L'inquiétante placidité de Lisle semblait avoir calmé son humeur belliqueuse. Lisle lui lâcha le bras, et le type s'éloigna, marmottant des invectives qui visaient la gent féminine.

Lisle le surveilla jusqu'à ce qu'il ait disparu. Puis il se tourna vers Olivia. Son regard gris passa de ses cheveux en désordre à sa chemise de nuit en mousseline légère, jusqu'à ses pieds nus. Elle le sentit qui glissait sur chaque centimètre de sa personne. Alors elle lui rendit la pareille, s'attarda sur ses cheveux en bataille, son œil à la paupière enflée, la chemise de nuit qui lui descendait jusqu'aux genoux, ses mollets musclés...

C'était une erreur. La vue de son corps si proche lui rappela son odeur et sa chaleur. Une brûlure naquit au creux de son ventre.

— Vous connaissant, cela ne devrait pas m'étonner, dit-il. Pourtant je suis ahuri. Nous sommes au milieu de la nuit et vous ouvrez votre porte à des inconnus alors que vous ne portez presque rien sur le dos.

— Je suis habillée. Au moins autant que vous, rétorqua-t-elle.

Comme pour la contredire, Nichols se matérialisa au côté de son maître pour lui tendre une superbe robe de chambre en velours vert doublée de soie bordeaux. Lisle l'enfila sans quitter Olivia des yeux, avant de renvoyer son valet d'un geste. Nichols s'éclipsa en toute discrétion. Olivia s'était toujours demandé comment Lisle réussissait à garder à son service un domestique aussi snob et guindé. C'était pour elle un mystère, au même titre que les petits symboles et hiéroglyphes que Lisle griffonnait dans ses lettres pour illustrer telle ou telle anecdote.

Cette robe de chambre d'une élégance suprême avait sans nul doute été choisie par Nichols. Lisle se fichait complètement de ce qu'il portait. De fait, l'habiller devait être une tâche bien ingrate. Et pourtant ce valet lui restait farouchement dévoué au point d'endurer pour lui toutes les plaies d'Égypte.

Elle éprouva une pointe d'envie qu'elle chassa rapidement. Qui souhaiterait passer sa vie à être parfaitement invisible ?

En attendant, elle était la seule à se retrouver sans presque rien sur le dos.

— C'était une urgence, se défendit-elle. On ne s'habille pas de pied en cap quand quelqu'un appelle à l'aide. Une femme, de surcroît. Que vouliez-vous que je fasse ?

Olivia désigna ladite Elspeth qui était en train de se moucher dans un mouchoir qui ressemblait fort à l'un des siens.

Lisle secoua la tête. À la lumière de la torche derrière lui, ses cheveux blonds délavés par le soleil lui faisaient comme un halo, ajoutant, si besoin était, à son apparence angélique.

Elle baissa les yeux, luttant contre la tentation de glisser les doigts dans cette chevelure soyeuse. Son regard tomba sur la ceinture autour de sa taille, et elle se rappela aussitôt comment elle avait entouré celle-ci de ses bras sur la jument. Décidément, elle ne savait plus où regarder.

— J'aurais aimé que vous *réfléchissiez*, articula-t-il.

— Non, vous auriez voulu que j'attende qu'un homme survienne et réfléchisse à ma place.

— Comme si c'était votre genre d'attendre sans rien faire. On ne vous a jamais dit qu'on ne se mêlait pas d'une scène de ménage ? Vous n'écoutez donc pas votre beau-père ? C'est l'une de ses règles cardinales, si je ne m'abuse. Vous êtes et avez toujours été impulsive, à un degré suicidaire. Je gaspille ma salive à essayer de vous faire entendre raison, surtout dans un couloir glacial, au milieu de la nuit.

— Vous êtes chaudement habillé. Et moi, je n'ai pas froid.

Il baissa les yeux sur ses seins qui pointaient à travers la fine mousseline blanche.

— Certaines parties de votre anatomie disent le contraire. Mais là encore, vous allez discuter à n'en plus finir, et j'en ai assez.

Il tourna les talons et s'éloigna.

Olivia demeura un moment à le regarder. Il s'éloignait toujours... que ce soit à pied, à cheval ou par bateau, vers d'autres aventures, d'autres femmes, l'Égypte. Il était rentré le temps de tout chambouler dans sa vie. Elle avait retrouvé son ami et allié d'antan. Mais quand il serait reparti, elle serait encore plus frustrée. De nouveau, elle vivrait dans l'attente de ses lettres, pour partager un peu de son quotidien exaltant. Et si elle ne lui écrivait pas sans cesse, il oublierait jusqu'à son existence.

Les poings serrés, elle courut derrière lui.

Lisle regagna sa chambre, ferma la porte et s'adossa au battant, les yeux clos.

Dieu tout-puissant ! Olivia à demi nue.

Et sur le seuil de sa chambre, dans le couloir d'une auberge ! Le mari d'Elspeth avait pu tranquillement se rincer l'œil et reluquer ses seins au garde-à-vous sous la mousseline de sa chemise de nuit.

La virilité de Lisle était également au garde-à-vous, comme s'il n'avait pas perdu suffisamment d'énergie avec ces bêtises.

— Nichols, va me chercher un verre de cognac. Non, mieux, ramène-moi la bouteille. Ou disons plutôt trois bouteilles.

— Je peux vous préparer un lait chaud à la cannelle, monsieur, proposa le valet. C'est très apaisant.

— Je ne veux pas être apaisé. Je veux sombrer dans l'oubli. Oublier ces maudites femmes.

— Bien, monsieur.

Le valet sortit. La porte s'était à peine refermée derrière lui qu'on frappa de manière agressive.

— Allez-vous-en, qui que vous soyez.

— Non, je ne m'en irai pas. Comment osez-vous me tourner le dos de cette façon ? De quel droit me faites-vous la morale et me donnez-vous des ordres et...

Il ouvrit la porte.

Elle se tenait devant lui, toujours aussi indécente, le poing levé, prête à cogner de nouveau contre le battant.

— Retournez dans votre chambre. Qu'est-ce qui vous prend, sapristi ?

— Vous disparaissez pendant des années, vous revenez en coup de vent, et puis vous repartez. De quel droit venez-vous me dire ce que je dois faire et ne pas faire ? Comme vous avez pris soin de me le préciser, vous n'êtes pas mon frère. Vous n'avez aucune autorité sur moi.

Tout en parlant, elle faisait de grands gestes dramatiques qui tendaient le tissu léger de sa chemise de nuit sur ses seins. Ses cheveux emmêlés tombaient en cascade sur ses épaules. L'un des rubans qui fermait son corsage était en train de se dénouer.

— Si j'ai envie de recevoir dix femmes dans ma chambre, vous n'avez pas à m'en empêcher. Et s'il s'agissait de dix *hommes*, ce serait exactement pareil. Je ne vous appartiens pas, vous n'avez pas à me donner d'ordres. Et quand je décide d'intervenir en mon âme et conscience, vous n'avez pas à vous en mêler pour donner votre avis...

Sa phrase s'acheva dans un cri. À bout de patience, il venait de la saisir par le bras pour la tirer brutalement à l'intérieur de la pièce.

Il claqua la porte.

Elle se dégagea d'un geste sec.

— Voilà qui est exaspérant, lâcha-t-il.

— Je suis bien d'accord. J'avais oublié à quel point vous pouviez être contrariant.

— Et moi, j'avais oublié à quel point vous pouviez manquer de retenue ! Il serait temps d'apprendre à contrôler vos satanées lubies.

— Ce n'était pas une lubie. Ma parole, vous êtes obtus !

— Peu importe le nom que vous lui donnez, il n'en reste pas moins que vous ne pouvez pas vous balader à moitié nue et faire des scènes en public. Si ce pauvre type n'avait été si soucieux de récupérer sa capricieuse de femme, ou si vous aviez eu affaire à un individu sans scrupule, les conséquences auraient pu être… Non, je me refuse à les imaginer. Bon sang, vous ne réfléchissez donc *jamais* avant d'agir ?

— Je sais me défendre, riposta-t-elle, tête haute. Vous, plus que quiconque, devriez le savoir.

— Ah vraiment ? Dans ce cas, défendez-vous !

Il glissa le bras autour de sa taille, l'attira brusquement contre lui. Puis, lui saisissant le menton, il l'embrassa.

Olivia savait bel et bien se défendre. Elle lui agrippa le poignet, prête à enfoncer ses ongles dans sa chair, la jambe droite déjà relevée pour lui envoyer un coup de genou dans l'endroit le plus vulnérable chez un homme.

Mais quelque chose n'allait pas.

Il lui tenait si fermement le menton qu'elle était incapable de bouger la tête, et donc d'échapper à la sensation affolante de ses lèvres pressées contre les siennes. Des lèvres étonnamment déterminées et exigeantes. Lisle avait toujours été une tête de mule et, quoi qu'il fasse, il y mettait toute sa concentration et sa volonté. Elle aurait dû demeurer de marbre, l'ignorer avec superbe, mais une brusque inhalation amena dans ses narines cette odeur grisante, si masculine, qui lui tourna aussitôt la tête, l'emplit de rêves et de désirs brûlants.

Elle eut l'impression de perdre contact avec le sol, comme si elle s'élevait dans les airs à bord d'un ballon. Nouant les bras autour de son cou, elle se cramponna à lui comme si elle se trouvait réellement à plusieurs centaines de mètres d'altitude.

Elle n'était pas du tout censée réagir ainsi. Elle était censée lui flanquer un coup de pied dans le tibia, par exemple. Mais voilà que son pied nu remontait sur le mollet de Lisle. Elle sentit qu'il faisait glisser sa main libre le long de son dos, la plaquait sur ses fesses pour la presser contre son ventre.

Seules quelques minces couches de mousseline et de velours les séparaient, ne dissimulant rien de son érection. Olivia n'était pas innocente. Elle avait déjà senti un sexe d'homme durci contre son ventre, mais jamais la passion ne l'avait embrasée de la sorte, fusant à travers son corps telles des étincelles le long d'une ligne de poudre. On l'avait embrassée, caressée, mais jamais on ne l'avait fait vibrer comme Lisle la faisait vibrer en cet instant.

Il se laissa aller contre la porte, l'entraînant dans son mouvement. Elle eut l'impression que le monde basculait. Toutes ses connaissances et ses ruses sombrèrent dans le néant. Elle n'était plus qu'attente. Non pas ce pincement au cœur romantique qui vous tenaille quand on soupire après quelqu'un, mais un désir torride, insatiable.

Elle se frotta contre lui, ouvrit la bouche pour aller à sa rencontre, le goûter. Leur baiser prit une dimension plus charnelle tandis que leurs langues s'affrontaient, se défiaient, se provoquaient.

Elle entendit le bruit, mais n'en tira aucune conclusion. Un son vague. Cela pouvait être n'importe quoi. Quelque chose qui frappait quelque part, elle ne savait pas où. Cela aurait pu être son cœur qui tambourinait dans sa poitrine sous l'effet de la passion mais aussi de la peur, car elle se rendait compte que ce qui se passait était en train de lui échapper complètement.

Toc toc.

Cette fois, une voix s'éleva :

— Monsieur ?

Une voix masculine. Familière. Qui provenait du couloir, de l'autre côté de la porte.

L'instinct de survie des DeLucey, affûté de génération en génération, vola à sa rescousse et l'arracha à sa transe sensuelle pour la ramener brutalement sur terre.

Un endroit soudain glacial.

Lisle s'était raidi. Elle se dégagea de son étreinte, osa jeter un coup d'œil à son visage. Son expression ne trahissait aucune émotion. Apparemment, lui avait gardé les deux pieds bien ancrés sur terre.

Très calme, il tira sur sa chemise de nuit afin de la remettre en place. Pour ne pas être en reste, elle lissa les plis de sa robe de chambre, se permit même de lui tapoter la poitrine avant de déclarer d'un ton satisfait :

— Voilà sans doute qui vous donnera une bonne leçon.

Elle ouvrit la porte, écrasa Nichols d'un regard impérial, puis s'éloigna, toutes voiles dehors, alors que ses jambes tremblantes menaçaient de se dérober sous elle et qu'elle craignait de s'écraser le nez contre un mur tant la tête lui tournait.

6 h 30 du matin, Dimanche 9 octobre

Dans son rêve, Olivia portait un petit caraco de rien du tout. Au bas d'un escalier de pierre, elle lui faisait signe d'approcher. Derrière elle, ce n'étaient que profondes ténèbres.

— Venez, venez voir mon trésor caché, disait-elle.

Lisle commençait à descendre les marches. Elle lui souriait. Puis sa silhouette glissait jusqu'à une porte qui se refermait derrière elle.

— Olivia !

Il dévalait les marches restantes, se mettait à tambouriner contre le battant. Seul le tonnerre répondait à ce vacarme. Mais non, ce n'était pas le tonnerre. Il connaissait bien ce son. C'était celui des pierres qui ferment l'entrée des caveaux. Un piège. Il regardait derrière lui. L'obscurité avait tout englouti. On n'entendait que le raclement de la pierre sur la pierre.

Boum. Boum. On cognait. Contre du bois.

Une porte. Quelqu'un donnait du poing contre une porte.

Lisle se réveilla d'un coup, une habitude contractée en Égypte où la promptitude à émerger des limbes du sommeil pouvait vous sauver la vie. Il se redressa. Le rai de lumière qui filtrait entre les rideaux lui apprit que le soleil était à peine levé. Où diable était Nichols ? À cette heure, il devait être sur le point de quitter la couche d'une femme de chambre...

Maudissant son valet, Lisle se leva, enfila sa robe de chambre, glissa les pieds dans ses pantoufles et fonça vers la porte.

Olivia se tenait sur le seuil.

Il secoua la tête. Rêvait-il encore ? Mais non. Le couloir était baigné de la même lueur grisâtre que celle qui régnait dans sa chambre. Elle portait une tenue de voyage, capote surchargée, robe à col montant et manches bouffantes, bottines en chevreau.

— Quoi ? dit-il. Mais que...

Elle coupa court à ses bredouillements :

— Nous sommes sur le départ. Les voitures qui transportent les domestiques ont déjà pris de l'avance. Les Harpies sont installées dans la berline.

Que racontait-elle? Dans son cerveau hagard, l'image de la jeune femme se superposa à celle de la veille: Olivia sur ce même seuil, presque nue... Lui, perdant la tête. Leur baiser torride. Une erreur. Une erreur colossale.

Au Caire, il avait vu de nombreuses danseuses du ventre. Même en public et normalement vêtues, elles se déplaçaient de manière suggestive. Et lors des fêtes privées, elles dansaient pour attiser le désir des hommes, dénudant leur ventre, parfois leurs seins, ou seulement parées de voiles et de ceintures précieuses. Eh bien, même devant les ondulations de ces aguicheuses, il avait su garder la tête froide.

La veille au soir, Olivia s'était tenue sur ce même seuil, en colère, n'essayant nullement de le séduire. Techniquement parlant, elle était vêtue, et pourtant... il avait perdu la tête.

Si Nichols n'était pas arrivé à point nommé...

— Quelle heure est-il? demanda-t-il.

— 6h30.

— Du *matin*?

Elle eut un sourire éblouissant qui ne lui dit rien qui vaille.

— En partant maintenant, nous serons à York au coucher du soleil. Avant le départ de la malle-poste!

— Partir? Maintenant? Mais j'ai à peine dormi trois heures. Vous êtes folle!

— Je voudrais atteindre Gorewood au plus tôt. Plus vite nous aurons terminé notre mission, plus vite vous retrouverez l'Égypte. Mais... vous n'avez pas l'air prêt, ajouta-t-elle en l'enveloppant du regard.

— Évidemment que je ne suis pas prêt !

Un autre sourire.

— Bon, eh bien, vous irez à York à votre rythme.

Sur ces mots, elle tourna les talons. Il demeura pétrifié, tandis qu'elle s'éloignait dans un doux balancement des hanches.

Enfin il recula dans la chambre, ferma la porte.

Quelques secondes plus tard, celle-ci se rouvrit.

— Vous voulez vous venger, c'est cela ? grinça-t-il.

— Monsieur ? répondit Nichols qui entrait, un plateau à la main.

Face au visage déconfit de Lisle, il ajouta :

— J'ai vu que ces dames se préparaient à partir. J'ai pensé que vous voudriez boire votre café sans tarder.

8

York, ce soir-là

Enfant, Lisle avait un jour assisté au départ de la malle-poste qui quittait l'auberge de la place Sainte-Hélène, à York, au crépuscule. Il doutait qu'Olivia l'ait vue aujourd'hui. Elle était peut-être arrivée à l'heure prévue, mais il était peu probable que la berline ait été plus loin que l'hôtel *George* de Conney Street, un vénérable établissement à pignons et moulures intérieures qui datait du XVIe siècle, et dans lequel les Hargate avaient leurs habitudes.

Lisle arriva à la nuit tombée. La malle-poste était partie depuis longtemps. Il avait parcouru plus de quarante lieues à un train d'enfer, en essayant de ne pas penser à ce qui s'était passé la veille. Pour la même raison, il avait abrégé les pauses. À présent il aurait dû être trop épuisé et affamé pour songer à quoi que ce soit, et pourtant sa conscience continuait de le harceler.

Il gravit l'escalier. Comme il s'engageait dans le couloir, il entendit, sans trop y prêter attention, un bruit de pas précipités.

Olivia déboucha à l'angle du couloir de manière si soudaine et inattendue qu'il ne put l'éviter. Par réflexe, il l'entoura de ses bras pour l'empêcher de tomber.

— Je savais bien que je finirais par vous manquer, plaisanta-t-il.

Ce n'était pas la plus sage des choses à dire et, après les événements de la veille, ne pas la lâcher sur-le-champ n'était pas la plus sage des choses à faire. Mais il était homme avant d'être sage, et réagit comme n'importe quel homme recevant dans les bras cette quintessence de féminité vaporeuse.

Elle portait une robe coupée dans des kilomètres de soie, agrémentée de volants, ruchés, entrelacs de dentelle – les manches ballon avaient dû à elles seules nécessiter plusieurs rouleaux de soie. Sa toilette réussissait pourtant à dévoiler quelques arpents de chair laiteuse qu'il aurait mieux valu couvrir, à savoir, les épaules et la gorge.

Elle était tiède, douce, ravissante et, l'espace d'un instant étourdissant, il ne parvint pas à se rappeler pourquoi diable il aurait dû la lâcher.

Elle leva sur lui un regard d'un bleu vibrant et répondit d'une voix frémissante :

— Vous m'avez horriblement manqué. Les heures m'ont paru des siècles. Je ne sais pas comment j'ai supporté cette séparation, quoi qu'il en soit, elle a eu raison de mes dernières forces.

Et elle s'effondra dans ses bras.

Grisé par cette féminité éclatante – et la fatigue aidant –, il crut pendant au moins deux secondes qu'elle s'était vraiment évanouie.

Puis il se souvint qu'il avait affaire à Olivia.

— J'ai chevauché toute la journée, j'ai mal partout et mes bras sont rompus. Il est donc probable que je vous lâche. Très probable, la prévint-il.

Elle se redressa et, la mine renfrognée, lui donna une petite bourrade sur l'épaule. Il la libéra, recula de deux pas.

— Est-ce ma vue qui flanche, ou êtes-vous moins habillée que ce matin ?

— C'est une robe de dîner.

— Vous n'assistez pas à un dîner, vous êtes en train de courir dans le couloir d'un hôtel.

— Parce qu'elles se sont échappées ! Les Harpies. Une minute d'inattention, et elles s'étaient volatilisées.

— Étant donné la journée éprouvante qu'elles ont dû endurer par votre faute, je ne suis pas surpris outre mesure. Franchement, Olivia, vous savez bien qu'on doit manipuler les antiquités avec précaution.

— Des antiquités ? Ce sont deux sorcières tout à fait alertes qui sont parties en goguette. Elles se sont mis en tête de visiter la cathédrale. Elles n'étaient pas revenues à York depuis l'incendie et elles voulaient voir la crypte[1].

Comme à son habitude, Olivia faisait de grands gestes, si bien que les douces rondeurs révélées par son décolleté ondulaient de la manière la plus provocante qui soit. Lisle tenta bravement de détourner les yeux de ce spectacle satanique.

— Elles ont l'intention de ramper dans des boyaux sous une église incendiée ? fit-il, incrédule. En pleine nuit ? Même selon vos critères, c'est de la folie.

— Il ne s'agit pas de *ramper*. Ce n'est pas comme vous dans vos tombeaux égyptiens. Elles veulent juste se faire un peu peur. Des ruines calcinées

---

1. En 1829, un incendie criminel détruisit la partie est du transept et révéla l'existence d'une crypte secrète sous le chœur. *(N.d.T.)*

la nuit, c'est irrésistible. Et l'endroit n'est qu'à quelques minutes de marche. Le problème, c'est qu'elles auraient dû rentrer depuis une éternité.

— Je vais les chercher, annonça-t-il dans un soupir.

Il mourait de faim. Le manque de sommeil l'amenait au bord du délire. Et voilà qu'il allait devoir écumer les rues d'York à la recherche de deux vieilles chouettes excentriques.

— Non, j'y vais. Je suis responsable d'elles. Et puis, c'est moi qui me suis laissé embobiner. « Un bon bain et une petite sieste, c'est tout ce que je veux ! », minauda-t-elle, imitant l'intonation de lady Cooper. Les hypocrites ! Elles ont dormi dans la berline jusqu'à l'heure du petit déjeuner, et de nouveau dans l'après-midi. En fait, elles étaient en pleine forme. J'aurais dû me méfier, deviner qu'elles mijotaient un mauvais coup. Je vais emmener deux domestiques avec moi et partir à leur recherche.

— Il n'est pas question que vous alliez fouiner dans une église dévastée au milieu de la nuit sans moi. J'ai l'habitude des gravats, des tombes et de l'obscurité. Pas vous.

— Vous avez besoin de prendre un bain, objecta-t-elle. Vous sentez l'écurie à dix mètres !

— Je veux pouvoir me baigner en paix. Dîner en paix. Et jouir d'une nuit de sommeil ininterrompue. Et rien de tout cela ne risque d'arriver tant que ces deux-là sont en vadrouille.

— Je suis tout à fait capable...

— Je sais, je sais. Nous irons ensemble. Mais vous devez d'abord vous changer pour mettre quelque chose de plus pratique.

— Nous n'avons pas le temps !

— Si elles sont déjà mortes, elles le seront encore à notre arrivée. Et si elles ont seulement des ennuis...

— Comment ça, *seulement* ?

— ... ou qu'elles s'apprêtent à en avoir, ce qui est plus vraisemblable, je pense qu'elles survivront un quart d'heure de plus. Ces femmes sont à peu près aussi fragiles que des grizzlis.

— Lisle...

— Vous ne sortirez pas dans cette tenue ! Demandez à Bailey de vous trouver quelque chose de moins... moins révélateur ! conclut-il en désignant son décolleté. Mais dépêchez-vous. Je vous accorde un quart d'heure, pas plus. Si vous n'êtes pas prête à temps, je pars sans vous.

Quinze minutes et trente secondes plus tard

— Des pantalons, constata Lisle sombrement.

Elle venait d'apparaître sur le perron, presque à l'heure. Il se trouvait déjà sur le trottoir, prêt à partir – sans elle, comme elle s'en était doutée.

— Vous m'avez demandé de mettre quelque chose de pratique, se défendit-elle, encore haletante de s'être tant dépêchée. Et puis, comment ramper dans des boyaux étroits avec une robe ?

— Il n'est pas question de ramper dans de quelconques boyaux. Si vous aviez accepté de m'attendre bien sagement pendant que j'effectuais les recherches, vous n'auriez pas eu besoin de vous accoutrer de la sorte, avec des vêtements qui ne sont absolument pas conçus pour les formes féminines.

— Je vois. Vous trouvez que j'ai un gros derrière.

— Ce n'est pas ce que j'ai dit ! Vous n'êtes pas faite comme un homme, c'est tout. Personne ne s'y tromperait, croyez-moi. Seigneur, vous me faites perdre mon temps avec ces enfantillages...

Il fit volte-face, et commença à s'éloigner.

Olivia le suivit.

Il était d'humeur exécrable, en partie par sa faute, elle le savait. Par pure malice, elle l'avait réveillé au petit jour après un long et pénible voyage. Et après un épisode fort éprouvant sur le plan émotionnel... auquel elle refusait de penser. Il faut dire qu'elle était en colère contre lui, et bouleversée à un point qu'elle ne s'expliquait pas.

Le planter à l'auberge, c'était un peu l'équivalent de lui flanquer une gifle et de s'en aller en courant. Plutôt immature, d'accord. Mais elle se sentait dépassée – un état rare chez elle –, et elle détestait cela.

— J'ai choisi cette tenue parce qu'elle est confortable et pratique, et non pas pour me faire passer pour un homme, déclara-t-elle. Les vêtements féminins ne sont pas commodes. De moins en moins, d'ailleurs. Et puis, vous auriez dû vous douter qu'il me serait impossible de changer de robe en un quart d'heure. Vous auriez eu l'air malin si j'étais descendue en petite tenue.

— Cela n'aurait pas changé grand-chose dans la mesure où je vous ai déjà vue en petite tenue.

— Si vous faites référence à la nuit passée, je vous rappelle qu'il s'agissait d'une chemise de nuit.

— Personnellement, je ne vois pas la différence.

— C'est que vous n'avez pas dû en voir beaucoup.

— Je suis un homme, soupira-t-il, excédé. Les hommes n'y connaissent pas grand-chose en matière de toilettes féminines. Ils remarquent juste si les dames sont habillées ou pas. Hier soir, vous l'étiez fort peu.

— Comparé à quoi ? Aux Égyptiennes ? Elles semblent affectionner les extrêmes. Soit elles se couvrent de la tête aux pieds en ne montrant que leurs yeux, soit elles se trémoussent uniquement vêtues d'une ceinture de clochettes. Ce que je voulais dire...

— Par ici, coupa-t-il en tournant à l'angle de la rue pour déboucher sur la place Sainte-Hélène.

L'endroit était mieux éclairé que Conney Street. Ils poursuivirent leur chemin, s'engagèrent dans Blake Street.

— Ce que je voulais dire, reprit-elle, c'est qu'on devrait permettre aux femmes de porter des pantalons dans certaines circonstances.

— Les femmes ne devraient jamais se retrouver dans des situations qui exigent qu'elles portent des pantalons, rétorqua-t-il.

— Ne soyez pas rigide. Tante Daphné en porte.

— En Égypte. Où les femmes portent en effet des espèces de braies de coupe très lâche. À quoi s'ajoutent plusieurs autres couches vestimentaires. Si l'on vous surprenait dans les rues du Caire vêtue des pantalons moulants que vous portez en ce moment, vous seriez immédiatement arrêtée pour obscénité publique et fouettée.

— J'avoue qu'ils sont un peu serrés. Cela irrite les zones sensibles. Je ne sais pas comment font les hommes pour supporter ça à longueur de journées.

— Je vous prie de ne *pas* parler de vos zones sensibles.

— Il faut bien que je parle de quelque chose ! Vous êtes de si méchante humeur... J'essaie de détendre l'atmosphère.

Il s'immobilisa.

— Oui, eh bien... Oh, bon sang ! Écoutez, Olivia... à propos de ce qui s'est passé la nuit dernière... quand vous êtes venue frapper à ma porte...

Le cœur battant, elle s'était immobilisée à son tour.

— Ce fut une erreur, continua-t-il. Une terrible erreur. Je vous présente mes excuses.

Il avait raison. C'était une terrible erreur, à plus d'un titre.

— C'était une erreur, en effet, admit-elle. Et tout n'était pas votre faute. Moi aussi, je vous présente mes excuses.

Il parut soulagé, et elle se dit qu'elle l'était également.

— Bien. Voilà qui clôt le sujet, dit-il.

— Oui.

— Que les choses soient claires, cependant : vous êtes quand même exaspérante, et je ne vous demande pas pardon pour vous avoir réprimandée.

— Soit. Quant à moi, je ne retire absolument *rien* de ce que je vous ai dit.

— Parfait. Compris.

Et ils se remirent à marcher.

L'embarras se faisait sentir. C'était bien la première fois que Lisle en éprouvait en compagnie d'Olivia. Voilà ce qu'on gagnait à franchir une ligne interdite. Il lui avait présenté ses excuses, mais il ne pouvait pas les présenter à lord Rathbourne et, de fait, ne pouvait se défendre contre le sentiment de l'avoir trahi.

Il était hanté par la certitude d'avoir commis quelque chose d'irrévocable, comme s'il avait ouvert la boîte de Pandore, et que désormais...

La voix d'Olivia rompit le silence qui s'éternisait :

— Un quart d'heure, franchement. Il n'y a qu'un homme pour penser qu'une femme est capable de s'habiller aussi vite.

— Vous savez très bien que j'espérais justement que vous n'y parviendriez pas.

— Et vous, vous savez pertinemmment que j'aurais tout fait pour y parvenir. J'admets qu'il y a eu un instant de panique au début. Bailey n'arrivait pas à mettre la main sur mes pantalons, et j'ai bien cru devoir emprunter ceux de Nichols.

Il tourna la tête pour lui jeter un regard acéré. Non, décidément elle ne ressemblait pas du tout à un garçon. Et pourtant ce n'était pas faute d'essayer.

— Qu'est-ce que c'est que cette démarche? lâcha-t-il. C'est ridicule.

— Heureusement cela n'a pas été nécessaire, car Bailey a fini par retrouver mes pantalons, poursuivit-elle. Mais pendant qu'elle m'extrayait de ma robe et de mes jupons, puis m'aidait à enfiler ces pantalons, je n'ai pu m'empêcher d'imaginer ce qui se serait passé si j'avais dû en arriver à de telles extrémités.

L'image d'Olivia se dévêtant, puis se contorsionnant pour entrer dans les étroits pantalons jaillit dans le cerveau de Lisle. La boîte de Pandore... Mais on ne pouvait le lui reprocher. Il était un homme, et les hommes avaient toujours des pensées lubriques. C'était parfaitement naturel.

— Nichols ne se serait sans doute pas montré coopératif. J'aurais dû distraire son attention pendant que Bailey l'assommait. Après quoi, nous lui aurions volé ses pantalons. Bailey serait restée avec lui pour le soigner et lui expliquer que nous étions désolées, mais qu'à cause de vous, nous n'avions pas eu le choix.

— Pourquoi n'êtes-vous pas restée tranquillement à Londres pour écrire des pièces de théâtre?

— Lisle, servez-vous de votre cerveau. Si j'avais eu le moindre talent pour rester tranquille quelque part, j'aurais épousé le premier garçon avec qui je me suis fiancée, j'aurais eu des enfants, et je me serais fondue dans la semi-existence anonyme des épouses anglaises.

Les bras au ciel, elle s'emporta :

— Pourquoi les femmes devraient-elles rester tranquilles ? Pourquoi devrions-nous nous contenter d'être de petites lunes coincées en orbite autour d'une planète qui serait notre père ou notre mari ? Pourquoi ne pourrions-nous pas être nous-mêmes des planètes ? Je n'ai pas envie d'être une lune !

— À propos d'astronomie, je vous rappelle que toutes les planètes gravitent autour du soleil.

— Vous êtes vraiment obligé d'être toujours aussi terre à terre ?

— Joli jeu de mots. Je suis terre à terre et vous avez une imagination délirante. Par exemple, si je regarde devant moi, je vois une cathédrale se dressant derrière quelques bâtiments. Et vous, que voyez-vous ?

Le regard d'Olivia se porta au bout de la rue.

— Je vois des ruines fantomatiques, telle la silhouette d'un monstre trapu se découpant contre un ciel clouté d'étoiles.

— Je ne suis pas sûr qu'il s'agisse de ruines. Des travaux ont été entrepris depuis l'incendie. Nous en aurons bientôt le cœur net.

La faible lueur qu'on apercevait derrière le vitrail devait ajouter à l'impression fantomatique qui, aux yeux d'Olivia, se dégageait des lieux. Pour Lisle, c'était juste la manifestation d'une présence humaine.

— On dirait qu'il y a quelqu'un à l'intérieur. Soyons tout de même prudents, il ne faudrait pas faire une mauvaise chute, dit-il en tirant de sa poche sa boîte d'amadou ainsi qu'une courte chandelle.

146

— J'ai des allumettes, proposa-t-elle.

— Non merci. Elles ont une odeur de soufre pestilentielle.

— Elles sentent mauvais, je vous l'accorde, mais elles sont quand même bien pratiques.

— Oui, pour ceux qui ne savent pas se servir d'un briquet à amadou parce qu'ils n'ont jamais allumé un feu de toute leur vie. C'est pourtant à la portée du premier imbécile venu.

— La plupart des gens ne passent pas leur journée à s'y entraîner pour le plaisir de proclamer qu'ils en sont capables.

— Je ne passe pas mes journées à... Bon sang, pourquoi est-ce que je mords toujours à l'hameçon ? Est-ce trop vous demander de ne pas vous éloigner ? Il reste peut-être des décombres çà et là, cela pourrait être dangereux.

— Ce n'est pas parce que j'ai glissé mon énorme croupe dans des pantalons que vous devez en conclure que mon cerveau s'est réduit à la taille de celui d'un homme. C'est vous qui tenez la chandelle et je n'ai aucune envie de me prendre les pieds dans des morceaux de cathédrale, figurez-vous.

Jetant un regard à cette dernière, elle murmura :

— Quel silence. C'est impressionnant, vous ne trouvez pas ? Londres est aussi bruyante et agitée la nuit que le jour. Et mieux éclairée. Mais ici tout est en harmonie : l'église médiévale, les ténèbres, le silence de mort.

L'intérieur de la cathédrale se révéla dégagé, pourtant ils n'allèrent pas bien loin. À peine eurent-ils traversé le transept sud qu'un homme portant une lanterne se hâta dans leur direction.

— Désolé, messieurs, pas de visite après la tombée de la nuit, leur dit-il. Je sais bien que certains aiment se donner le frisson, mais...

— Nous ne voulons rien de tel, coupa Lisle, nous sommes juste…

— Revenez en journée. C'est vrai qu'il y a beaucoup d'allées et venues avec tous ces ouvriers, mais que voulez-vous, il faut bien déblayer. Avec tous ces gens qui se bousculent pour voir la crypte…

— Justement…

— Vous n'imaginez pas le nombre de savants qui débarquent avec leurs instruments de mesure et qui se crêpent le chignon en confrontant leurs théories. Aux dernières nouvelles, les travaux de réparation vont coûter une centaine de milliers de livres, sans compter la crypte, parce qu'ils n'ont pas encore décidé quoi en faire. La moitié dit qu'il faut la réhabiliter, l'autre qu'il faut au contraire la laisser en l'état.

— Ce n'est pas ce qui…

— Revenez demain, messieurs. Il se trouvera toujours quelqu'un pour répondre à vos questions et vous donner toutes les précisions historiques souhaitées, poursuivit le gardien, imperturbable, en agitant la main en direction de la porte.

En étant arrivé à la conclusion que celui-ci était aussi sourd que loquace, Lisle déclara d'une voix forte :

— Nous sommes à la recherche de deux vieilles dames.

L'homme écarquilla les yeux :

— Des vieilles dames ?

— Mes tantes, intervint Olivia d'une voix de fausset, comme celle d'un adolescent en train de muer.

Il fallait toujours qu'elle en rajoute.

Lisle lui jeta un regard menaçant avant de préciser au gardien :

— Elles voulaient voir la cathédrale, et en particulier la crypte.

— Oui, oui, marmonna l'homme. Je leur ai dit que ce n'était pas possible, qu'elles devaient s'en aller, mais elles n'ont rien voulu entendre. Et avant que j'aie compris ce que je faisais, je me suis retrouvé à les escorter tout en répondant à leurs questions. Mais je vous assure, messieurs, je ne suis pas guide. On me paie juste pour surveiller la cathédrale la nuit, et je ne ferai plus d'exception.

— Ce n'est pas ce que nous vous demandons. Pourriez-vous nous dire quand elles sont parties ?

— Il y a dix minutes, je pense. Un quart d'heure, tout au plus. En tout cas, elles étaient pressées. Elles n'avaient pas vu le temps passer, apparemment.

— Vous auraient-elles dit par hasard où elles comptaient se rendre ?

— Elles ont parlé du *George*, sur Conney Street. Elles m'ont même demandé quel était le plus court chemin, parce qu'elles étaient en retard pour le dîner.

— Si elles sont parties il y a dix minutes, nous aurions dû les croiser en chemin, réfléchit Lisle.

— Êtes-vous passés par Stonegates ? s'enquit le gardien.

— Oui.

— Comme je le leur ai expliqué, l'endroit tient son nom de la pierre qui a été acheminée pour construire la cathédrale. Les blocs quittaient la carrière et voyageaient par voie fluviale jusqu'à Stayne Gate.

— Vous croyez que…

— Ces dames ont été très étonnées d'apprendre que le romancier Laurence Sterne avait vécu à Stonegate à l'époque où il était célibataire.

— Vous croyez qu'elles auraient pu emprunter un autre chemin ?

— Peut-être ont-elles mal compris mes indications. J'espère qu'elles ne se sont pas égarées. Je les ai raccompagnées jusqu'au parvis parce qu'il fait très sombre, et qu'avec tous ces gravats, c'est très facile de...

Le gardien fut interrompu par un cri aigu.

Lisle tourna la tête, mais ne vit rien. Il mit une seconde à se rendre compte qu'il aurait justement dû voir quelque chose, ou plutôt quelqu'un.

— Olivia !

— Aïe ! Aïe ! Aïe ! glapit Olivia.

Puis, se rappelant qu'elle était censée être un homme, elle ajouta d'une grosse voix :

— Sacré bon Dieu de bois !

La douleur lui fit monter les larmes aux yeux et elle eut envie de pleurer, de contrariété plus que de douleur. Elle ne voyait aucun moyen de se sortir de cette situation avec dignité.

— Je suis là, appela-t-elle, mortifiée.

— Là, où ?

La flamme de la bougie et le halo de la lanterne flottaient quelque part sur sa droite.

— Ici !

Enfin le faisceau de lumière mouvante parvint à l'endroit où elle gisait dans une posture honteuse, les fesses en l'air, étalée en travers d'une poutre, au sommet d'un petit tas de décombres. Un tout petit tas, il fallait l'admettre maintenant qu'elle le distinguait, mais aussi petit soit-il, il l'avait bel et bien fait chuter. Elle s'était meurtri le genou et s'était reçue sur le coude – la douleur irradiait maintenant jusque dans l'épaule. Mais ce n'était rien comparé à ce qu'elle ressentait quand elle essayait de se relever.

Lisle passa la bougie au gardien et vint s'accroupir près d'elle.

— Voilà pourquoi je ne veux pas qu'on vienne la nuit, se lamenta le gardien. Il y a vraiment de quoi se fendre le crâne. Même en plein jour, il faut faire attention où on met les pieds.

— Reculez un peu et levez votre lanterne plus haut, lui ordonna Lisle.

Le gardien obtempéra.

Ravalant un gémissement d'humiliation, Olivia réussit à se tourner légèrement. Elle se moquait de ce que Lisle pouvait voir, mais elle ne tenait pas spécialement à ce que le gardien puisse contempler bouche bée son popotin.

— Où est votre chapeau? demanda Lisle à mi-voix.

— Je ne sais pas.

Il palpa délicatement ses cheveux étroitement serrés en chignon.

— Vous n'avez pas l'air de saigner…

— Je suis tombée sur le bras.

— Tant mieux, sans quoi vous vous seriez fracassé le crâne.

— Ma tête va très bien.

— Tout est relatif.

— C'est mon pied… Je n'arrive pas à me lever.

— Je crois que je vais vous étrangler. Je vous avais demandé…

— De ne pas m'éloigner, je sais. Mais je ne suis pas allée très loin. Je voulais juste jeter un coup d'œil alentour avant que cet homme nous mette à la porte. Et puis…

— Vous avez trébuché.

— La chute n'était pas bien grave, mais je crois que je me suis tordu la cheville. Aidez-moi à me lever, voulez-vous?

— Bon sang, vous êtes sûre de ne rien avoir de cassé?

— Non, je ne crois pas. Il n'y a que ma cheville, cela me fait un mal de chien dès que j'essaie de prendre appui sur mon pied.

Il marmonna quelques mots en arabe. Parce qu'il n'existait pas de jurons anglais assez virulents pour exprimer le fond de sa pensée, devina-t-elle. Après quoi il lui saisit le pied droit. Olivia fit un bond. Il n'en poursuivit pas moins son inspection, centimètre par centimètre, faisant doucement pivoter sa cheville de gauche à droite. Il remonta jusqu'au genou. Olivia se retenait de gémir, sans trop savoir si c'était de douleur ou du plaisir de sentir ses mains sur elle.

— Je ne pense pas qu'il y ait de fracture, annonça-t-il enfin.

— C'est bien ce que je...

Elle n'acheva pas, car il avait entrepris de la redresser en position assise. La prenant ensuite sous les bras, il la remit debout. Lorsque son pied droit toucha le sol, elle grimaça.

— Ne portez pas votre poids dessus, lui conseilla-t-il. Appuyez-vous sur moi. C'est une chance que nous n'ayons pas beaucoup de chemin à parcourir.

Sur ce, il glissa le bras sous sa veste et l'enlaça fermement pour la soutenir. Une onde de chaleur envahit Olivia, très consciente de sa grande main placée juste sous son sein. Tant bien que mal, elle s'efforça d'avancer en ignorant ces sensations troublantes.

Lisle récupéra au fond de sa poche quelques pièces qu'il donna au gardien.

— Un petit dédommagement pour le dérangement.

— J'espère que le jeune homme sera vite sur pied, compatit l'homme.

Merci, fit Olivia de sa voix la plus virile.

Lisle demeura silencieux. Il entraîna Olivia vers la porte, puis, clopin-clopant, jusqu'aux marches du parvis qu'il fallut descendre une à une. Toujours sans échanger un mot, ils s'enfoncèrent dans l'étroite rue médiévale de High Petergate.

Lisle n'osait pas parler.

Elle lui avait fait la peur de sa vie. Elle aurait pu se rompre le cou. Et même maintenant qu'il la savait à peu près indemne, il s'inquiétait d'os fêlés, d'hématomes, d'hémorragies internes. À première vue, elle s'était juste fait une entorse, mais pour en arriver à cette conclusion, il avait fallu bien trop de temps. Il avait dû lui palper la tête, la cheville, explorer jusqu'au genou Il l'avait examinée bien trop scrupuleusement. Ce n'était pas malin de sa part. Et ça l'avait été encore moins lorsqu'il l'avait hissée sur ses pieds. Pourquoi avait-il glissé le bras sous sa veste plutôt que dessus? À travers le fin tissu de sa chemise masculine, il avait senti sa taille fine qui s'évasait au niveau des hanches, bien prises dans le pantalon. Et quand elle s'était appuyée contre lui, c'est la rondeur de son sein qu'il avait sentie sur le bord de sa main. Sa chair féminine lui avait semblé si douce, si tiède…

Il aurait fallu être un saint pour ne pas être ému, même sur une si courte distance, par ce sein qui tressautait doucement sous l'étoffe et par le renflement de sa hanche qui venait frotter contre la sienne chaque fois qu'elle descendait une marche. Il respirait le parfum de ses cheveux, celui de sa peau laiteuse et sucrée…

« Continue d'avancer, s'enjoignit-il. Un pied devant l'autre. Concentre-toi. Et n'oublie pas : c'est la belle-fille de Rathbourne! »

— Lisle ?

— Non.

— Je sais que vous êtes en colère, mais comprenez-moi, j'ai juste voulu profiter d'une occasion qui ne se représenterait peut-être plus avant…

— Juste ci, juste ça, coupa-t-il. Et si vous vous étiez brisé la nuque, qu'aurais-je dit à votre mère, à votre beau-père ? « Olivia est *juste* morte » ?

Il ne voulait pas, ne pouvait pas envisager une telle hypothèse. Cela ne rimait à rien. Elle était en vie. Sauf que chaque pression de son corps lui rappelait le baiser féroce qu'ils avaient échangé la veille et l'effronterie avec laquelle elle avait fait remonter son pied nu le long de son mollet. Et que son parfum l'étourdissait. Un élan des plus primaires lui dictait de la plaquer contre le mur de la venelle pour se prouver qu'elle était bel et bien vivante, et que lui aussi l'était.

Seigneur, elle s'était tordu la cheville et il poussait l'obscénité jusqu'à avoir ce genre de pensées !

— Il se trouve que je ne me suis pas brisé la nuque, objecta-t-elle. Cela ne vous ressemble pas de ruminer sur ce qui aurait pu être.

— Cela ne me *ressemble* pas ? Que savez-vous de moi et de ma manière de fonctionner en temps normal ? Ici, je suis dans un état de tension permanent parce que je me prépare à la prochaine catastrophe que vous n'allez pas manquer de déclencher !

Et parce qu'il ne cessait de se surveiller pour ne pas commettre l'irréparable, l'impardonnable.

Il était un homme de raison et de principes. Il avait une conscience. Il connaissait la différence entre un comportement honorable et une conduite indigne. Mais il avait franchi une frontière invisible et son monde bien ordonné était en train de se désintégrer.

— Franchement Lisle, c'est une tempête dans un verre d'eau…

— Chaque fois que je rentre, c'est la même chose! explosa-t-il. Comment s'étonner que je veuille repartir au plus vite en Égypte? Là-bas, j'ai seulement à affronter quelques serpents, scorpions, tempêtes de sable et coupe-jarrets. Ici, ce sont des scènes à n'en plus finir, des drames au moindre incident. Et quand ce ne sont pas mes parents qui hurlent, sanglotent et se frappent la poitrine, vous prenez le relais en déclenchant des émeutes ou en essayant de vous tuer.

— Ça, c'est un peu fort! s'indigna-t-elle en essayant de se dégager.

— Ne soyez pas stupide, vous allez vous étaler.

— Je peux m'appuyer au mur. Je n'ai pas besoin de vous!

Il resserra son étreinte avec autorité.

— Vous vous comportez comme une enfant.

— Moi!

— Oui, vous! Avec vous, tout devient un drame. Les émotions, encore et toujours.

— C'est que je ne suis pas née avec un scarabée de pierre à la place du cœur, moi!

— Vous pourriez peut-être utiliser votre tête de temps à autre au lieu de votre cœur. Vous pourriez par exemple réfléchir avant de vous aventurer dans une église en ruine la nuit. Ou encore – ça, c'est une idée intéressante –, vous auriez pu m'avertir de ce que vous aviez l'intention de faire.

— Pour que vous m'en empêchiez?

— Exactement.

— Non, mais, écoutez-vous, vous qui passez votre temps à explorer des tombeaux et des puits funéraires!

— Il se trouve que je sais ce que je fais, rétorqua-t-il d'une voix qu'il réussit à garder basse et à peu près calme au prix d'un suprême effort

155

de volonté. Je réfléchis avant d'agir. Je ne me précipite pas tête baissée dès qu'une idée débridée me traverse la cervelle.

— Ce n'est pas du tout ce qui s'est passé. Vous exagérez !

— Vous avez exactement la même attitude avec les hommes. Vous vous ennuyez, alors vous vous servez d'eux pour vous distraire sans vous soucier des dégâts éventuels. De même que, étant désœuvrée, vous vous êtes immiscée dans ma vie, vous avez trompé ma famille et la vôtre, et semé la pagaille dans Dieu sait combien de maisons…

— J'en suis vraiment désolée. Jamais je n'ai autant regretté quelque chose de ma vie.

Il aurait dû s'en tenir là. Il savait, dans un petit coin encore sensé de son esprit, qu'il n'aurait même pas dû commencer. Mais cette conviction ne résista pas face au torrent impétueux de sa colère.

— Moi aussi, je regrette, riposta-t-il. Je regrette d'être rentré en Angleterre. J'aurais dû rester là où j'étais. Je préférerais m'abîmer les yeux sur des tablettes de hiéroglyphes, rôtir dans le désert, me perdre dans des catacombes, n'importe quoi du moment que c'est à mille lieues de vous et de mes parents !

— Et moi, je regrette que vous soyez revenu ! se rebiffa-t-elle. J'attends avec impatience que vous repartiez. Je serais prête à payer pour vous renvoyer là-bas et que vous y restiez. Et peu importe ce qu'il adviendra de vous. Retournez dans votre maudite Égypte ou allez au diable, pourvu que vous partiez !

Il ricana.

— Aller au diable ? Ce serait avec plaisir. Après deux jours passés en votre compagnie, cela ressemblerait au paradis.

Elle le repoussa de toutes ses forces. Il ne s'y attendait pas et heurta de l'épaule la porte d'une échoppe. Olivia en profita pour se dégager.

— Je vous hais ! cria-t-elle.

Elle traversa la chaussée en boitant, puis poursuivit sa progression, lentement, en prenant appui sur les façades des maisons.

Le cœur battant, Lisle demeura un moment immobile à la suivre des yeux.

Il ne tenta pas de la rejoindre. Il ne se faisait pas confiance.

À pas lents, il se remit en route, et ils regagnèrent ainsi l'hôtel, chacun de son côté de la rue, dans un silence glacial.

9

Lundi 10 octobre

Crétin.
Mufle.
L'étape qui les amena d'York à Alnwick, dans le Northumberland, se révéla interminable et très pénible. Quand Lisle entama la journée, il était encore furieux contre Olivia. Le soir venu, il était furieux contre lui-même.

Comment avait-il pu lui dire des choses pareilles ?

Elle était son amie. Une amie certes excentrique et dangereuse, mais lui-même était loin d'être parfait. En premier lieu, il avait mauvais caractère. Il avait la tête trop près du bonnet, il le savait, mais jamais encore auparavant il ne s'était déchaîné ainsi contre une femme. Or cette femme était précisément celle qui, semaine après semaine, lui avait écrit avec une constance et une loyauté indéfectibles ; la seule qui ait compris depuis le début ce que l'Égypte signifiait pour lui.

Oui, il n'était qu'un crétin doublé d'un mufle. Et ce n'était que le début. Le temps qu'ils atteignent l'auberge du *Cygne Blanc* d'Alnwick, environ une heure après le coucher du soleil, il avait encore trouvé bien d'autres épithètes susceptibles de qualifier sa conduite abjecte, dans une bonne demi-douzaine de langues.

Conscient que leur altercation de la veille était en partie due à l'accumulation de fatigue et au fait qu'il n'avait pas plus eu le temps de se laver que de dîner – ce qui n'était en rien une excuse –, il se baigna, se changea, puis se restaura avant de trouver le chemin de la chambre d'Olivia.

Il dut frapper deux fois avant que Bailey vienne lui ouvrir.

— J'aimerais parler à Mlle Carsington.

La voix d'Olivia lui parvint de l'intérieur :

— Je ne suis pas là ! répondit la voix d'Olivia. Je suis sortie. J'avais rendez-vous avec Lucifer pour lui vendre mon âme dépravée.

D'un geste, Lisle fit signe à Bailey de libérer le passage. La femme de chambre jeta un coup d'œil incertain à sa maîtresse, avant de reculer finalement.

— Franchement, Bailey, je ne peux pas croire que tu te sois laissé intimider par lui, lança Olivia.

— Je suis désolée, mademoiselle.

Bailey s'éclipsa dans la pièce adjacente, laissant la porte entrebâillée. Lisle alla résolument la fermer avant de pivoter vers Olivia.

Elle était assise près du feu et, baissant les yeux, il comprit pourquoi elle n'avait pas bondi de son fauteuil pour l'empêcher d'entrer – à coups de tisonnier, éventuellement. Son déshabillé mauve et sa chemise de nuit étaient retroussés, et son pied droit reposait dans une grande bassine d'eau.

Il sentit la honte l'envahir. Elle était blessée, elle souffrait, et il l'avait traitée de manière indigne.

Il traversa la pièce et se planta devant elle.

— Vous ne devez pas me haïr.

Il n'avait pas choisi les bons mots. Il s'en rendit compte avant même qu'elle lui décoche un regard furieux. Elle ne répondit, et se mit à fixer son pied.

Lisle se racla la gorge. Le silence s'étira au rythme des battements de son cœur. Une supplique tournait en boucle dans sa tête : « Ne me haïssez pas. Ne me haïssez pas. Ne me haïssez pas. »

Il étudia son pied, si délicat, si vulnérable. Il savait ce qu'il devait dire. Le mot était là, coincé en travers de sa gorge.

Pardon.

Ce fut elle qui parla la première.

— Je vous déteste, articula-t-elle d'une voix basse et vibrante. Vous m'avez brisé le cœur. Cruellement.

Il lui jeta un regard incrédule.

— Moi… je vous ai brisé le cœur ?

— Oui.

Il avait été odieux, cruel même. Mais quant à lui *briser le cœur* ?

— Voyons, vous savez bien que je n'ai rien fait de la sorte, objecta-t-il.

De nouveau, le regard à l'éclat meurtrier le transperça.

— Vous m'avez comparée à *vos parents* ! Alors que je les ai affrontés tant de fois pour plaider votre cause quand vous n'étiez pas là pour vous défendre. Et vous prétendez que vous êtes resté au loin tout ce temps à cause de m… moi…

Elle détourna la tête.

C'était vrai. Elle avait beau être son amie, elle ressemblait au simoun, ce vent brutal dont les tourbillons balayaient parfois le désert, soulevant des tonnes de sable et faisant tant de dégâts que tout le monde courait aux abris. Le simoun déchirait la toile de tente et éparpillait les objets, renversait humains et animaux comme autant de jouets. C'était une force de la nature magnifique qui tuait rarement, mais qui laissait la désolation dans son sillage.

De fait, Lisle admettait en son for intérieur que c'était en partie à cause d'elle qu'il s'était tenu éloigné de Londres. Mais il se serait fait couper la langue plutôt que de l'avouer.

Il se pencha pour scruter son visage :

— Vous ne pleurez pas vraiment, n'est-ce pas ?

Elle tourna davantage la tête. Les flammes du feu jetaient des reflets dansants dans ses boucles rebelles. S'il avait été son frère, il aurait caressé cette chevelure ardente. Et si elle avait été sa maîtresse... Mais ils ne seraient jamais amants. Il ne pouvait pas la déshonorer, pas plus qu'il ne pouvait épouser un simoun humain. C'était aussi simple que cela.

— Pourquoi gaspillerais-je mes larmes pour un butor dans votre genre ? Pourquoi me laisserais-je atteindre par vos attaques perfides et injustes ?

Butor. Perfide. Injuste.

Les mots avaient claqué. Le mélodrame commençait. L'étau qui comprimait la poitrine de Lisle commença à se desserrer. Si elle tentait la technique de la culpabilité, le pardon s'ensuivrait. Mais il devrait auparavant endurer un déluge de reproches, bien mérité il fallait l'avouer.

— Je n'ai jamais mâché mes mots avec vous, et ce n'est pas aujourd'hui que je vais commencer. À moins que vous ne le désiriez. Je suis tout à fait capable de me limiter à une conversation polie, mais je vous préviens que je trouverais cela plus déprimant encore que le climat écossais. Si nous devons rester je ne sais combien de temps dans cette contrée infernale, avec ces deux folles, et que vous m'interdisez de dire ce que je pense...

— Pas de ça avec moi ! coupa-t-elle. Ne venez pas prétendre que je suis votre confidente quand vous avez tout fait pour m'assurer du contraire. Si pour vous parler sans ambages se résume à me jeter des horreurs au visage... vous vous fourvoyez ! Je ne suis pas un chien auquel on flanque des coups de pied quand on est de mauvaise humeur.

— Vous pouvez me les rendre. Vous le faites, d'ordinaire.

— Je le referais volontiers, mais, comme vous le voyez, je suis temporairement invalide.

Il baissa les yeux sur son pied nu. La boîte de Pandore s'ouvrit, le temps qu'il se souvienne des petits orteils contre son mollet. Bien vite, il rabattit le couvercle.

— C'est grave ? s'enquit-il.

— Non, une simple foulure. Mais Bailey a décrété que la cheville enflait et m'a obligée à prendre un bain de pieds avec du gros sel. Il faut que je lui obéisse, sinon elle quittera mon service, et je volerai en éclats.

— Bailey ne vous quittera pas. Pas plus que moi, jusqu'à ce que nous ayons accompli cette improbable Noble Quête. Vous m'avez traîné jusqu'ici, vous allez devoir en supporter les conséquences. Que vous le vouliez ou non, Olivia. C'est à cause de vous que nous sommes ici.

C'était une façon comme une autre de mettre fin à leur altercation. Ç'aurait été trop bête de continuer à se faire la tête. Elle lui avait plus ou moins pardonné, et il se sentait mieux. En tout cas, il n'avait plus envie de se pendre.

Restait cette cheville...

Si elle avait effectivement enflé, ce n'était pas bon signe. Il le savait d'expérience, Daphné Carsington lui ayant appris à soigner les domestiques et les ouvriers qui se blessaient fréquemment sur les chantiers. Peut-être ne s'agissait-il pas d'une foulure bénigne. Peut-être le ligament était-il sévèrement touché. Peut-être qu'un petit os était fracturé, finalement.

Il s'agenouilla devant la bassine. Il se força à ne pas penser à ces froufrous, à ces boucles soyeuses et à ce parfum si féminin qui flottait jusqu'à lui et se concentra sur le pied d'Olivia comme si celui-ci était un objet distinct du reste de son corps.

— Je n'ai pas l'impression que la cheville soit si gonflée que ça, mais sous l'eau, ce n'est pas facile à voir.

La main en coupe sous son talon, il lui souleva la jambe. Il l'entendit inspirer brièvement. Quelque chose tremblait. Soit sa main, soit le pied d'Olivia.

— Je vous fais mal ?

— Non.

— Ça a l'air d'aller.

Avec précaution, il lui manipula le pied comme il l'avait fait la veille. Un pied semblable à ceux des statues égyptiennes, aux proportions élégantes, dont les orteils formaient une diagonale régulière. Sous ses doigts, la peau mouillée était toute douce.

— Vous l'avez assez regardé, décréta-t-elle d'une voix mal assurée. J'ai froid.

— Il a suffisamment trempé, répliqua-t-il avec brusquerie.

Il capta une fêlure dans sa propre voix, et pria pour qu'elle ne l'ait pas perçue. Il attrapa la serviette posée près de la bassine, la déplia sur sa cuisse avant d'y caler le talon de la jeune fille. Puis il entreprit de lui masser doucement le pied tout en l'essuyant. Il descendit jusqu'aux orteils, puis remonta sur la cheville et le mollet, avant de redescendre de nouveau.

Olivia demeura parfaitement immobile.

Il fit de même avec le pied gauche.

— Si vous êtes à genoux devant moi, observat-elle au bout d'un moment, c'est que vous devez être en train de me présenter vos excuses ?

— Oui, peut-être, concéda-t-il.

Au moment de se redresser, une envie brutale, irrépressible, le saisit. Il hésita. Un instant qui dura toute une vie.

Il s'inclina, posa les lèvres sur sa jambe.

Olivia inhala bruyamment. Lui-même pouvait à peine respirer tant son cœur cognait dans sa cage thoracique.

Il reposa son pied sur le sol, se redressa d'un mouvement fluide.

Erreur. Erreur. Erreur ! clamait la petite voix de sa conscience. Ce n'était pas juste. Ni pour elle, ni pour lui, ni pour personne. Mais c'était fait. Heureusement les pans de son manteau masquaient l'effet que ce baiser avait produit sur lui.

— Ou peut-être que je vous rends la pareille, dit-il à mi-voix.

Bien qu'il ait l'impression que le simoun le ravageât de l'intérieur, il quitta la chambre d'une démarche désinvolte.

Dès que la porte se fut refermée derrière Lisle, Bailey réintégra la chambre.

— Je suis désolée, mademoiselle, mais je n'ai pas cru devoir…

Olivia l'interrompit d'un geste :

— Ce n'est pas grave.

Elle reconnut à peine sa propre voix. Chevrotante. Essoufflée. Dans sa poitrine, son cœur palpitait follement. Quelle mouche avait piqué Lisle ? Ils étaient convenus que l'épisode malencontreux de Stamford était une erreur colossale. Mais une ligne avait été franchie. Lisle n'était qu'un homme après tout, et une fois qu'un homme s'était mis ce genre d'idées en tête… Quelles fadaises ! Les hommes avaient *toujours* ce genre d'idées en tête. Néanmoins, Lisle était supposé garder une certaine distance.

Il n'était pas censé la séduire, cet âne bâté !

Qu'il cherche à s'excuser ou à se venger, il était en train de prendre un risque suicidaire avec son avenir, et celui d'Olivia par la même occasion !

— Ah, les hommes !

— Comme vous dites, mademoiselle.

— C'est ma faute, je suppose.

— Ce n'est pas sûr, mademoiselle.

— J'étais furieuse, tu comprends.

— Oui, mademoiselle.

— Ces choses qu'il m'a jetées à la figure…

Cela lui faisait encore mal rien que d'y penser.

— J'aurais dû avoir le réflexe de rabattre mes jupes quand il est entré.

— Certes. Moi aussi. J'ai manqué de présence d'esprit.

— Ce n'est pas ta faute, Bailey. Je suis une DeLucey. J'étais hors de moi, et je me suis vengée en le provoquant. Quelle stupidité de ma part ! Je l'ai pourtant tout de suite cerné au bal de grand-mère Hargate. C'était aussi clair que s'il avait eu une pancarte autour du cou : « Danger ! Interdit de jouer avec ce feu-là. » N'importe quel DeLucey l'aurait vue. Le problème, c'est qu'il n'y en aurait pas eu un seul pour écouter la voix de la raison.

— Eh oui, mademoiselle.

— Le danger attire. C'est si dur de résister à la tentation.

— En effet, mademoiselle.

— Mais lui... il représente un trop grand risque.

Le contact de ses mains habiles sur sa peau avait instauré un climat d'une insupportable intimité. Il n'aurait pas procédé autrement s'il avait décidé de la séduire. Avec persévérance. Méthode. Cette façon qu'il avait eue de l'embrasser l'autre soir, avec une absolue concentration. Elle n'avait pas eu l'ombre d'une chance.

— Les femmes sont coincées, maugréa-t-elle encore. Si elles misent sur le mauvais cheval, elles passent leur vie en enfer. D'accord, certains enfers sont pires que d'autres, mais enfin...

— C'est bien vrai, mademoiselle, opina Bailey qui, après avoir vu tant d'imbéciles tourner autour d'Olivia, n'avait pas une haute opinion de la gent masculine. Cela dit, regardez votre mère...

— Je t'en prie, ne prends pas maman comme exemple. Elle a trouvé l'amour de sa vie *deux* fois. Ce n'est pas du tout pareil. C'est une dame comme il faut, elle.

Mardi 11 octobre

Olivia avait prévu de se lever avant l'aube, comme elle l'avait fait la veille et l'avant-veille. Mais cette fois, la perspective de filer à la brune au nez et à la barbe de Lisle ne lui parut plus aussi drôle.

Il faisait grand jour lorsqu'elle fut prête à affronter cette nouvelle journée. Sur le plateau du petit déjeuner que Bailey lui apporta se trouvait une lettre. Sur l'enveloppe, on pouvait lire *Mlle Carsington*. L'écriture régulière ne lui était que trop familière.

Elle brisa le cachet de cire, déplia le feuillet et lut :

Alnwick, mardi 11 du présent mois

Chère Olivia,

Quand vous lirez cette lettre, je serai déjà parti, car je suis résolu à atteindre Gorewood avant la tombée de la nuit afin de pouvoir effectuer une reconnaissance des lieux. Il m'est venu à l'esprit un peu tardivement – et puisque je suis un homme, vous ne vous étonnerez pas de ce manque de présence d'esprit – que nous ne savions pas comment est aménagé le château. J'imagine qu'il manque des tas de choses. Aussi vais-je devoir faire appel à ~~votre bonne volonté~~ vous pour effectuer quelques emplettes à Édimbourg. Nichols a déjà établi une première liste que je joins à cette missive. À notre arrivée, il dressera un inventaire que je vous ferai parvenir ensuite.

Habitué à dormir sur un lit de camp, voire à même le sol sous une couverture, je n'ai aucune exigence en matière de style et de couleurs. Je vous fais entièrement confiance, et si vous songiez à quoi que ce soit qui vous paraîtrait nécessaire, n'hésitez surtout pas à l'ajouter à nos achats. Je suis de toute façon persuadé que dans ce domaine vos goûts et vos idées sont bien supérieurs aux miens.

J'ai envoyé un courrier à Mains, l'intendant de mon père qui réside à Édimbourg, pour l'informer de votre venue. Adressez-lui toutes vos factures. Il sera, je n'en doute pas, très heureux de vous aider si vous en manifestez le besoin. Son nom et son adresse sont indiqués sur la liste.

J'attends avec impatience de vous revoir d'ici une semaine ou deux au Château des Horreurs.

Bien à vous,
L.

— Oh, franchement, Lisle, murmura Olivia. Ces trois mots barrés, c'est si puéril. Et cependant… vous n'êtes pas complètement idiot. Vous avez de toute évidence compris vos erreurs. Loin des yeux, loin du cœur

— De quoi s'agit-il, mademoiselle ?

Olivia agita la lettre.

— D'un sursis, Bailey. Il est parti et nous allons faire des courses !

Édimbourg, le 2 octobre

Cher Lisle,

Plutôt que de soumettre les Harpies à une troisième <u>longue journée</u> de voyage dans la berline, j'ai décidé de rejoindre Édimbourg en diligence. Nous sommes arrivés en fin d'après-midi et, Seigneur, quelle Vue ! Exactement comme le décrit Walter Scott :

« Telle était la sombre majesté dont était revêtue la hauteur où le château se montre avec orgueil ; tel était l'aspect offert par cette pente escarpée, couverte depuis sa cime aérienne de ces édifices massifs, serrés et d'une prodigieuse élévation, qui forment ma ville romantique[1]. »

Comme vous vous en souvenez peut-être, j'ai visité la cité quand j'étais Enfant, mais mes Souvenirs étaient confus, si bien que je pensais même <u>avoir rêvé</u> tout cela : le Château dressé sur son promontoire rocheux, environné de fumées et de brumes percées

---

1. *Marmion ou la bataille de Flodden Field*, de sir Walter Scott, traduction de A.J.B Defauconpret (Furne, Charles Gosselin et Perrotin éditeurs, 1936). *(N.d.T.)*

çà et là par les flèches et les clochers, la Vieille Ville et ses immeubles _verticaux_ perchés sur les hauteurs. Mais elle était bel et bien là, sous mes yeux, _La Ville la Plus Extraordinaire du Monde_, et assurément je défie même le Sphinx de rivaliser pour ce qui est de l'Atmosphère.

Mais je sais combien mes Épanchements vous _assomment_. Revenons donc à nos moutons. La pittoresque Vieille Ville est pleine de boutiques de toutes sortes. On en trouve encore plein d'autres dans le Nouvel Édimbourg, _bien moins romantique_, qui s'étend dans la plaine au nord-ouest (c'est d'ailleurs là qu'habitait votre cousin, dans une élégante demeure pleine _à craquer_ de vieux livres et de documents divers). Nous n'aurons donc aucun mal à trouver les biens de _première nécessité_ dont nous avons besoin.

Je vais vous envoyer sans tarder tous les domestiques, excepté ceux dont _nous ne pouvons nous passer_. Edwards, qui occupera l'emploi de Majordome, fera de son mieux pour rendre le Château _habitable_ et préparer notre installation. De mon côté, je me rendrai au bureau de placement pour tâcher de trouver d'autres serviteurs. Étant donné la TERREUR qu'inspire Gorewood aux autochtones, je crains que nous ne devions nous reposer sur notre seule _Petite Troupe_, du moins dans un premier temps. Mais je garde _bon espoir_ de réussir ultérieurement dans cette ENTREPRISE ARDUE qui consiste à fournir une brigade complète au château. Car, comme vous le savez, les domestiques qui nous accompagnent nous sont seulement _prêtés_ et _devront retourner à Londres_, de préférence avant que ma mère découvre que je les ai emmenés sans son Consentement.

Bien à vous,
Olivia CARSINGTON

Le mercredi, Roy et Jock Rankin rentrèrent d'Édimbourg les poches pleines de pièces obtenues par la vente d'objets divers qui ne leur appartenaient pas.

Ils trouvèrent la taverne de Gorewood vrombissant d'une agitation fébrile : le fils du marquis d'Atherton, le comte de Lisle, allait emménager au château avec une armada de domestiques. Une première voiture était déjà arrivée, chargée de malles, de caisses et de serviteurs qui seraient rejoints par d'autres d'ici à quelques jours.

Roy et Jock échangèrent un regard.

— Non, pas de danger, chuchota Roy. Des gars de la ville qui viendraient s'installer au château, ça se peut pas. C'est des rumeurs, des racontars, tout ça. On a toujours dit que les propriétaires allaient revenir, et depuis que le vieux est parti on a jamais vu personne. Ça fait quoi ? Dix ans ?

Mais autour d'eux, les clients de la taverne étaient surexcités. Au bout d'un moment, les deux frères décidèrent d'affronter la pluie pour juger par eux-mêmes.

Ils ne tardèrent pas à constater que, pour une fois, les gens du coin avaient raison. De la route, à travers le crachin grisâtre, on apercevait de la lumière à au moins trois des fenêtres. Et lorsqu'ils s'approchèrent furtivement, ils découvrirent une voiture et un équipage dans l'écurie vétuste.

— C'est pas possible, se lamenta Jock.

— Va falloir faire déguerpir tout ce monde-là, conclut Roy.

Jeudi 13 octobre

Edwards, le majordome, n'était pas aussi saoul qu'il l'aurait voulu. Depuis leur arrivée à Gorewood, il n'avait cessé de pleuvoir. Le château n'était qu'un tas de pierres d'une laideur achevée, qui puait le moisi et le renfermé. On avait apporté des draps et des édredons, mais il n'y avait pas de lits. Pour le maître, ce n'était pas bien grave. Il avait l'habitude de dormir sur le sol ou la pierre nue. Mais Edwards était plus délicat.

Ils avaient trimé de l'aube au coucher du soleil pour tenter d'aménager les pièces à vivre à l'intention de ces dames. Les villageois ne se montraient guère coopératifs. Invariablement, ils refusaient de comprendre l'anglais de base, et même le maître, qui s'y connaissait pourtant si bien en langues païennes, n'entendait rien à leur sabir.

Ils étaient traités comme les soldats d'une armée d'envahisseurs.

On aurait pu croire que les commerçants du coin se réjouiraient de cette clientèle supplémentaire, mais quand on leur demandait ceci ou cela, ils se bornaient à vous regarder avec des yeux de merlan frit. Et quand enfin ils condescendaient à vous servir, ils se trompaient dans la commande.

Edwards avait eu un mal de chien à se faire indiquer la taverne du *Maraud Détroussé*. Il avait fallu écrire le nom sur un papier. Après maints détours qu'on lui avait fait faire, il avait bien failli se perdre. Finalement il avait dégoté l'endroit, et s'y était arrêté le temps de se réchauffer, avant de regagner ce maudit château sous la pluie.

La route était déserte. Il n'y avait pas un réverbère en vue. Sur sa gauche, Edwards distingua les contours déchiquetés de l'église qui avait brûlé au siècle dernier. Il aperçut le cimetière et les pierres tombales affaissées en tous sens, comme bousculées par la pluie et le froid.

Frissonnant dans les bourrasques, il regardait toujours dans cette direction quand il entendit le bruit.

Une sorte de chuintement.

Puis soudain, une silhouette fantomatique aux yeux luisants se dressa devant lui.

Avec un hurlement de terreur, Edwards prit ses jambes à son cou.

Et courut, courut, courut.

Château de Gorewood, vendredi 14 octobre

Chère Olivia,

Vous feriez bien de trouver un autre majordome. Edwards a disparu.

Bien à vous,
L.

10

Gorewood, lundi 17 octobre

Debout au bord de la route, elle fixait le château érigé sur sa butte rocheuse.

Lisle revenait du village. Chemin faisant, il avait reconnu l'attelage d'Olivia stationné près du cimetière et de l'église abandonnée. De loin, il l'avait vue descendre de voiture et rejoindre le bas-côté. Puis, les mains jointes sur la poitrine, elle avait contemplé le château d'un air extasié.

Un convoi insensé de véhicules – pour la plupart des charrettes chargées de Dieu sait quoi – l'avait précédée, et d'autres suivaient encore. Tous les habitants du village avaient interrompu leurs activités, quelles qu'elles soient, pour regarder bouche bée cet incroyable défilé.

Lisle était tout aussi sidéré. Il n'avait pas vu une telle procession depuis le couronnement du roi George, dix ans plus tôt. Olivia en revanche était complètement indifférente à la curiosité que suscitait son arrivée. Toute son attention était concentrée sur la silhouette massive du château. Une masse de pierre sans grâce, presque rectangulaire. Mais Lisle savait qu'elle voyait tout autre chose.

Elle était immobile depuis si longtemps qu'on aurait pu la croire pétrifiée. Nul doute que son esprit fertile était déjà en train d'échafauder mille projets, d'explorer mille possibilités.

Comment aurait-elle réagi face aux pyramides ?

Question stupide. Elle aurait été transportée. Et se serait totalement moquée de l'inconfort des conditions de vie. Oui, elle aurait été ravie, surexcitée... jusqu'à ce que le charme de la nouveauté s'émousse et qu'elle soit de nouveau gagnée par l'ennui.

La vie qu'il menait n'était pas aussi trépidante qu'elle l'imaginait. Le travail en lui-même avait un côté répétitif et pénible. Il fallait parfois des jours, des semaines, des mois, voire des années de recherches patientes avant de découvrir tel ou tel vestige. Cela impliquait de longues journées sous un soleil de plomb, à superviser le travail des ouvriers qui charriaient du sable, ou à recopier avec minutie les images qui figuraient sur les murs des temples et des tombeaux, ou encore à reproduire avec fidélité des monuments susceptibles de disparaître.

De nombreuses murailles et plafonds avaient déjà été arrachés à leur sanctuaire pour échouer dans un musée ou grossir des collections privées. Des temples entiers avaient ainsi été démantelés. Parfois leurs pierres vénérables avaient pris le chemin des usines.

Ces tâches monotones lui manquaient. Chercher, trouver, prendre des mesures, cataloguer les différents échantillons, donner des ordres...

Si Olivia comprenait sa passion pour l'Égypte, jamais elle ne comprendrait ce qui lui plaisait dans ce patient labeur. La réalité de son quotidien l'aurait terrassée d'ennui, et il savait bien ce qui se passait quand Olivia s'ennuyait.

Un jour elle visiterait les pyramides, il n'en doutait pas. Comme les autres aristocrates, elle aborderait l'Égypte sur un yacht, descendrait puis remonterait le Nil, avant de remettre le cap sur l'Angleterre quelques mois plus tard, les cales du bateau chargées d'antiquités.

À cet instant, alors que l'esprit de Lisle flottait encore à des milliers de lieux de là, Olivia se tourna vers lui. Pris au dépourvu, il eut l'impression que le monde s'abolissait. Il ne resta plus que son beau visage, ses yeux bleu vif, sa peau à l'éclat nacré et ses joues légèrement empourprées, comme caressées par la lumière de quelque soleil levant.

Lisle eut l'impression que mille petites dagues lui picotaient le cœur.

— Ah, voilà le seigneur du château ! lança-t-elle avec un accent écossais guttural qu'elle avait dû entendre à Édimbourg.

Brusquement arraché à ses rêveries, Lisle pria pour qu'elle n'ait pas en plus rapporté une cornemuse.

— Allez dire cela aux gens du coin, répondit-il en la rejoignant. Ils semblent me confondre avec le collecteur d'impôts ou le bourreau de la Couronne.

Elle eut un rire bas, velouté, qui lui donna la chair de poule, et lui fit l'effet d'être une malheureuse mouche voletant aux abords d'une toile d'araignée.

Les faits. S'en tenir aux faits. Il examina sa tenue comme s'il s'agissait de reliques inestimables.

Sur la masse rebelle de boucles rousses, elle avait perché, quelle surprise, une extravagance de modiste : un engin improbable de la taille d'un vaisseau amiral, d'où jaillissaient plumes et rubans. Sa robe ne valait guère mieux pour ce qui était de la sobriété : des manches qui évoquaient une barrique, et une telle épaisseur de jupes et de jupons que, par contraste, sa taille paraissait suffisamment mince pour qu'un homme l'enserre d'une seule main.

Paraissait. Ce n'était pas là un fait mais un fantasme. Il chassa cette pensée comme il aurait rejeté une poignée de gravats inutiles. Puis, ôtant son couvre-chef, il s'inclina dans un salut formel qui avait au moins l'avantage de lui donner une contenance.

— Bienvenue au château des Horreurs, dit-il. J'espère qu'il est assez hideux et sinistre pour vous.

— Il est merveilleux. À dire vrai, il dépasse mes espoirs les plus fous.

Elle était bel et bien heureuse. On ne pouvait en douter une seconde à la vue de ses yeux brillants et de ses pommettes rosies par l'émotion. Au temps de leur enfance, elle aurait couru se jeter dans ses bras en clamant : « Je suis tellement contente d'être venue ! »

Un lancinant sentiment de nostalgie s'empara de lui. Il s'en défendit à grand-peine. On ne pouvait rester un enfant toute sa vie. Du reste, personne ne le souhaitait.

Il remit son chapeau, concentra son attention sur le château et la réalité factuelle.

— Château à motte avec donjon, en forme de U. Le bâtiment principal est construit sur quatre niveaux si l'on compte le sous-sol. La hauteur, du sol au sommet du parapet, est de trente et un mètres. Les courtines sont d'une épaisseur de quatre mètres en moyenne. La structure est plutôt inhabituelle, et il est certes étonnant qu'elle ait perduré jusqu'à notre époque dans une relative intégrité.

— Merci pour le cours d'architecture, répliqua Olivia avec un petit coup de tête qui fit danser ses boucles autour de son visage. Vous ne changerez jamais, Lisle. Je vous parlais de l'*atmosphère*, bien sûr. Lugubre à souhait, menaçante. Surtout dans cette lumière, à cette heure de la journée, avec le soleil rasant qui perce les nuages, et les ombres qui rendent le paysage encore plus morne, comme si le château déployait sa mélancolie sur la vallée environnante.

Comme en réponse, quelques corbeaux prirent leur envol du toit du donjon en poussant des croassements stridents.

— Et voici les fameux fantômes, ajouta-t-elle.

— L'atmosphère, c'est votre domaine. Personnellement, le climat commence déjà à me peser. Depuis notre arrivée, il a plu sans discontinuer.

Il n'en pouvait déjà plus des journées courtes et grises, suivies des longues nuits tout aussi pluvieuses durant lesquelles il ne cessait de se demander ce qu'il avait fait au bon Dieu pour mériter d'être exilé dans un endroit pareil. Ici, il n'avait personne à qui parler. Du moins, personne avec qui il aurait pu avoir une conversation rationnelle.

Mais Olivia était là, pétillante de vie, lumineuse, et ces satanés picotements ne s'arrêtaient pas dans sa poitrine.

— Je déclare donc l'atmosphère du château parfaitement adéquate, reprit-elle. C'est le cadre parfait pour un récit d'horreur comme *Frankenstein*.

— Si c'est votre idée de la perfection, vous allez être enchantée de découvrir l'intérieur. Il est humide, froid et sombre. Plusieurs vitres sont brisées et nous avons de belles lézardes dans le mortier. En conséquence, nous obtenons d'intéressants gémissements lorsque le vent se met à souffler.

Elle s'approcha de lui, et le scruta de sous le bord de son gigantesque chapeau :

— Je bous d'impatience. Dépêchez-vous de me montrer tout ça tant qu'il fait encore jour !

Toute ravie qu'elle soit, Olivia n'en avait pas moins remarqué des détails préoccupants, tel l'état de dégradation avancé de l'arche de pierre qu'avaient dû franchir les véhicules pour pénétrer à l'intérieur de l'enceinte.

Elle avait imaginé Lisle apparaissant à ce moment-là. Il se serait tenu un instant immobile près du corps de garde, impressionné par la dimension du convoi, l'aurait cherchée du regard. Lorsque ses yeux se seraient posés sur elle, il aurait souri, puis se serait avancé vers elle et... Non, il n'aurait pas ouvert les bras pour qu'elle coure s'y jeter, mais au moins serait-il venu l'accueillir comme tout seigneur qui se respecte.

Au lieu de cela, il avait jailli de nulle part, à l'endroit précis où les rayons du soleil éclabousseraient d'or sa chevelure dorée lorsqu'il ôterait son chapeau pour la saluer.

En le voyant se matérialiser ainsi, auréolé de lumière tel le héros de quelque conte médiéval, elle se l'était aussitôt représenté fièrement campé sur un blanc destrier. Il se serait penché pour la soulever de terre et la jucher en selle devant lui, avant d'éperonner sa monture pour l'emmener loin, très loin...

Où donc ? En Égypte, pardi !

Et une fois là-bas, il l'aurait laissée choir dans le sable et l'aurait oubliée illico pour se consacrer à une momie nauséabonde.

Qu'y faire ? Elle ne le changerait pas, pas plus qu'elle ne pouvait modifier sa propre nature. Mais il n'en restait pas moins son ami.

Après un examen plus approfondi, elle découvrit que cet ami avait des cernes accusés sous les yeux. Elle ne l'avait pas remarqué tout de suite parce qu'il portait son chapeau incliné sur le front, mais elle s'en rendait compte, à présent, tout comme elle notait ses traits tirés par la fatigue.

Il n'avait pas l'air très en train. Il avait beau essayer de faire bonne figure, elle percevait la lassitude dans sa voix et voyait bien qu'il manquait totalement d'enthousiasme.

Elle ne fit cependant pas de remarque à ce sujet, et se contenta de l'écouter d'une oreille distraite tandis qu'une fois de plus il jouait les professeurs.

Elle s'efforça d'évaluer les lieux d'un œil objectif. Le mur d'enceinte s'écroulait, mais les écuries, situées au bout de la basse-cour, étaient juste miteuses. Dans l'ensemble, le château n'était pas dans l'état catastrophique annoncé par le marquis et la marquise d'Atherton, ce qui n'avait rien de surprenant, cet endroit n'étant que le moyen d'arriver à une fin.

Par une longue volée de marches, on accédait à une porte située à une dizaine de mètres de hauteur.

— C'est par là qu'on rejoint les pièces communes, expliqua Lisle. Autrefois il y avait un pont-levis et une herse, mais tout cela a disparu. De grands travaux ont été entrepris au siècle dernier, et on n'a pas jugé utile de les remettre en état. Une décision sage, selon moi. Qui a besoin d'un pont-levis et d'une herse de nos jours ? Et je vous laisse imaginer ce que coûterait leur entretien.

Olivia se figurait très bien le pont-levis et la herse. Elle n'avait aucun mal à imaginer le château tel qu'il était des siècles plus tôt, quand le mur d'enceinte était encore solide et que les soldats surveillaient les alentours, postés derrière les créneaux et les meurtrières.

Comme elle s'apprêtait à gravir les marches, Lisle lui frôla le poignet pour l'arrêter. S'il avait été le héros romantique de ses rêves, il l'aurait prise dans ses bras pour lui dire combien elle lui avait manqué. Elle, en tout cas, s'était languie de lui – à son grand dépit.

Elle avait regretté qu'ils ne puissent découvrir Édimbourg ensemble. Même lui n'aurait pu qu'être touché par la beauté de la cité, si différente de Londres.

Mais sa main gantée l'effleura à peine avant de désigner une porte au niveau du sol, à demi cachée par des broussailles et des détritus.

— Là, il y a un sous-sol constitué de trois pièces voûtées dans la partie principale. Celle qui se trouve dans l'aile sud recèle un puits. Je vous ai dévolu la tour sud, à vous et aux Harpies. Elle est plus lumineuse et moins froide que le reste du château. Les Harpies s'installeront au premier niveau – l'escalier pourrait causer leur perte.

Olivia leva les yeux sur la tour. L'escalier intérieur en colimaçon devait être étroit, raide et sombre. Autrefois, les ennemis qui réussissaient à s'y introduire devaient s'y faire aisément piéger et tuer.

— Un pont-levis et une herse auraient été beaucoup plus romantiques, observa-t-elle en entamant l'ascension de ce malheureux escalier d'une banalité affligeante.

— Le donjon vous consolera-t-il ? Il y règne un admirable relent d'humidité. Pour le moment, il est impraticable. À part celle où se trouve le puits, les pièces du sous-sol sont dans un état lamentable et l'un des escaliers a été saccagé. Mais il semblerait que les déprédations se limitent à cela et aux brèches dans le mur d'enceinte.

La porte s'ouvrit lorsque Olivia atteignit le haut des marches, et elle passa devant le domestique qui la lui tenait. Elle emprunta un petit couloir, puis se figea, médusée.

La voix de Lisle s'éleva dans son dos :

— J'ai eu la même réaction. À en croire mes parents, des arbres poussaient dans la cheminée et des oiseaux avaient fait leur nid sur la galerie des ménestrels.

Elle s'était doutée que le marquis et la marquise avaient exagéré la situation. Comme toujours. Et pourtant, rien ne l'avait préparée à ce qu'elle voyait en cet instant.

Elle se trouvait dans une vaste pièce de réception, sous un haut plafond voûté. Un feu flambait dans une immense cheminée au manteau conique qui occupait presque tout un pan de mur, à l'autre bout de la salle. Elle était flanquée de deux niches où quelqu'un avait entreposé les réserves de bougies.

En dépit d'un manque cruel de mobilier, l'endroit était splendide. Il apparaissait dans toute sa rusticité, tel qu'il devait être des siècles plus tôt, lorsque Marie Stuart, reine d'Écosse, s'y était arrêtée.

Olivia avait le souffle coupé. Sans doute ressentait-elle en cet instant une émotion similaire à celle qu'avait éprouvée Lisle la première fois qu'il était entré dans un temple ancien. Elle avait l'impression de pénétrer dans un autre monde, irréel, hors du temps.

Incapable de s'arracher à la contemplation des lieux, elle eut vaguement conscience que les domestiques se mettaient en rang.

— Seize mètres de long, huit de large, fit de nouveau la voix de Lisle derrière elle. Neuf mètres, du sol à l'ogive de la voûte en berceau. La galerie supérieure, sur laquelle prenaient place les ménestrels, semble avoir été rénovée au siècle dernier.

Elle pivota vers lui.

— C'est splendide !

— Content que cela vous plaise, et puissiez-vous faire partager votre enthousiasme aux domestiques. Ils sont beaucoup plus modérés dans l'expression de leur ferveur.

— Je n'y manquerai pas.

C'était même pour cela qu'elle était venue : transformer une ruine en un lieu magnifique, et ramener un village à la vie. Bref, se rendre utile.

Elle reporta son attention sur la file de domestiques qui affichaient des mines plutôt moroses. Ceux qui étaient là depuis quelques jours ne semblaient pas plus exaltés que ceux qui venaient d'arriver. Lisle avait sans doute fait de son mieux pour remonter le moral des troupes, mais après tout ces gens venaient de Londres ; ils devaient avoir l'impression d'être brusquement retombés à l'âge de pierre.

Olivia se retroussa mentalement les manches. Maintenant, c'était à elle de jouer. Et plus tôt elle s'attellerait à la tâche, plus vite leur mission serait remplie.

Ensuite Lisle pourrait voguer vers son seul et véritable amour, et elle...

Saperlotte, elle n'avait que vingt-deux ans ! Elle avait tout le temps de trouver son seul et véritable amour, elle aussi.

Soit, les probabilités n'étaient pas bien élevées. Mais ce ne serait pas la première fois qu'elle forcerait la chance. Il n'y avait qu'à regarder tout ce qu'elle avait accompli depuis qu'elle avait rencontré Lisle. Et aujourd'hui, elle avait un château. Pas pour *toujours*, d'accord. Mais de toute façon les choses définitives n'étaient pas pour elle.

Olivia était un caméléon. Elle était capable d'imiter un accent, mais aussi des mimiques et des attitudes. Lisle l'avait vue s'intégrer sans problème dans une bande de gamins des rues, marchander avec des camelots, parlementer avec des prêteurs sur gages. Pourquoi n'aurait-elle pas endossé avec la même aisance le rôle de châtelaine ?

Il fut cependant épaté quand, peu de temps après son arrivée, elle ôta son chapeau grotesque pour se métamorphoser en lady Hargate. La jeune fille romantique et fougueuse qu'il avait trouvée sur le bord de la route se comportait à présent avec un calme détaché et faisait preuve d'une autorité absolue tandis qu'elle distribuait ses instructions aux domestiques.

Le plus urgent était de rendre la grande salle confortable puisqu'ils y passeraient la plupart de leur temps. Sous l'égide de Nichols, un groupe avait nettoyé la pièce. Après avoir inspecté leur travail, Olivia entreprit de donner des directives pour placer le mobilier.

Quand Lisle se surprit à l'étudier avec la même attention qu'il aurait mise à examiner les bandelettes d'une momie, il reprit ses esprits et quitta l'endroit.

Seul dans sa chambre, il s'infligea un long sermon sur la faiblesse pathétique des hommes vis-à-vis des femmes ensorcelantes qui se transformaient en ouragans. Puis il rassembla ses plans, dessins et schémas avant d'aller la rejoindre.

— J'ai pensé qu'il vous serait plus facile de comprendre la disposition des lieux à l'aide de ceci, expliqua-t-il en le lui confiant.

Elle s'empara des feuilles de papier, les disposa sur la grande table que les domestiques venaient de placer au centre de la pièce. Pendant un moment, elle les parcourut en silence. La lueur des flammes et des bougies accrochait des reflets vibrants dans le chignon curieusement tarabiscoté que Bailey lui avait confectionné.

— Oh Lisle, vous êtes un génie ! déclara-t-elle finalement.

Que ressentirait-il s'il enroulait l'une de ces boucles rousses autour de son index ?

— J'ai emporté des livres et tout un tas de documents qui appartenaient à votre cousin Frédérick, poursuivit-elle. Ils contiennent également quelques plans du château, mais rien d'aussi détaillé.

— J'ai l'habitude de faire le plan des lieux qui ne me sont pas familiers. Et puis, il fallait bien que je m'occupe. Quand il pleut autant, cela limite grandement le champ des activités.

Sans relever la tête, elle répondit d'un ton distrait:

— À Édimbourg aussi il a plu un peu chaque jour.

— Ici, il a plu beaucoup et tout le temps ! Nichols et moi sommes arrivés sous une pluie battante. Elle n'a cessé qu'hier soir. Aussi n'avais-je pas grand-chose d'autre à faire.

Et puis, cette tâche était censée le distraire de certaines pensées dérangeantes. Sur ce plan, ça n'avait pas été un franc succès.

— Est-ce ainsi que vous travaillez en Égypte ? voulut-elle savoir.

— Oui. Une fois que les monuments ont été dégagés, bien sûr.

— Vos dessins sont très beaux, murmura-t-elle, levant enfin la tête.

Il baissa les yeux sur les feuillets étalés sur la table, les fit remonter jusqu'au visage d'Olivia. Sa peau avait un éclat particulier, comme si elle était éclairée de l'intérieur. Mais peut-être était-ce dû aux chandelles. Ici, même en plein jour, la lumière avait du mal à se faufiler par les ouvertures étroites.

— Ce n'est pas de l'ironie et je ne cherche pas à vous flatter, assura-t-elle. Vous avez un excellent coup de crayon.

Ils échangèrent un sourire qui en disait long. Ils étaient en train de penser à la même chose : la première fois qu'ils s'étaient rencontrés, elle lui avait déclaré qu'il dessinait comme un pied.

— Il m'aura fallu seulement dix ans pour passer d'exécrable à excellent, plaisanta-t-il.

Elle reporta son attention sur le plan, et il la vit suivre du bout de l'index la délimitation de la chambre d'apparat du premier étage.

— Voilà qui simplifie tout, dit-elle.

Pour Lisle, au contraire, tout était en train de se compliquer : ce doigt fin et gracieux, sa main délicate, sa peau satinée dans la lumière du crépuscule, et le sourire qu'ils venaient d'échanger.

Il recula d'un pas pour ne pas céder à la tentation de la toucher.

— Se fixer des priorités est indispensable, expliqua-t-il. Quand les ouvriers viendront – s'ils viennent un jour –, je sais précisément où commencer les travaux et quoi faire.

— C'est pour cela que vous êtes descendu au village aujourd'hui ? Pour engager de la main-d'œuvre ?

— Oui, et cela s'appelle faire chou blanc.

— Je n'arrive pas à croire que vous n'ayez pas su les convaincre. Vous qui commandez des foules de manœuvres en Égypte.

— C'est très différent. Là-bas je connais les dialectes pour communiquer. Je connais les gens, leurs coutumes. La culture écossaise n'a rien à voir. Toutefois, je soupçonne les habitants de Gorewood de se faire plus obtus qu'ils ne sont. En réalité, ils n'ont aucune envie de me comprendre, et veulent encore moins que je les comprenne.

— Cela n'a pas de sens. Vous êtes le fils du laird. Ils devraient au contraire être soulagés de pouvoir vous confier leurs préoccupations.

— Visiblement, ils ne sont pas enclins aux confidences.

— Oh, voyons ! objecta-t-elle avec impatience. Tout ce que vous avez à faire, contrairement à nous autres, c'est de gagner leur confiance. Mais une chose à la fois. Il faut d'abord régler la question des domestiques.

— Désolé, je n'avais pas prévu de perdre le majordome.

— Edwards. Oui, j'avais l'intention de vous interroger à son sujet, mais quand j'ai vu le château, je suis restée sans voix. Et puis j'ai vu la tête que font les femmes de chambre et les valets. Ils ont l'air si... si...

— « Suicidaires », suggéra-t-il. On ne peut pas vraiment le leur reprocher. Ils sont obligés de s'entasser dans les communs, dans des conditions plus que précaires, exactement comme leurs prédécesseurs des siècles auparavant. Je suis stupéfait qu'ils ne se soient pas déjà tous enfuis.

Une lueur d'intérêt s'alluma dans les yeux bleus d'Olivia.

— Vous croyez qu'Edwards a pris la poudre d'escampette ?

— Il semble...

Il fut interrompu par un rugissement, suivi d'un fracas épouvantable.

La porte qui menait à l'office s'ouvrit à la volée, et le personnel de cuisine au grand complet fit irruption dans la salle.

Les rugissements – humains – se poursuivaient, par à-coups.

Les marmitons et gâte-sauce s'étaient peureusement retranchés sous la galerie des ménestrels.

— Ce doit être Aillier, dit Lisle en référence au cuisinier londonien qu'Olivia leur avait envoyé. Il est un peu maussade, ces derniers temps.

— Un *peu* maussade?

— Depuis notre arrivée, nous devons nous contenter de viande froide et de fromage. Il refuse de cuisiner sous prétexte que le four est une «abomination». J'ai eu plus d'une fois envie de le balancer par la fenêtre, mais il ne passerait pas, de toute façon. Et puis, nous avons déjà perdu le majordome, autant garder le cuisinier.

Les poings sur les hanches, Olivia répliqua d'un ton scandalisé que n'aurait pas renié lady Hargate:

— Je pourrai vous aider à le pousser! Refuser de cuisiner? Je ne m'étonne plus que les autres domestiques manquent d'entrain.

La mine résolue, elle se dirigea au pas de charge vers le couloir qui menait aux cuisines. Nichols, qui venait de s'entretenir avec un marmiton, s'interposa.

— Veuillez me pardonner, mademoiselle Carsington, mais ce n'est pas prudent. On vient de me dire qu'Aillier menace tout le monde de son hachoir. Laissez-moi le temps d'aller le désarmer.

Olivia étudia d'un œil dubitatif la silhouette chétive du valet. Affublé d'une armure, il n'aurait sans doute pas excédé les soixante kilos.

Lisle dut deviner ses pensées, car il déclara:

— Nichols est plus fort qu'il n'y paraît. C'est même un homme d'une vigueur peu commune. Telle est en tout cas sa réputation auprès des Égyptiennes, ajouta-t-il sur le ton de la confidence.

Sa voix grave et son souffle tiède sur son oreille donnèrent la chair de poule à Olivia. Seigneur, c'était bien le moment !

— Merci, Nichols, répondit-elle, mais c'est à nous d'intervenir. Franchement, Lisle, ajouta-t-elle à voix basse, en se tournant vers ce dernier, nous n'allons pas nous laisser impressionner par un cuisinier capricieux. Le bruit se répandrait jusqu'au village, et nous serions la risée de toute l'Écosse.

Lisle adressa un regard d'excuse à son valet.

— Désolé Nichols, mais mademoiselle Carsington tient à ce que nous réglions cette affaire nous-mêmes. Tu t'amuseras plus tard.

Derrière le battant, des imprécations éclatèrent de nouveau. Comme Nichols tardait à s'écarter, Olivia le foudroya du regard.

Le valet se résolut à ouvrir la porte.

Elle s'engouffra dans l'antre du Dragon.

Lisle la rattrapa et, la saisissant par la taille, la souleva pour la poser derrière lui et prendre la tête de leur équipée. Il la trouva étonnamment légère. Cette masse impressionnante de jupons et de manches démesurées était trompeuse. Et fascinante. Sous ses doigts, la soie se froissait comme la mousseline d'une chemise de nuit dont on se débarrasse.

Il dut se faire violence pour la lâcher, et des réminiscences tentatrices vinrent le hanter : la délicatesse de sa cheville, sa main gracieuse, la sensation veloutée de sa peau sous ses mains.

Tous ces rêves et fantasmes contre lesquels il luttait si âprement resurgissaient tels des fantômes malicieux. Il les repoussa énergiquement.

— Vous discuterez avec Aillier si vous le voulez, mais j'entre le premier au cas où il faudrait essuyer des jets de projectiles, prévint-il.

— Voyons, je suis tout à fait capable de gérer une crise domestique.

Elle lui décocha un coup de coude dans les côtes et, se glissant devant lui, franchit le seuil de la cuisine. Ravalant un juron, Lisle lui emboîta le pas.

Il aperçut par-dessus l'épaule d'Olivia la face rubiconde d'Aillier qui brandissait son hachoir. L'homme devait mesurer un peu plus d'un mètre quatre-vingts. Il était large comme un tonneau, et entouré d'instruments extrêmement pointus. Il ne fallait pas être un génie pour comprendre pourquoi la brigade avait battu en retraite lorsqu'il s'était déchaîné.

Aillier vociférait toujours :

— Appeler ça une cuisine, ce bouge, ce gourbi infâme dont un porc ne voudrait pas pour faire sa soue !

À la vue d'Olivia, il s'interrompit abruptement et demeura bouche bée, le bras en l'air.

— Je vous en prie, poursuivez, l'invita-t-elle d'une voix suave. Vous disiez ?

Aillier se remit rapidement de sa surprise.

— C'est intolérable, mademoiselle ! Nous sommes chez les sauvages ! Ces paysans ne sont qu'un ramassis de brutes, des ignorants, des idiots congénitaux. Ils ne comprennent rien à ce que je leur dis. Ils ne parlent ni l'anglais, ni le français, ni l'allemand, ni l'italien. Ils communiquent entre eux par des grognements et des éructations, comme des animaux !

— C'est l'hôpital qui se moque de la charité, chuchota Lisle dans la nuque d'Olivia.

— Je vois, fit-elle, les paysans sont des êtres inférieurs. Quoi d'autre ?

Aillier tendit son hachoir vers le four, puis désigna de la même façon la cheminée monumentale auprès de laquelle lui-même semblait un nain, et enfin l'évier de pierre et la batterie de cuisine entassée sur la vieille table à tréteaux.

— Me demander à moi, Aillier, de faire la cuisine dans un tel endroit, c'est… inhumain ! Une vraie torture ! Je suis un artiste, je ne supporterai pas d'être traité de la sorte !

Avec une lenteur délibérée, Olivia pivota pour englober la cuisine d'un regard circulaire.

Celle-ci était située dans l'aile nord du château. En dépit de l'épaisseur des murs et de la taille de la cheminée, l'endroit demeurait spacieux. L'une des trois grandes fenêtres avait été convertie en four, néanmoins, même par temps gris, la pièce était plus lumineuse que nombre de cuisines que connaissait Lisle. Dans nombre de grandes demeures anglaises, celles-ci étaient en effet aménagées au sous-sol.

— Moi, je trouve cette cuisine plutôt correcte, murmura-t-il.

Personne ne releva.

— Il ne s'agit pas de torture, objecta Olivia. Pour cela, il faudra attendre que le donjon soit réhabilité. Nous faisons simplement face à des conditions difficiles. Un grand chef doit être capable de cuisiner n'importe où. Vous rappelez-vous le défi lancé par le prince de Talleyrand à Carême ? Durant une année entière, ce dernier devait, en n'utilisant que des produits de saison issus du domaine, nourrir son maître sans jamais lui resservir un plat déjà proposé. Je ne vous en demande pas tant. Mais si vous ne vous sentez pas à la hauteur de la tâche…

— Pas à la hauteur ? éructa Aillier.

Lisle se pencha pour chuchoter dans le cou d'Olivia :

— Je vous saurais gré de vous rappeler que cet individu tient à la main un hachoir des plus affûtés.

Imperturbable, elle enchaîna :

— Si vous avez décidé de baisser les bras, monsieur Aillier, libre à vous. Dans ce cas, cessez vos jérémiades et pliez bagage. Je ferai venir un vrai cuisinier de Londres, et en attendant une femme du village viendra préparer nos repas. Cette fois, je choisirai un chef italien. Je me suis laissé dire qu'ils étaient d'un courage inouï face à l'adversité.

Le sujet était apparemment clos, elle tourna les talons et se dirigea vers la sortie.

Atterré, Lisle la regarda s'éloigner d'une démarche impériale. Il reporta son attention sur Aillier, dont la trogne avait viré au violet, et banda ses muscles.

À son grand soulagement, le chef baissa lentement la main qui tenait le hachoir.

Il se décida alors à suivre Olivia, et réussit, dans un silence de mort, à atteindre le couloir sans qu'aucune lame vienne se ficher entre ses omoplates.

Dans son dos, il entendit le cuisinier maudire entre ses dents les Italiens et leurs sauces immangeables, avant de déplacer bruyamment poêles et marmites.

Lisle revécut alors en pensée la scène dont il venait d'être le témoin : Aillier brandissant son hachoir, face à Olivia, qui pesait trois fois moins que lui et le toisait sans sourciller.

Quelle femme !

Olivia s'arrêta net en entendant derrière elle un bruit étrange, une sorte de gargouillis. Quel-

qu'un se faisait étrangler, s'alarma-t-elle. Aillier!
S'était-il rué dans le couloir pour attaquer Lisle?

Le cœur battant la chamade, elle fit volte-face.

Dans le couloir, plongé dans la pénombre, elle
aperçut Lisle qui, appuyé contre le mur, était plié
en deux, les bras croisés sur l'estomac...

Il riait.

Elle revint vers lui.

— Pas ici, espèce d'idiot! chuchota-t-elle. Il va
vous entendre!

Dans sa cuisine, Aillier vitupérait toujours en
entrechoquant ses casseroles. Lisle se redressa
en pinçant les lèvres. Un couinement lui échappa.
Lui agrippant le bras, Olivia l'entraîna vers la porte.
Il la suivit, mais après quelques pas, il retomba
contre le mur, la main plaquée sur la bouche.

— Lisle!

— Vous... vous... hoqueta-t-il, avant d'exploser
à nouveau de rire.

— Enfin, Lisle!

— Tellement drôle! Vous... et lui!

— Vous allez vous faire mal.

— Il n'y a que vous... que vous...

Elle le considéra d'un regard perplexe tandis
qu'il se tordait de rire. À son arrivée, il semblait si
las, si abattu. Et maintenant...

Il s'essuya les yeux à l'aide du mouchoir qu'il
venait de tirer de sa poche.

— Désolé, hoqueta-t-il.

— C'est l'épuisement, hasarda-t-elle en guise
d'explication.

— Oui. Probablement.

Il s'écarta du mur, puis se plia en deux, riant et
riant encore, le corps agité de soubresauts. Olivia
le regardait, fascinée. Un sourire irrépressible
naquit sur ses lèvres. Elle avait l'impression de
tomber, tomber dans une chute interminable et

merveilleuse, simplement parce qu'il riait, et que ce son si spontané et joyeux l'emplissait de bonheur.

Il s'arrêta enfin, s'essuya les yeux de nouveau, et bredouilla :

— Désolé. Je ne sais pas ce qui... Vraiment, Olivia, vous êtes impayable.

Il lui prit la main, pour la conduire dans la grande salle, pensa-t-elle.

Mais elle se retrouva le dos contre le mur, dans l'angle de la porte. Les mains de Lisle lui encadrèrent le visage, et elle connut le goût de son rire lorsque sa bouche couvrit la sienne.

11

Elle était merveilleuse. Voilà juste ce qu'il avait voulu lui dire. Du moins le crut-il dans un premier temps. Avant que ses mains encadrent spontanément son beau visage.

Il avait oublié, oublié qu'elle était cette fille incroyable, prête à relever tous les défis. La femme superbe qu'elle était devenue avait occulté la vraie Olivia, l'amazone sans peur.

Dans la pénombre, il distinguait à peine ses yeux. Peu importait, il savait qu'ils étaient d'un bleu irréel. Et puis il y avait sa bouche, douce et pulpeuse, légèrement entrouverte sous l'effet de la surprise, à quelques centimètres de la sienne.

Alors il oublia tout ce qu'il voulait lui dire. Et il l'embrassa.

Elle se raidit, et posa instinctivement les mains sur son torse.

« Oui, repoussez-moi, c'est mieux, lui intima-t-il en silence. Mais non, pas tout de suite, attendez un peu… »

La douceur de ses lèvres, le parfum de sa peau, sa chaleur… Il voulait en profiter encore un tout petit peu.

Elle ne le repoussa pas. Sa raideur s'évanouit tandis que ses mains remontaient sur les épaules de Lisle. Elle lui rendit son baiser avec ardeur, et il retrouva ce goût qu'il s'était efforcé d'oublier. C'était comme mordre dans une cerise mûre, juteuse – c'était très certainement une cerise qu'Ève avait offerte à Adam. Quel autre fruit avait ce délicieux goût de péché ?

Il oublia d'autres choses également : ses bonnes résolutions, la voix de la conscience et de la sagesse. Tout cela vola en éclats, et il ne resta plus qu'une évidence.

Dieu qu'elle lui avait manqué !

À présent, elle était dans ses bras, cette fille fantasque et adorable, cette femme, ce caméléon qu'il connaissait depuis si longtemps, autoritaire et sûre d'elle un instant plus tôt, et maintenant tout alanguie contre lui.

Il s'abandonna au péché, à ce goût diabolique, à ce parfum ensorcelant qui lui montait à la tête telles des vapeurs d'opium.

Une ombre semblait planer sur eux. Une voix lointaine le mettait en garde : *Ça suffit. Arrête. Souviens-toi.*

« Encore un peu ! », protestait-il.

Elle plongea les doigts dans ses cheveux, et sa caresse l'atteignit en plein cœur. Elle toucha cet endroit secret où il enfouissait ses rêves impossibles. Une faim dévorante était en train de grandir en lui. Ce n'était pas seulement un désir primaire – il l'aurait reconnu sans peine. Non, cette sensation n'avait rien de familier.

Il voulait *plus* ; c'est tout ce qu'il savait.

Ses mains glissèrent sur les épaules de la jeune fille, le long de ses bras. Il resserra son étreinte, à la recherche de ce « plus » qui le taraudait. Sa langue s'enfonça plus profondément dans sa bouche et elle céda, comme le sable du désert cède sous le pied. Il sentait qu'elle aussi s'aventurait en terre inconnue, sans trop savoir ce qu'elle cherchait, avec l'audace qui la caractérisait. Dans cet univers-là, ils étaient aussi novices l'un que l'autre.

En un instant, les murs qu'ils avaient patiemment érigés pour protéger leur amitié s'écroulèrent.

Il fit descendre ses mains sur ses fesses, les empoigna pour la plaquer contre son ventre. Provocante, elle ondula contre lui. Il voulut alors lui pétrir les seins, mais tous ces vêtements horripilants lui faisaient barrage. Il empoigna sa jupe, la retroussa, mais là encore il y avait des mètres de jupons emberlificotés. Il tirait encore et encore, sans parvenir à découvrir un centimètre carré de peau, et la soie bruissait comme pour protester sous cet assaut incorrect.

Olivia, elle, ne protestait pas. Sa bouche soudée à la sienne, elle s'offrait au contraire, le pressait de trouver un passage parmi tous ces falbalas. Et leurs langues dansaient un ballet qui parodiait les mouvements immémoriaux de l'accouplement.

Enfin sa main atteignit le haut de son bas. Il toucha sa peau duveteuse, remonta jusqu'à trouver le triangle brûlant niché entre ses cuisses. Elle poussa un petit cri et il sursauta, tel un écolier surpris en train de faire une bêtise.

De la main, elle frôla son sexe rigide à travers ses pantalons.

Il cessa de respirer.

Au même moment, un vacarme métallique retentit tout près, dans la cuisine.

Aillier et ses marmites.

Ce bruit suffit à ramener Lisle à la raison, de manière aussi radicale que si le cuisiner lui avait donné un coup de poêle sur la tête.

Il arracha sa bouche à celle d'Olivia, s'écarta.

Haletante, la tête renversée en arrière, elle darda sur lui un regard embrumé de passion. Sa main était toujours posée sur le renflement de son pantalon. Elle la laissa retomber brutalement.

À regret, il lâcha ses jupes qui s'affaissèrent en chuchotant autour de ses jambes.

— Lisle...

— Ce n'est pas ce que je voulais faire, articula-t-il. Je veux dire...

Quel abruti il faisait. Il devait se ressaisir. Peut-être aurait-il eu intérêt à se taper la tête contre le mur.

— Ce que vous avez fait avec le cuisinier... Vous avez été brillante, mais... ensuite... Oh, Seigneur!

Son corsage était de travers, ses cheveux en désordre. Elle était délicieuse. Magnifique. Mon Dieu, qu'avait-il fait?

— C'était une crise de folie passagère, déclara-t-elle. Nous nous sommes laissé emporter. Le contrecoup de la peur. Ce crétin de cuisinier aurait pu nous tuer.

Il hocha la tête, soupira:

— « Je ne sais pas ce qui m'a pris. » C'est ce qu'on dit en pareille occasion, je crois? J'achète.

Il avait l'air anéanti.

Olivia comprenait pourquoi. Il n'était pas comme elle. Il avait des principes. Il croyait à ces notions telles que le sens du devoir, l'honneur et la loyauté, que lui avait inculquées son beau-père.

Oui, elle savait tout ça.

Quant à elle, elle n'avait pas besoin de principes pour être bouleversée. Il s'en était fallu de peu qu'elle ne perde sa virginité. Avec *lui*!

— C'est ma faute, affirma-t-elle. Vous savez bien que je n'ai aucune morale. Je n'y peux rien, je suis une DeLucey. Nous sommes tous comme ça dans la famille, sauf ma mère, mais c'est une erreur de la nature, l'exception qui confirme la règle.

— Nous devons sortir d'ici. *Tout de suite.*

— Impossible. Les domestiques vont comprendre ce qui s'est passé au premier coup d'œil.

— Pas du tout. Ils penseront juste que nous avons eu un accrochage avec le cuisinier.

Elle baissa les yeux sur sa robe.

— Cela ne ressemble pas à un accrochage, objecta-t-elle.

Elle remit son corsage en place, lissa ses jupes. Son chignon était en train de s'affaisser, mais ce n'était pas la peine de demander à Lisle de réparer les dégâts.

— Allez-y, lui intima-t-il.

Il ne se précipita pas pour lui ouvrir la porte. Sans doute préférait-il attendre que son érection ne soit plus visible. Son sexe était prodigieusement dur quand elle l'avait palpé à travers son pantalon…

Décidément elle n'avait pas la fibre morale. Quand la Tentation lui faisait signe, elle accourait, sans y réfléchir à deux fois. C'est qu'il était bien trop séduisant pour qu'une femme dépourvue de principes lui résiste.

Et il lui plaisait encore plus quand il était de bonne humeur. Déjà au *George*, à Stamford, il lui avait coupé le souffle, et pourtant il était de sale humeur. Mais là, elle avait bien cru que ses jambes ne la soutiendraient pas. S'il ne l'avait pas tenue si serrée, elle aurait fondu de désir à ses pieds.

Il mettait le même sérieux et la même application à embrasser qu'à exécuter ses plans ou à faire jaillir une étincelle de son briquet à amadou. Alors quand il faisait l'amour à une femme…

Mais l'heure n'était pas aux spéculations.

Elle ouvrit la porte, pénétra dans la grande salle. Lisle suivit peu après.

Les employés de la cuisine se trouvaient exactement à l'endroit où ils les avaient laissés, sous la galerie. Ils n'avaient plus l'air terrifié. Ils affichaient tous la même expression intéressée.

Olivier redressa les épaules, endossant une fois de plus le rôle de châtelaine.

— Le problème est réglé, annonça-t-elle. Vous pouvez vous remettre au travail.

En file indienne, ils passèrent devant elle pour rejoindre la cuisine. Olivia donna quelques instructions aux autres serviteurs qui se dispersèrent promptement. La grande salle se vida, et il ne resta bientôt plus que deux domestiques près de la cheminée qui s'apprêtaient à transporter des meubles à destination des Harpies. Par la porte restée ouverte, on entendait ces dernières se disputer pour savoir qui occuperait la chambre du bas.

Olivia n'avait pas l'intention d'intervenir dans ce litige.

Elle se tourna vers Lisle qui était en train de glisser quelques mots à son valet. Nichols hocha la tête avant de s'éloigner.

— Ils ont tout entendu, dit Lisle à voix basse.

— J'imagine que c'est pour ça qu'ils avaient l'air si attentif.

— Non, pas *nous*. Ils ont entendu votre échange avec Aillier. Les planches de la porte sont disjointes. Ils n'ont sans doute pas distingué toutes vos paroles, mais ils ont capté le ton et l'intention. Voyez comme ils sont retournés travailler sans la moindre appréhension. Vous les avez impressionnés, Olivia.

— J'ai terrassé le dragon, acquiesça-t-elle avec un sourire.

— Vous avez été brillante, je le répète. J'aurais dû le savoir. Je vous présente mes excuses pour avoir douté de vous. Pour autant, je ne suis pas transporté de joie à l'idée d'être ici, mais grâce à vous la perspective me paraît moins déprimante.

— Merci. Je vous trouve divertissant, vous aussi.

Il haussa les sourcils :

— Divertissant ?

— Quoi qu'il en soit, ce qui vient de se passer dans le couloir ne doit pas se reproduire. Vous savez que j'ai une tendance naturelle au vice. Et je sais que vous avez toutes sortes de principes, une éthique, ce genre de choses...

— Oui, ce genre de choses.

À en juger par son expression, la culpabilité le rongeait. Au diable, lord Rathbourne, pour lui avoir rempli la cervelle de préceptes aussi stricts.

— Lisle, fit-elle en se penchant vers lui, tout ceci est parfaitement naturel. Nous sommes jeunes, séduisants...

— Et modestes, aussi.

— Vous qui aimez les faits, je vais vous en donner. Fait irréfutable : l'intellect doit sans cesse lutter contre les pulsions animales. Fait irréfutable : nos chaperons ne sont pas vraiment à la hauteur de la tâche. Conclusion : les conditions sont réunies pour qu'un désastre se produise. Je ferai de mon mieux pour l'éviter, mais je vous avoue...

— Merveilleux. La sauvegarde de votre honneur ne dépend donc plus que de moi. Et jusqu'à présent, on ne peut pas dire que je me sois montré efficace.

Elle l'agrippa par les revers de sa veste.

— Écoutez-moi, espèce de bûche ! Nous ne pouvons pas réitérer cette erreur. Savez-vous à quel point nous avons frôlé l'irrattrapable ?

Elle le lâcha, leva la main et écarta le pouce de l'index d'un centimètre.

— Nous sommes passés à *ça* du piège dans lequel vos parents veulent nous voir tomber!

Il eut un mouvement de recul, comme si elle l'avait giflé.

Il fallait bien lui ouvrir les yeux, à la fin. Quelqu'un devait se dévouer. Elle n'avait pas prévu de le faire, elle avait cru pouvoir le manipuler comme elle manipulait les autres hommes, mais elle n'y arrivait pas. Et elle voyait bien qu'ils étaient sur une pente savonneuse.

Si cela n'avait tenu qu'à elle, elle aurait agité les mains et crié à tue-tête: «Oui, plus vite, plus vite!»

La voix de Lisle brisa le silence tendu qui était tombé entre eux.

— Qu'avez-vous dit?

— S'ils veulent vous retenir en Angleterre avec cette histoire de château, c'est qu'ils pensent que vous finirez par oublier l'Égypte, que vous vous amouracherez d'une gentille petite Anglaise et que vous l'épouserez dans la foulée.

Lisle la fixa. Elle lut dans son regard qu'il comprenait enfin.

— Oui, soupira-t-elle, et peu leur importe que cette fille ce soit *moi*.

Lisle mit un moment à encaisser le choc. Puis tout lui revint: les visages souriants de ses parents, les coups d'œil entendus échangés d'un bout à l'autre de la table, les regards indulgents de la douairière. Comme une petite pièce de théâtre bien rodée.

Le cœur battant, il demanda doucement:

— Olivia, que leur avez-vous dit?

— Ce que je leur ai *dit*? Ne soyez pas ridicule. Je n'aurais jamais eu l'imprudence de *dire* quoi que ce soit. Je les ai juste encouragés à le penser.

— Que… que vous aviez des vues sur moi ?

— C'est exactement le genre d'absurdités senti-mentales auxquelles ils peuvent croire. Et l'unique raison pour laquelle ils auraient accepté de me laisser voyager en votre compagnie.

— Pour me piéger ? Me forcer au mariage ?

— Oui, confirma-t-elle avec un grand sourire. Je sais que cela vous choque.

— C'est un euphémisme.

— Ils ne m'ont jamais vraiment appréciée, mais le rang et la fortune font pardonner bien des choses, je vous l'ai dit.

Lisle porta la main à son front et s'appuya contre la table. Seigneur, elle était… Il ne trouvait pas de mot. Elle lui expliquait tranquillement quels monstrueux mensonges elle avait racontés à leur entourage… Mais non, ce n'étaient pas des mensonges, tout au plus des *sous-entendus*.

— Je suis abasourdi.

Elle vint s'appuyer à la table, à côté de lui, comme s'il ne s'était rien passé dans le couloir de la cuisine un instant plus tôt. Le *couloir de la cuisine*, bon sang !

— Ce que je n'avais pas prévu, c'est que nous ressentirions une attirance aussi inopportune, avoua-t-elle.

— Inopportune, oui.

— Vous avez beau être obtus et exaspérant, vous êtes mon meilleur ami. Je ne veux pas gâcher votre vie, et je sais que vous ne voulez pas non plus gâcher la mienne. Nous avons autour de nous de nombreux exemples de félicité conjugale. Ma mère a trouvé le grand amour deux fois. Je serais déjà contente de le trouver une. Et c'est aussi tout le mal que je vous souhaite. Mais vous savez que nous ne le trouverons jamais ensemble.

— Seigneur, non !

Elle se renfrogna.

— Inutile d'acquiescer avec autant d'enthousiasme.

— C'est un fait, répliqua-t-il.

Olivia était une merveille de la nature, au même titre que le simoun, les ouragans, les inondations et les tremblements de terre. Lisle avait grandi dans le chaos. Rathbourne lui avait rendu la paix et l'ordre. Et il avait besoin d'ordre. Ces dix dernières années, il avait mené une vie aussi passionnante que rangée. Il avait eu la chance de découvrir très tôt quelle voie il voulait suivre et, depuis, il poursuivait ce but avec patience et détermination.

Avec Olivia, tout échappait à son contrôle. Pis, *il* perdait le contrôle. À preuve, le forfait qu'il avait déjà commis. Par deux fois.

— Bon, eh bien… commença Olivia.

Lisle s'écarta brusquement de la table et annonça :

— Je monte sur le toit.

— Le toit ? répéta-t-elle. Je reconnais que mon plan avait quelques lacunes, mais ce n'est pas la fin du monde, tout de même. Cela ne justifie pas de prendre des mesures aussi extrêmes que se jeter du toit.

Il la regarda avec effarement.

— Il n'est pas question de se jeter du toit. Je veux juste poursuivre mon inspection du château. Jusqu'ici la pluie m'a empêché de vérifier l'état de la toiture.

— Oh. Dans ce cas…

Il secoua la tête.

— Me jeter du toit. Franchement !

— Vous avez l'air si bouleversé.

— C'est que je ne sais plus si je dois rire, pleurer ou me taper la tête contre les murs. En fait, j'ai besoin de calme. J'ai désespérément besoin de m'atteler à une tâche extrêmement *ennuyeuse*.

Plus tard ce soir-là

Aillier réussit à servir un très bon repas, bien que pas des plus élaborés. Lisle s'avisa soudain qu'il s'agissait là de son premier vrai dîner depuis qu'il avait quitté Londres. Un dîner civilisé, avec entrée, plat et dessert, pris à une vraie table, recouverte d'une vraie nappe, en compagnie de commensaux avec qui il pouvait deviser de manière relativement intelligente.

C'était également le tout premier dîner qu'il avait l'honneur de présider dans l'une des demeures familiales.

Une fois le repas terminé et les convives rassemblés autour de la cheminée, le tumulte de la journée s'apaisa enfin. Pas complètement cependant. La façon dont il s'était conduit avec Olivia continuait à le hanter. Et il ne voyait toujours pas comment son « plan » lui permettrait de retourner en Égypte au printemps.

Néanmoins, il se sentait un peu plus calme. Le travail était son remède habituel lorsqu'il était énervé ou contrarié, pour quelque raison que ce soit. Mesurer, effectuer diverses évaluations, prendre des notes, ces tâches familières lui rendaient sa tranquillité d'esprit, même ici, dans ces conditions difficiles et sous ce climat exécrable.

À présent, il se rendait compte à quel point la tornade Olivia avait bouleversé le paysage. Elle qui était l'incarnation du désordre avait réussi à créer l'harmonie. Les domestiques avaient retrouvé leurs habitudes, et il avait suffi de quelques heures pour que le château passe du statut de forteresse désolée à celui de vraie demeure.

Autour de lui régnaient désormais l'ordre et la paix. Il avait presque oublié à quoi cela ressemblait. La nourriture avait eu un effet lénifiant, et le vin bien sûr rendait tout plus plaisant. Même les Harpies l'amusaient, alors qu'il y a peu il les aurait volontiers étripées.

Elles étaient pompettes, ce qui n'avait rien d'anormal. Et, pour l'heure, elles se tenaient tranquilles, car Olivia lisait à voix haute un ouvrage rédigé par son cousin, Frédérick Dalmay, et qui avait pour sujet le château de Gorewood.

On y trouvait les incontournables histoires de fantômes. Il y avait l'habituel cadavre caché à l'intérieur d'un mur – celui d'un traître qui avait été torturé dans le donjon et qui était censé hanter le sous-sol ; la classique servante enceinte assassinée, qui apparaissait dans le couloir de la cuisine après les noces et les baptêmes ; une noble dame qui surgissait de temps en temps sur la galerie des ménestrels ; ainsi qu'un chevalier qui, les jours de banquet, s'appliquait à hanter la chapelle.

Olivia en était maintenant arrivée aux fantômes qui rôdaient sur les toits.

— *Sept hommes accusés d'avoir ourdi un crime atroce furent condamnés à être pendus et démembrés*, lut-elle. *Clamant leur innocence, ils supplièrent qu'on leur accorde une chance d'en apporter la preuve. À la surprise générale, lord Dalmay accepta. Il fit monter les sept hommes en question sur le toit de la tour sud et les invita à sauter au-dessus du vide jusqu'au toit de la tour nord. Ceux qui y parviendraient seraient déclarés innocents. Parmi les fidèles de Dalmay, beaucoup protestèrent que Sa Seigneurie était trop bonne, que personne ne pouvait réussir un tel exploit, que les crapules allaient par conséquent* s'écraser au sol et mourir sur le coup, ce qui était un châtiment bien trop miséricordieux pour des scélérats qui méritaient une lente et douloureuse agonie. Mais dans le royaume de lord Dalmay, les décisions du Seigneur avaient valeur de loi. Ainsi les condamnés grimpèrent-ils sur les créneaux, et bondirent-ils un à un vers la liberté. Six d'entre eux périrent.

— Six? répéta Lisle.

— *Un homme en réchappa*, lut Olivia, *et lord Dalmay tint parole. L'homme fut déclaré innocent et libéré.*

Lisle s'esclaffa.

— Ce type a survécu à une chute du haut des remparts?

— Non, il a réussi son saut.

— Il devait avoir des jambes d'une longueur prodigieuse, commenta lady Withcotee.

— Et vous savez ce qu'on dit à propos des hommes qui ont de longues jambes, gloussa lady Cooper.

— Ce ne sont pas les jambes, Agatha. Vous confondez. Il s'agit du nez. À ce qu'on dit, gros nez, gros...

— C'est physiquement impossible, coupa Lisle. Il lui aurait fallu des ailes!

— Quelle est la distance entre les deux tours? s'enquit Olivia. Êtes-vous sûr qu'un homme puissant et agile ne pourrait réussir un tel saut?

— Ah, les hommes puissants et agiles! soupira lady Cooper.

— Vous, vous pensez à lord Ardberry.

— Comment pourrais-je l'oublier?

Lisle jeta un coup d'œil à Olivia. Elle réprimait visiblement une envie de rire. Tout comme lui.

— Il tenait sa science d'un livre indien, je crois, précisa lady Withcote. Un livre sacré, disait-il. C'est du reste ainsi qu'il a appris le sanskrit.

— Non pas qu'il ait été indispensable de connaître cette langue, enchaîna lady Cooper. C'était un livre d'images, et elles valaient tous les mots.

— J'en conviens. Elles étaient aussi divertissantes que les gravures d'Eugénia.

Lisle se remémora aussitôt la lettre qu'Olivia lui avait écrite autrefois, où elle faisait allusion à ces fameuses gravures. Il se souvenait même qu'elle avait malicieusement rayé le mot, par pure provocation.

— Quelles gravures ? demanda-t-il.

— Vous ne les avez jamais vues ? s'étonna lady Cooper. Je pensais que tous les garçons de la famille Carsington les découvraient à un moment ou un autre. Elles sont hautement instructives.

— Techniquement, je ne suis pas un Cars...

— Enfin, Agatha, s'insurgea lady Withcote, comme si lord Lisle avait besoin d'enseignement dans ce domaine ! Je vous rappelle que ce jeune homme a presque vingt-quatre ans et qu'il vit dans un pays où les filles dansent nues dans la rue. Si ça se trouve, il possède un harem là-bas et a déjà essayé les quatre cents positions.

— Millicent, vous savez pertinemment qu'il n'y a pas quatre cents positions. Lord Ardberry lui-même a admis que la deux cent soixante-trois et la trois cent quatre-vingt-quatre étaient physiquement impossibles à exécuter pour quiconque possède une colonne vertébrale.

— Quelles gravures ? insista Lisle en regardant Olivia.

— Celles de grand-mère Hargate, répondit-elle d'un ton détaché, avant de poser son livre. Je monte sur le toit, annonça-t-elle en se levant. J'ai besoin de prendre l'air. Et je veux voir quel espace il y a entre ces deux tours.

Elle ramassa son châle et quitta la pièce.

Ce n'était pas juste.

Elle avait étudié ces gravures « hautement instructives ». Elle avait eu hâte de mettre ces cours théoriques en pratique. Mais elle avait déjà laissé plusieurs hommes l'embrasser, leur avait permis quelques privautés, et tout cela s'était révélé fort décevant. Elle avait certes été émoustillée, mais surtout parce qu'elle savait qu'elle bravait un interdit.

Puis Lisle était rentrée d'Égypte.

Sans doute tenait-il sa science du baiser de quelques expertes orientales. Quoi qu'il en soit, Olivia comprenait maintenant pourquoi les Harpies parlaient tant de la chose, pourquoi grand-mère Hargate avait adoré son unique époux, et pourquoi elle s'était ensuite transformée en veuve joyeuse.

La vraie passion n'émoustillait pas. Elle embrassait.

Selon grand-mère Hargate, l'amour n'était pas un ingrédient indispensable à la passion, mais combinés, ils composaient le plus délicieux des plats.

Tout cela était très bien, seulement, la passion était fort encombrante. Elle ne vous laissait pas de repos, mettait les nerfs à fleur de peau, rendait susceptible. Quand en plus la raison vous obligeait à la museler… c'était fort désagréable.

Olivia gravissait l'interminable escalier. Le vent froid qui s'engouffrait dans la cage ne parvenait pas à la rafraîchir. Elle bouillait intérieurement.

Elle continua son ascension, dépassa le deuxième, puis le troisième étage qui abritait autrefois la garnison, et était désormais réservé aux domestiques. Enfin, une dernière volée de marches la mena à la petite porte qui donnait sur le chemin de ronde.

Elle posa les mains sur le parapet, ferma les yeux et inspira profondément l'air de la nuit, savourant le calme et le silence. Elle prit une autre inspiration, chassa l'air de ses poumons et rouvrit les yeux.

Des étoiles. Par milliers.

Devant elle, au-dessus de sa tête, partout.

Elle n'en avait jamais vu autant. Et la lune était là elle aussi, haute et brillante, presque pleine.

C'était magnifique.

— Quelles gravures ? fit une voix grave derrière elle.

— Vous savez bien, répondit-elle sans se retourner. Ces images coquines qu'on vend sous le comptoir dans les librairies. Ainsi que celles que grand-mère Hargate a ramenées de ses voyages à l'étranger.

Il avait beau se déplacer silencieusement, elle devina qu'il s'approchait. Il s'immobilisa près d'elle, posa les mains sur le mur.

— Je me rappelle que vous avez commencé d'évoquer le sujet dans une de vos lettres, il y a des années, avant de barrer le mot litigieux.

— Vous vous en souvenez ? C'est incroyable !

Elle lui jeta un regard étonné. Ce fut une erreur. Au clair de lune, ses cheveux blonds avaient pris un éclat argenté au-dessus de son profil de médaille.

— Bien sûr que je m'en souviens. J'avais trouvé cela particulièrement agaçant, à l'époque. J'avais – quoi ? – quatorze, quinze ans ? Évidemment je mourais de curiosité de mon côté. Je vous enviais, et j'étais furieux que vous me taquiniez à ce propos. « Ah ah, Lisle, j'ai des images cochonnes, et pas vous ! »

212

— Vous n'aviez pas besoin d'images cochonnes, vous aviez des danseuses.

Il se tourna vers elle, appuya le coude sur le parapet, et la scruta un long moment. Elle demeura immobile, le visage indéchiffrable. À fréquenter les tables de jeu, elle était passée maître dans l'art de ne pas montrer ses émotions.

— Ces danseuses semblent vous préoccuper beaucoup, remarqua-t-il enfin.

— Naturellement. Regardez-moi !

Elle eut un geste de la main qui englobait sa personne tout entière, de ses manches ballon à ses jupes encombrantes.

— Je vous regarde. Et ?

— Je suis quelque part là-dessous, sanglée dans un corset, enfouie sous des couches de jupons, entravée de partout.

— Mais c'est la mode, non ?

— Elles *dansent dans la rue*, Lisle ! Oh, je donnerais n'importe quoi pour danser dans la rue ! Mais ça ne m'arrivera jamais. Je vais tomber amoureuse si j'ai de la chance, puis j'épouserai ce pauvre garçon pour ne pas déshonorer la famille. Je deviendrai son épouse, la mère de ses enfants, et je ne serai personne d'autre ni ne ferai plus jamais rien d'autre. À moins bien sûr qu'il ne meure, auquel cas je serai une riche veuve, et je pourrai m'amuser comme une folle, à l'instar de grand-mère Hargate… Mais non, même pas. De nos jours, les femmes ne sont plus aussi libres. Ou alors on exige d'elles la plus grande discrétion, et je suis un cas désespéré en matière de discrétion.

Il ne répondit pas.

Bien sûr, il ne comprenait pas. Quel homme comprendrait ? Même lui la voyait d'abord comme une femme, et ensuite – loin derrière – comme Olivia.

213

— Que voulez-vous donc? demanda-t-il doucement. Que voulez-vous vraiment? Le savez-vous?

« C'est vous que je veux, triple andouille! »,
aurait-elle pu répondre. C'était bien d'elle de vouloir sauter de la falaise quand elle pouvait s'ébattre
sur un pré parfaitement sûr.

Elle n'était cependant pas intrépide au point
d'aggraver une situation déjà complexe en lui
avouant… quoi, au juste? Qu'elle avait le béguin
pour lui?

Elle contempla le monde qui se déployait à leurs
pieds.

Baigné par le clair de lune, on distinguait le
contour des maisons et leurs fenêtres faiblement
éclairées dans les villages, au creux des vallées
environnantes. Sur une hauteur pas très éloignée
se dressait un autre château.

— Je veux quelque chose comme ça, dit-elle
en tendant le bras. Quelque chose de magique, de
follement romantique. Je veux éprouver ce que
j'ai éprouvé en découvrant ce château, ou quand
je suis entrée dans la grande salle. Vous savez bien
ce que je veux dire. Vous me connaissez. Qui en
dehors de ma mère me connaît mieux que vous?
Je veux avoir le souffle coupé et le cœur qui s'emballe!

Il balaya le paysage du regard, leva les yeux vers
le ciel étoilé, puis murmura en secouant la tête:

— Quelle écervelée vous faites!

Elle se détourna du parapet et leva les bras au
ciel en riant. Il ne changerait jamais. Qu'avait-il
à faire de la magie et du romantisme? Il voulait
des *faits*. Elle aurait tout aussi bien pu s'adresser
à la lune et aux étoiles. Elles l'auraient mieux com-
prise que Lisle. Pour lui, elle parlait une autre
langue. Le sélénien, probablement.

Il s'écarta du mur, lui tendit la main:

— Venez, il fait froid ici.

Pragmatique, comme toujours. Mais il était ainsi fait, elle ne pouvait pas lui en vouloir. Il n'y pouvait rien s'il lui faisait cet effet-là. Elle savait bien que ce n'était pas intentionnel. Et puis, elle était égoïste de le retenir ici. Il n'était pas habitué à ce climat. Il devait être glacé jusqu'aux os et, en toute logique, il pensait qu'elle l'était également. Il était prévenant. Protecteur.

Elle prit la main qu'il lui offrait.

Il tira brusquement. Elle perdit l'équilibre, et s'abattit contre sa poitrine. La seconde d'après, elle ployait en arrière sur son bras musclé qui lui ceinturait la taille.

D'instinct, elle se suspendit à son cou.

Les yeux plongés dans les siens, Lisle esquissa un sourire.

— Et maintenant, avez-vous le cœur qui s'emballe ?

12

C'était la faute du clair de lune, des étoiles, de cet éclat argenté dans ses yeux, ou peut-être encore du son de sa voix. Quoi qu'il en soit, son cœur cognait follement dans sa poitrine.

— Oui, souffla-t-elle.

— Et après ?

— Réfléchissez.

— Il vous faut des baisers passionnés, je suppose.

— Oui.

— C'est dangereux.

— Oh, oui !

— Petite imprudente. Quelle folie.

Il inclina la tête et l'embrassa.

Cela ressemblait peut-être à un jeu, mais ça n'en était pas un. Sa voix était grave, son regard aussi. Et il n'y avait rien de malicieux dans son baiser.

Du reste, Lisle ne jouait jamais avec les apparences. Autant elle savait feindre, autant il était toujours d'une sincérité absolue. Sa bouche ne faisait pas semblant. Elle était fermement rivée à la sienne, la pressant d'entrouvrir les lèvres, ce qu'elle fit aussitôt.

Son baiser exigeant les ramena exactement là où ils en étaient restés. Les sensations persistaient donc. Elles se riaient de la raison et des arguments. Elles couvaient heure après heure, attendant patiemment d'être de nouveau libérées.

Olivia retrouvait le goût de Lisle, pimenté par le vin qu'il avait bu au dîner. Une saveur dont elle ne pourrait plus jamais se passer, elle le savait. Oui, son cœur s'emballait. C'était comme boire les rayons de lune, plonger dans la magie de la nuit et voler parmi les étoiles.

« Ne me lâche pas, le supplia-t-elle en silence. Ne me lâche plus jamais ! »

Il recula, heurta le parapet du dos tandis qu'elle se cramponnait à son cou. Cette fois, ses mains étaient plus rapides et plus sûres qu'auparavant. Il écarta les pans de son châle. Sa bouche abandonna la sienne pour descendre le long de son cou, laissant dans son sillage une brûlure intolérable, jusqu'à se presser sur la rondeur de son sein, au ras du décolleté. Elle poussa un petit cri quand sa main s'arrondit sur son autre sein, mais il la réduisit au silence d'un baiser vorace, et elle capitula volontiers, heureuse de se noyer dans cet océan de sensations.

Ses mains couraient sur les bras puissants de Lisle, ses épaules, son dos. Il était fort, et elle ne se lassait pas de le toucher.

Lorsqu'il empoigna ses jupes pour les soulever, le bruissement, dans le silence de la nuit, ressembla au grondement du tonnerre. Mais ce n'était que son cœur qui tambourinait, gonflé de joie et de terreur.

Cette fois, il se montra plus patient, se débrouilla bien mieux. Sa main remonta sur sa cuisse, trouva prestement la fente de sa culotte.

Ce contact intime lui procura un choc, mais n'attendait-elle pas cet instant depuis une éternité ? Sa paume plaquée contre sa féminité de manière si possessive, c'était si bon! Honteusement bon et en même temps affolant.

Elle se pressa contre lui parce qu'elle ne pouvait pas s'en empêcher. Quelque chose qui se cachait au tréfonds de son ventre l'y contraignait.

« Ne t'arrête pas! Ne t'arrête pas! Ne t'arrête pas! », criait une voix en elle.

Elle était incapable de parler, mais elle pouvait mimer les mots. Sa langue se mêla à la sienne tandis que son corps ondulait doucement. Puis il introduisit un doigt en elle, et elle crut voler en éclats. S'il ne l'avait pas embrassée, elle aurait crié.

Il la caressait *là*, à cet endroit dont elle seule connaissait les secrets. Mais il semblait les connaître lui aussi, et bien plus encore. Chaque fibre de son être vibrait. Toutes les sensations culminaient *là*, s'y concentraient et décochaient leurs flammes sulfureuses dans toutes les directions, et son corps frémissait irrépressiblement, et son âme prenait son envol comme pour rejoindre les étoiles.

Et alors elle sut ce qu'elle voulait. Précisément.

Ses mains avaient voyagé de ses biceps à son dos noueux, à ses fesses musclées. À présent elles revenaient sur le devant de ses pantalons, tâtonnaient à la recherche des boutons. Il se déplaça un peu pour lui faciliter l'accès, sans cesser de la caresser, et elle faillit s'effondrer, terrassée par le plaisir. Mais ses doigts continuèrent d'instinct de s'activer pour dégager les boutons les uns après les autres.

Lorsque le cri retentit, elle pensa tout d'abord qu'il sortait de sa propre gorge, puis elle se rendit compte que ce n'était pas elle, et que ce n'étaient pas non plus les corbeaux qui croassaient.

Quelqu'un hurlait.

Un hurlement à vous glacer les sangs.

Lisle releva vivement la tête, et le monde parut tournoyer dans un tourbillon argenté d'étoiles scintillant sur le velours noir de la nuit.

Dans ses bras il y avait une femme tiède et douce.

Olivia, son visage baigné par les rayons de lune, sa poitrine d'albâtre pigeonnant fièrement au-dessus de son décolleté.

Le brouillard qui lui obscurcissait l'esprit se dissipa d'un coup, comme chassé par une bourrasque de vent. Il retira la main de dessous ses jupes, qui retombèrent en place. Il remonta le corsage, le rajusta tant bien que mal. Quoi d'autre ? Son châle... Où était-il ? Ici. Il s'en saisit, croisa les pans sur la poitrine de la jeune femme.

Il fit tout cela rapidement, d'instinct, sans vraiment réfléchir.

De nouveau, des hurlements déchirèrent le silence de la nuit. D'où provenaient-ils ? Il se pencha par-dessus le parapet, aperçut des silhouettes qui couraient dans la cour. À première vue, personne ne gisait à terre, ce qui était plutôt rassurant.

Il ébaucha un mouvement en direction de l'escalier.

— Lisle... vos pantalons.

Il baissa les yeux.

— Malédiction !

Il se reboutonna. De son côté, elle tenta d'arranger sa tenue. Elle était toute dépenaillée. Par sa faute.

Il lui avait sauté dessus. Une fois de plus.

Mais qu'est-ce qu'il avait, à la fin ?

— Il faut que j'aille voir ce qui se passe, dit-il. Mais...

— Allez-y, je vous suis.

Une véritable folie collective s'était emparée des habitants du château, qui s'étaient égaillés aux quatre coins de la cour. Certains assuraient que des brigands avaient attaqué la place. Des égorgeurs, affirmaient-ils. D'autres, l'air épouvanté, parlaient de fantômes. Et les derniers se taisaient, abasourdis.

Finalement Lisle et Olivia réussirent à ramener tout le monde à l'intérieur. Ce ne fut pas trop difficile dans la mesure où le château en l'état offrait peu d'endroits où se cacher. Certains s'étaient réfugiés dans les écuries, mais Lisle doutait qu'ils y restent très longtemps. Il faisait froid et le bâtiment était trop exposé aux intempéries. Si ces gens avaient deux sous de bon sens, ils ne tarderaient pas à rejoindre les autres.

Et en effet, le temps d'installer ces dames devant la cheminée avec un verre de vin, tous les domestiques avaient regagné la grande salle.

La promiscuité rassure.

Lisle entama son interrogatoire. Il s'avéra que la plupart n'avaient pas la moindre idée de ce qui s'était passé. La panique les avait saisis quand ils avaient entendu ces cris horribles, et ils avaient pris leurs jambes à leur cou sans plus se poser de questions.

Avec l'aide d'Olivia, et à force de patience, il parvint à établir que c'était lady Cooper qui avait crié la première.

Lady Cooper, qui se prenait maintenant le bec avec lady Withcote à propos de ce qu'elle avait vu.

— C'était un fantôme ! Je l'ai vu comme je vous vois, Millicent. Là-haut ! précisa-t-elle, indiquant de son verre la galerie des ménestrels.

Toutes les têtes se tournèrent dans cette direction. Évidemment, il n'y avait rien à voir. La galerie était plongée dans la pénombre.

221

— À quoi cela ressemblait-il ? voulut savoir Lisle.

— À une forme blanche et floue, vaporeuse, comme un banc de brouillard qui aurait flotté sur la galerie.

Plusieurs domestiques frémirent.

— Fadaises ! ricana lady Withcote. Je sais ce qui s'est passé, moi. Vous vous êtes endormie, comme cela vous arrive à tout bout de champ, et vous avez rêvé.

— Ce n'était pas un rêve et j'étais parfaitement réveillée. Je sais faire la différence, tout de même !

— Combien de temps ce… cette chose est-elle restée sur la galerie ? s'enquit Lisle.

— Il n'y a jamais rien eu sur la galerie, rétorqua lady Withcote.

Lady Cooper la foudroya du regard.

— Je l'ai vu, vous dis-je ! J'ignore depuis combien de temps il était là à nous épier. J'ai relevé la tête, je l'ai vu, et j'ai crié. Qu'auriez-vous fait à ma place ? On entend parler de ces choses, mais c'est bien la première fois de ma vie que je vois un fantôme en chair et en os !

Nouveaux frémissements parmi l'assistance.

— Voyons, Agatha, un fantôme n'a ni chair ni os. Vous racontez des sornettes.

— Je vous rappelle que vous avez crié aussi, Millicent.

— Parce que vous m'avez fait la peur de ma vie. J'ai cru que ces sauvages d'Écossais envahissaient le château pour nous exterminer. Puis je vous ai vue traverser la salle en courant pour vous précipiter dehors, suivie de la moitié des domestiques. J'ai pensé que peut-être votre jupon avait pris feu.

À cet instant, Lisle se rendit compte qu'Olivia avait disparu. Perplexe, il balaya la grande salle du regard, scruta les coins d'ombre qui persistaient en dépit de la multitude de chandelles allumées. Ce faisant, il s'avisa combien il aurait été facile pour un intrus de se glisser là en profitant de la confusion générale, de se saisir de quelqu'un et...

Mais non, son esprit s'emballait. L'inconscient qui aurait voulu enlever Olivia en aurait été pour ses frais.

À cet instant, une lumière tremblotante perça la pénombre sur la galerie. Olivia apparut, un petit chandelier à la main. Tous les regards convergèrent vers elle. On pouvait compter sur elle pour les entrées théâtrales.

— Quoi que vous ayez vu, je peux vous assurer qu'il n'y a plus rien là-haut, annonça-t-elle d'une voix claire.

Elle s'avança vers le centre de la galerie, devant la haute fenêtre en ogive, déposa le candélabre sur une table que quelqu'un avait installée là. Avec la lueur des flammes qui jouait dans sa chevelure mordorée, elle avait l'air d'une reine à son balcon, la tête haute, le dos droit. Un homme doué d'un tant soit peu d'imagination aurait pu voir en elle une châtelaine de l'ancien temps s'apprêtant à exhorter ses vassaux à défendre le château coûte que coûte.

— Il n'y a rien ici, répéta-t-elle. Pas de vestiges de vapeurs fantomatiques, pas d'empreintes boueuses, rien du tout.

La voix de lady Cooper brisa l'enchantement :

— Mais je l'ai vu, ma chérie, comme je vous vois.

— Je ne doute pas que vous ayez vu quelque chose. Peut-être un oiseau qui serait passé par le carreau cassé. À moins qu'il ne s'agisse d'un petit malin qui a trouvé très drôle d'effrayer tout le monde.

Olivia réfléchit un instant, puis :

— Bailey, va me chercher un balai et un métrage de mousseline, s'il te plaît.

Tandis que la femme de chambre s'exécutait, Lisle perçut un changement d'atmosphère autour de lui. La peur était en train de retomber. S'extirpant de leur silence pétrifié, les domestiques se détendaient peu à peu et se mettaient à chuchoter entre eux.

Au bout d'une minute, Bailey apparut sur la galerie avec ce qu'Olivia lui avait demandé. Cette dernière lui donna le candélabre et la renvoya. De nouveau, la galerie fut plongée dans la pénombre. Peu après, Lisle entendit un léger chuintement. Puis une forme claire et spectrale s'éleva dans les airs au-dessus de la rambarde.

Il y eut une exclamation collective.

— Et voilà, fit la voix d'Olivia. Il suffit de rester caché et d'agiter un morceau de tissu au bout d'un bâton.

— Seigneur Dieu ! s'exclama lady Cooper.

Les chuchotements s'accentuèrent parmi les domestiques. Il y eut même un petit rire. Puis lady Withcote déclara d'un ton satisfait :

— Cela démontre combien il est facile de se faire duper.

— Mais qui ferait une chose pareille ? s'indigna lady Cooper.

— Un plaisantin, et Dieu sait qu'ils ne manquent pas !

Olivia réapparut dans la grande salle aussi subitement qu'elle avait disparu. Elle vint se placer devant la cheminée, en pleine lumière. Elle soignait ses effets. Lisle avait beau le savoir, il en eut le souffle coupé.

— Ce n'était qu'une stupide plaisanterie, assura-t-elle à son auditoire. Très probablement des garnements du village qui ont voulu rire aux dépens des Londoniens que nous sommes. Je dois avouer que ce devait être plutôt comique de voir tout le monde courir en caquetant comme des volailles.

— Cela me rappelle le bon tour que lord Thorogood avait joué à sa femme, gloussa lady Withcote. Vous vous en souvenez, Agatha ?

— Si je m'en souviens ? Il paraît que par la suite son amant a eu le drapeau en berne pendant une semaine tant il avait eu peur.

Tandis que les deux vieilles dames se lançaient dans une surenchère de réminiscences grivoises, Olivia renvoya les domestiques à leurs quartiers. Elle prit à part Nichols et Bailey pour leur demander d'inspecter les salles et les couloirs, afin de s'assurer qu'aucun intrus ne s'était introduit dans le château. Il fallait rassurer ceux qui ne l'étaient pas encore tout à fait. À l'heure du coucher, l'ordre et le calme devaient régner, déclara-t-elle d'un ton ferme, avant de conclure :

— Et droguez-les s'il le faut !

Nichols et Bailey s'en allèrent remplir leur mission. Peu de temps après, les deux Harpies s'éloignèrent en direction de leurs chambres. Olivia et Lisle se retrouvèrent seuls dans la grande salle.

La jeune femme contemplait le feu qui enflammait d'or sa chevelure et lui colorait les joues d'un soupçon de rose. À sa vue, Lisle sentit son cœur se serrer.

« Comment lutter ? s'interrogea-t-il. Que vais-je faire ? »

— Vous avez montré un extraordinaire sang-froid, la complimenta-t-il. En deux temps trois mouvements, vous avez ramené tout le monde à la raison.

— Je m'y connais en fantômes. Il se trouve que j'en ai fabriqué plus d'un. J'ai même dirigé des séances de spiritisme. Cela n'a rien de compliqué.

— Votre petit numéro n'aurait pas dû me surprendre, et pourtant, je m'y suis laissé prendre.

— Vous n'imaginiez quand même pas que je croyais aux fantômes ?

— Vous êtes une incorrigible romantique.

— Peut-être, mais je ne suis pas crédule.

Non, ni crédule, ni naïve, ni innocente, pas plus que prude ou timide. En fait, elle ne ressemblait à aucune autre femme de sa connaissance.

Tout lui revint d'un coup, et lui fit de nouveau bouillonner le sang dans les veines : la douceur de sa peau, son goût, son odeur, les courbes de son corps. Cela lui donna un tel coup de chaud que la tête lui tourna.

Olivia était une force de la nature, impétueuse, irrésistible.

Que diable faire contre cela ?

Il ne pouvait se fier ni à elle ni à lui. Quelques heures plus tôt, ils s'étaient juré que cela ne recommencerait pas. Et voilà le résultat !

« Je ne veux pas gâcher votre vie, et je sais que vous ne voulez pas non plus gâcher la mienne », lui avait-elle dit.

— À propos de romantisme, commença-t-il.

— Si vous vous excusez pour ce qui s'est passé sur le toit, je vais vous étrangler, prévint-elle.

— Si nous n'avions pas été interrompus…

— Oui, je sais. Il faut que j'y réfléchisse. Il y a sûrement une solution, mais pour le moment je ne la trouve pas. La journée a été longue.

Oui. Une éternité. Une vie entière. La sienne, qui était en train de changer de manière irrévocable. Le processus s'était enclenché dès que ses lèvres avaient touché les siennes. Non… avant cela. À la seconde où il l'avait aperçue dans la salle de bal.

— En tout cas, elle a été riche en événements, concéda-t-il.

— Pour en revenir au cœur du sujet... Voilà le fond de ma pensée. Nous avons besoin d'un majordome, et il semble évident qu'Edwards ne reviendra pas. Il nous faut aussi des domestiques écossais. Les gens de Londres ne s'adapteront pas ici, ils n'aiment pas l'endroit, ne comprennent pas les autochtones et ne chercheront pas à s'intégrer. Il est également évident que quelqu'un essaie de saper nos efforts. Il faudra élucider cette question ultérieurement. Et puis, il nous faut des employés pour les écuries, des gens de confiance, du coin également.

Même si la journée avait été éprouvante, il était trop mal à l'aise et trop furieux contre lui-même pour ressentir les effets de la fatigue. Il était censé être le plus fort des deux, et pourtant il l'avait rejointe sur le toit, et dès qu'il avait vu des étoiles dans ses yeux, il avait fait exactement ce qu'il s'était promis de ne pas faire.

Cependant il ne pouvait ignorer ce qu'elle était en train de lui dire. Elle avait résumé la situation de manière aussi rationnelle qu'il l'eût fait s'il n'avait été autant perturbé par ses *sentiments*.

— Vous avez raison, acquiesça-t-il. Nous avons plusieurs problèmes sur les bras, mais nous sommes venus ici pour aménager le château, et c'est sur cela que nous devons nous concentrer. Si nous nous lançons corps et âme dans cette mission...

— ... nous n'aurons pas le temps de nous tenir mal, conclut-elle avec un sourire.

— Exactement. L'oisiveté est la mère de tous les vices.

— Bien. Nous avons donc défini notre ligne d'action, et nous nous y attellerons dès demain.

Sur ces mots, elle lui souhaita bonne nuit et s'éloigna d'un pas égal vers la tour sud.

Olivia veilla à conserver une expression amusée jusqu'à ce que la porte se soit refermée dans son dos et qu'elle ait commencé à gravir les marches. Là, elle s'arrêta et se prit la tête entre les mains.

Seigneur, qu'allaient-ils faire ?

Le désir physique était une chose terrible, rien à voir avec ce qu'elle imaginait. Se tenir devant Lisle, le regarder en s'interdisant de le toucher alors qu'elle en mourait d'envie… C'était tout bonnement *insupportable* !

Seigneur, cette tempête sensuelle qui s'était emparée d'eux sur le toit !

Elle savait ce que c'était. Après tout, elle avait vu la collection de gravures érotiques de grand-mère Hargate. Et elle avait appris à se donner du plaisir. Mais tout cela n'était qu'une pâle imitation.

« Pense à autre chose », s'enjoignit-elle. Elle se força à réfléchir au problème du majordome. Mais tandis qu'elle reprenait l'ascension de l'escalier, ses pensées dérivèrent sur ce fantôme qui n'en était pas un.

Elle se coucha en dressant la liste mentale de tous leurs problèmes domestiques, sans grand espoir de dormir. Néanmoins la journée avait été si éprouvante qu'à peine la tête sur l'oreiller, elle sombra dans le sommeil.

Quelques secondes plus tard – c'est du moins l'impression qu'elle eut –, elle ouvrit les yeux dans la lumière grise du matin et aperçut Bailey debout près du lit, un plateau à la main. L'odeur du chocolat chaud flotta jusqu'à ses narines.

La grande salle du château de Gorewood, mardi matin, 18 octobre

Les Harpies ne se lèveraient sûrement pas avant midi, histoire de se remettre des événements de la veille.

Bien que loin d'être serein, Lisle profita d'un petit déjeuner calme, conscient que cela ne lui était pas arrivé depuis un certain temps.

Il entendait les bruits de pas des domestiques qui allaient et venaient, le sifflement du vent à travers les lézardes, le feu qui crépitait dans l'âtre. Ce n'était pas là un environnement idéal, et le travail qui l'attendait ne l'enthousiasmait pas vraiment, néanmoins une certaine paix régnait autour de lui. Et le plus ironique, c'est que c'était grâce à Olivia.

Elle fit son apparition alors qu'il terminait le café que Nichols lui avait préparé.

Lisle se leva. Elle s'approcha, baissa les yeux sur la minuscule tasse posée devant lui.

— C'est du café turc ?

Il acquiesça d'un hochement de tête. Comme elle s'installait, ses jupes bruissèrent. Son parfum lui parvint, léger, floral, peut-être un peu épicé, sûrement pas une fragrance captive d'un flacon, mais provenant plutôt de fleurs et d'herbes séchées que Bailey devait glisser dans ses armoires et commodes.

— J'ai l'habitude d'en boire, je n'en suis toutefois pas fanatique, précisa-t-il. Je bois ce qu'on me propose. Mais Nichols a de plus grandes exigences que moi, il ne saurait se contenter de ce qui est disponible et, où que nous allions, il emporte son café turc. En voulez-vous ?

— Volontiers. Grand-mère Hargate en boit souvent, mais sa femme de chambre refuse de montrer à Bailey comment le préparer.

— Je dirai à Nichols de lui apprendre, dit Lisle en se rasseyant. Il n'a que mépris pour ces petites jalousies ancillaires.

Il n'ajouta pas que Nichols se ferait une joie d'enseigner à une jolie caamériste tout ce qu'elle avait envie de savoir, et même beaucoup plus.

Sur ces entrefaites, Nichols se matérialisa, comme chaque fois que Lisle avait besoin de lui, sans qu'on ait besoin de le sonner.

— Monsieur ?

— Pourrais-tu servir une tasse de café turc à Mlle Carsington.

— Certainement, monsieur.

— Et quand Mlle Bailey aura un moment, tu lui montreras comment le préparer.

— Avec plaisir, monsieur.

Si le ton de Nichols n'avait pas changé, l'étincelle qui s'était allumée dans son regard n'échappa pas à Lisle. Ni à Olivia, apparemment, car dès que le valet eut disparu dans le passage qui menait à l'office, elle murmura :

— Il n'envisage tout de même pas de séduire ma femme de chambre ?

— Écoutez, j'ai assez de problèmes avec ma propre moralité, répondit-il à mi-voix, je ne vais pas en plus surveiller celle des autres. Et je ne vais certes pas dire à Nichols quoi penser. C'est un *homme*.

— Je vous préviens, je ne saurais en aucun cas être tenue pour responsable des conséquences. Bailey a une piètre opinion de votre sexe.

— Nichols est assez grand pour veiller sur lui-même. Comme je vous l'ai déjà dit, il est plus fort qu'il n'y paraît. Un jour, le simoun l'a emporté dans les airs. Il a atterri au milieu d'une tribu de bédouins. Eh bien, il les a aidés à nettoyer le sable, puis leur a préparé du café. Ils lui ont prêté un chameau et, à son retour au camp, il s'est simplement excusé pour avoir disparu de manière aussi abrupte.

Olivia eut un sourire dubitatif.

— Vous venez d'inventer cette histoire.

— Ne dites pas de bêtises, vous savez bien que je n'ai aucune imagination.

Ses fantasmes torrides et les rêves encore plus dépravés qui troublaient son sommeil n'avaient rien à voir avec l'imagination. Pour un homme, ces choses-là appartenaient à la réalité.

— En tout cas, j'aimerais bien savoir qui a imaginé la petite mascarade dont nous avons été victimes hier soir, rétorqua-t-elle en tournant les yeux vers la galerie des ménestrels. Je veux inspecter de nouveau l'endroit à la lumière du jour. Peut-être lady Cooper a-t-elle eu une hallucination, mais cela me paraît peu vraisemblable. Je parie plutôt que quelqu'un joue les spectres ici depuis des années. Et ce quelqu'un ne va certainement pas s'arrêter maintenant qu'il a un nouveau public.

— Pourquoi ce quelqu'un chercherait-il à effrayer les gens ?

— Pour les faire fuir, suggéra-t-elle. Parce qu'il veut s'approprier les lieux, ou quelque chose qui se trouve dans ces lieux.

— Cela n'a pas de sens. Mains n'a jamais réussi à trouver un gardien, et je n'ai pas vu de traces prouvant que quelqu'un vit ici.

— Ah, Mains ! Justement, je voulais vous parler de lui.

Nichols revint avec le café, remplit la tasse d'Olivia, puis celle de Lisle, avant de s'éclipser de nouveau. Elle le suivit du regard et commenta :

— Votre valet est une perle. C'est très rare, un homme aussi discret. La plupart de ceux que je connais font au contraire tout pour attirer l'attention. Pas vous, cependant, précisa-t-elle, comme son regard se posait sur lui. Je suppose que c'est dû à votre travail, et au fait que vous vivez en Égypte.

— Savoir se fondre dans le décor et se déplacer en silence est un talent utile.

— J'aimerais l'acquérir, mais avec ces vêtements, cela me paraît voué à l'échec.

Elle portait une robe de jour à col haut, avec, comme toujours, des manches imposantes et une jupe très bouffante. Sans doute y avait-il là-dessous des tonnes de jupons…

Il se ressaisit.

— Hum. Vous vouliez me parler de Mains ?

— Oui. Oh, ce café est excellent ! Meilleur que celui de grand-mère Hargate, assura-t-elle après en avoir bu une gorgée.

— Donc… Mains.

— Sapristi, vous êtes un prodige de détermination !

— Il vaut mieux, vous vous éparpillez dans toutes les directions.

— Je pensais à manger, figurez-vous.

— Parlez, je vais vous servir.

Il se leva et se dirigea vers la desserte, soulagé de pouvoir bouger et s'occuper les mains.

— Très bien. Tout comme vous, je suppose, je m'attendais à tomber sur un incompétent, ou un ivrogne, voire les deux. Après tout, le village de Gorewood n'est pas vraiment prospère, et on aurait pu penser que les gens seraient contents de se voir proposer du travail. Que Mains n'ait pas réussi à trouver un gardien, passe encore. Les gens n'ont pas tous envie d'aller vivre dans un château du XVe siècle. Mais qu'il s'avère incapable de recruter des ouvriers pour travailler sur une propriété qui a été la principale source d'emplois de la région durant des siècles, je trouve cela vraiment étrange.

Lisle revint vers la table et posa une assiette devant elle.

— Pas de panse de brebis farcie ? s'étonna-t-elle.

— Je vous rappelle que notre cuisinier est français.

— Pas de saumon non plus. J'ai quand même noté qu'il a réussi à cuire une brioche parfaite dans cet « abominable » four.

— Oui, c'est incroyable n'est-ce pas ? À propos de Mains, vous disiez ?

Fronçant les sourcils, elle s'empara de ses couverts.

— Vraiment, Lisle, quand vous avez une idée en tête.

— Je sais, mais j'ai l'impression que vous allez me dire quelque chose d'important.

— Plusieurs choses importantes. Mains a effectivement tendance à lever le coude, et ses compétences sont très relatives. Il ne se tue pas à la tâche, c'est le moins qu'on puisse dire. Mais le problème ne vient pas de là. Bon an mal an, il fait ce pour quoi on le paie. Cependant, votre cousin Frédérick a toujours supervisé son travail, du moins jusqu'à sa mort. Depuis, c'est votre père qui s'en charge.

À ce stade des explications, elle s'interrompit pour s'attaquer à son petit déjeuner. Lisle n'eut pas à la questionner pour aboutir à la conclusion logique.

— Et mon père s'est débrouillé comme un manche.

— On peut formuler les choses de cette manière.

— Je parie qu'il a exigé tout et son contraire, changeant d'avis tous les trois jours.

— C'est ce que j'ai cru comprendre, en effet.

— Je comprends ce qui s'est passé. Nul besoin d'avoir de l'imagination. Ce que ressentent les habitants du coin, c'est exactement ce que j'éprouve quand je suis chez mes parents.

— Les instructions étaient soit très strictes, soit contradictoires. En conséquence, beaucoup d'ouvriers ont claqué la porte. Plusieurs familles sont parties, même si le village ne s'est pas vidé pour autant. Les autres ont préféré se faire embaucher ailleurs, parfois assez loin.

Entre deux bouchées, Olivia poursuivit :

— Mon beau-père et mes oncles m'ont appris à gérer un domaine. Lord Rathbourne prenait ses responsabilités très à cœur, comme vous le savez. Et, apparemment, votre cousin Frédérick appliquait les mêmes principes.

— Mais pas mon père. Il ne connaît même pas la définition de ce mot.

— La bonne nouvelle, c'est que nous savons maintenant pourquoi vous n'avez pas été accueilli ici à bras ouverts.

— Ces gens ne sont pas fous, ils se demandent à quelle sauce ils vont encore être mangés.

— Par conséquent, il nous faut regagner leur confiance. C'est indispensable. Ensuite, nous pourrons nous attaquer à ces prétendus fantômes.

Avant que Lisle ait eu le temps de répondre, Nichols apparut :

— Votre Seigneurie, mademoiselle Carsington, il y a ici un homme qui demande à être reçu.

13

L'homme, un dénommé Herrick, se présentait pour occuper le poste de majordome, leur apprit Nichols.

Olivia échangea un regard avec Lisle.

— Que se passe-t-il ? s'étonna-t-il. Hier personne ne voulait approcher le château.

— Oui, mais depuis une rouquine a affronté un féroce Français armé d'un hachoir, objecta-t-elle.

— Les nouvelles ne vont quand même pas aussi vite.

— Il s'est écoulé une journée. Quand je provoque un esclandre à Londres, tout le monde est au courant le lendemain au petit déjeuner. Et selon mon expérience, les rumeurs circulent encore plus vite à la campagne.

— Mais comment ? Qui a bien pu le leur dire ? Il n'y a pas un seul villageois au château.

— Les écuries. Les potins passent par les écuries. Il y traîne toujours quelqu'un du coin, sous un prétexte ou un autre. Et dans chaque village, il y a au moins une personne dont l'occupation principale est de tout savoir sur tout le monde.

Lisle reporta son attention sur Nichols.

— De toute façon, s'il t'avait paru louche, je sais que tu l'aurais renvoyé d'où il vient.

— Ce monsieur a une lettre de M. Mains, ainsi qu'une autre de son précédent employeur, lord Glaxton, Votre Seigneurie.

Ledit Glaxton devait être le propriétaire du château qu'Olivia avait aperçu du toit la nuit passée, juste avant que Lisle… Mais mieux valait ne pas s'attarder sur cet épisode.

— Nous le recevrons dès que Mlle Carsington aura terminé son petit déjeuner, déclara Lisle.

— J'ai fini, annonça Olivia.

— Non, votre assiette est encore pleine.

— Je mangerai plus tard. On ne peut pas dire que les majordomes soient légion dans la région.

— Dans ce cas, je vais prendre cette brioche. Nichols, accorde-nous un instant avant d'introduire cette personne.

Olivia et Lisle quittèrent la table pour aller s'installer près de la grande cheminée, à bonne distance du couloir qui menait à la cuisine, où traînaient éventuellement des domestiques.

Avec ce sens presque surnaturel de l'à-propos qui le caractérisait, Nichols fit entrer Herrick alors qu'Olivia venait tout juste d'épousseter les miettes de brioche sur le gilet de Lisle. Celui-ci ne s'en serait pas soucié, mais elle était certaine que son valet mourrait de honte sur l'heure s'il apparaissait négligé devant un subalterne.

Herrick avait certes *l'air* d'un majordome. Sur le plan physique, il en imposait. Il était aussi grand qu'Aillier, mais en bien meilleure forme. Ses cheveux bruns étaient coiffés avec soin, et il avait un regard attentif. Ses manières posées rassuraient. En fait, il rappelait à Olivia le majordome de grand-mère Hargate, Dudley, qui n'était pas loin d'atteindre la perfection ; ou encore Nichols, dont il avait le côté réservé.

Bien que d'origine écossaise, l'homme s'adressa à eux dans un anglais châtié à peine teinté d'une pointe d'accent.

— Ainsi vous travailliez auparavant au château de Glaxton, dit Lisle après avoir parcouru les lettres de référence. Permettez-moi de m'étonner que vous veniez à Gorewood après avoir quitté une position aussi avantageuse.

— J'avoue que ce sont mes ambitions qui m'y ont poussé, Votre Seigneurie, répondit Herrick. Là-bas, je n'étais que le second du majordome, M. Melvin. Et nous n'étions pas faits pour nous entendre, lui et moi. Comme il n'était pas disposé à changer ses habitudes, et qu'il est encore loin de la retraite, j'ai décidé d'aller chercher fortune ailleurs. J'ai remis ma démission et j'étais sur le point d'accepter un poste à Édimbourg quand j'ai appris qu'on cherchait quelqu'un à Gorewood. Durant l'entretien que m'a accordé M. Mains hier, j'ai eu confirmation que je correspondais bien plus à cet emploi.

— Vous avez envie de travailler dans cette ruine ? fit Lisle, sans se donner le mal de dissimuler sa surprise.

— En réalité, Votre Seigneurie, je vois la chose comme un défi.

— Nous aussi, marmonna Lisle. Malheureusement.

Olivia décida qu'il était temps d'intervenir.

— Permettez-moi de m'étonner à mon tour. En général, les domestiques ne sont guère attirés par les défis. Ils préfèrent les postes faciles.

— C'est vrai, mademoiselle Carsington. Mais, personnellement, je trouve cette façon de vivre ennuyeuse et dépourvue de satisfaction.

— Il y a peu de risques que vous vous ennuyiez en notre compagnie, commenta Lisle. Peut-être n'êtes-vous pas au courant, mais notre précédent majordome a disparu dans des circonstances mystérieuses.

— Dans la région, tout le monde est au courant de tout, Votre Seigneurie. Gorewood n'échappe pas à la règle.

— Et sa disparition brutale ne vous inquiète pas ? s'enquit Olivia.

Herrick marqua une courte hésitation.

— Puis-je parler franchement ?

— Je vous en prie, l'invita Lisle.

— Le précédent majordome était *londonien*, dit Herrick d'un ton où Olivia crut déceler une certaine commisération. Ce n'est pas mon cas. Ma famille est implantée ici depuis plusieurs générations. Il n'est pas facile de nous déloger. Mais sans doute souhaitez-vous discuter de ma candidature en privé. J'attendrai à côté.

Il se retira, sous le regard circonspect d'Olivia et de Lisle.

— S'agirait-il du frère aîné de Nichols ? demanda-t-elle à mi-voix.

— En tout cas, ils doivent appartenir à la même espèce rare. J'espère que ce Herrick n'a pas la bougeotte. Enfin, on ne peut pas tout avoir. Il est écossais, comme vous le préconisiez, et il a visiblement des liens avec la région. Ses références sont impeccables. Pour ma part, il m'a fait bonne impression. Il est discret, calme, il s'exprime dans un langage compréhensible. Alors, qu'en pensez-vous ?

— C'est votre château.

— Mais pas mon domaine de compétence. Herrick me convient, mais c'est vous qui êtes en charge de la domesticité. Je suis censé m'occuper des tâches viriles. Je dois évaluer les travaux à effectuer dans la cour et sur le mur d'enceinte, et inspecter le sous-sol afin de découvrir comment le ou les intrus ont pu entrer. Laissez-moi me charger de cela, et me reposer sur vous pour ce qui est du majordome.

— À première vue, il n'a aucun défaut rédhibitoire.

— Sur ce point, je fais confiance à votre instinct DeLucey.

— Il va devoir engager une équipe au grand complet, de préférence parmi les locaux, et prendre en main toute la maisonnée, à commencer par l'approvisionnement du garde-manger. Mais l'ampleur de la tâche qui l'attend n'a pas l'air de l'effrayer.

— Il me semble au contraire qu'il piaffe d'impatience.

— Qui plus est, il est grand et plutôt bien fait de sa personne. Ça ne peut pas nuire.

— Dans ce cas, l'affaire est conclue.

Nichols se matérialisa.

— M. Herrick plaît à mademoiselle Carsington, déclara Lisle. Fais donc entrer notre nouveau majordome, Nichols.

Peu après

— Nichols va vous présenter les serviteurs, et, plus tard, il vous fera visiter les lieux, dit Olivia à Herrick. Lady Cooper et lady Withcote ne nous rejoindront pas avant midi, au plus tôt.

Les Harpies allaient reluquer le nouveau majordome en proférant des remarques indécentes, mais il faudrait bien qu'il s'y habitue.

— Lord Lisle a dessiné quelques plans que vous voudrez sans doute étudier. En ce qui me concerne, ils m'ont été très utiles. Le château est d'une architecture bien plus complexe qu'il n'y paraît au premier abord, mais je suppose que vous avez l'habitude des entresols et des escaliers qui sautent un étage ?

— Oui, mademoiselle. À Glaxton aussi il y a des demi-étages et des escaliers dérobés.

— Je n'ai pas encore tout exploré, mais Nichols a suggéré que la pièce qui se trouve juste au-dessus du couloir de la cuisine serve à entreposer les documents officiels. Pour le moment, j'ai fait déposer les livres de comptes à cet endroit.

Herrick leva les yeux vers la paroi située au-dessus de la porte. Sa façon de tourner la tête et son grand nez un peu busqué évoquaient un faucon, songea Olivia.

— Vos quartiers se situent approximativement au même niveau, dans la tour nord, juste en dessous des appartements de lord Lisle, expliqua-t-elle encore.

Le regard du majordome vola à l'autre bout de la grande salle, à l'angle de la galerie des ménestrels.

— Je ferais aussi bien de vous prévenir tout de suite qu'un fantôme a été aperçu là-haut.

Sans sourciller, il reporta son regard pénétrant sur elle.

— Un fantôme, mademoiselle ?

— Ou quelqu'un qui se faisait passer pour tel. Lord Lisle est justement parti faire une tournée d'inspection afin de découvrir comment des gens de l'extérieur ont pu s'introduire ici.

— J'ai remarqué des traces de vandalisme en arrivant, mademoiselle. C'est malheureux, mais il faut dire que le château est resté inhabité un long moment. C'était assez tentant pour la canaille.

— Très tentant, je sais. Sa Seigneurie a évoqué un escalier auquel il manque un morceau, je crois. Et au pied des murailles, il y a des moellons qui proviennent des créneaux.

— Ces actes de pillage remontent à des années. Je pense que les maraudeurs se sont découragés. Mais ce que j'ai vu dans la cour… Quelle honte ! murmura Herrick en secouant la tête. Je n'y aurais pas cru si je ne l'avais vu de mes propres yeux.

— La cour ?

Olivia s'efforça de se rappeler ce qu'elle avait remarqué là-bas, hormis le mur d'enceinte éboulé par endroits. Certes, le sol était très inégal. Y avait-il là quelque chose de curieux ?

— Ils ont creusé partout, ajouta Herrick. Quelqu'un s'est encore mis en tête de chercher ce fameux trésor.

Plus tard, dans la cour

— Un trésor enterré ? répéta Lisle. Il y a des idiots qui pensent que le château recèlerait un trésor ?

Olivia lui avait rapporté les propos de leur nouveau majordome de manière beaucoup moins concise, plus dramatique, et avec force gestes. La patience de Lisle avait été mise à rude épreuve.

— Je serais sans doute déjà au courant si j'avais eu le temps de compulser les livres et documents recueillis par votre feu cousin Frédérick, assura-t-elle. Il a rassemblé tout ce qu'il a pu trouver concernant Gorewood. La moindre légende y est répertoriée, parfois déclinée en plusieurs versions. Tôt ou tard, je serais tombée sur cette histoire de trésor.

— Cette fois, il ne s'agit pas d'une histoire de pirates, n'est-ce pas ? Parce que vous et moi avons déjà cherché ce genre de butin.

Elle lui sourit. Elle ne portait pas de chapeau et sa coiffure se défaisait lentement, malmenée par le vent qui soulevait également ses jupes. Il sentait déjà son cerveau se ramollir sous l'effet de ce sourire.

Comment lutter, Seigneur ?

— Non, pas de pirates, répondit-elle. Cette histoire remonte à la guerre civile. Cromwell a assiégé le château. Le seigneur et sa famille ont dû fuir de nuit, avec leurs domestiques, mais ils n'ont pu emporter leurs biens les plus précieux.

Elle frémissait d'excitation, et il était difficile de ne pas se laisser contaminer. Mais il avait besoin de calme. D'ordre. Bien qu'il ait des dizaines de problèmes à régler, il ne pourrait jamais réfléchir de manière efficace tant qu'il n'aurait pas résolu le Problème Olivia. Or c'était impossible tant qu'elle se tenait devant lui puisque ses méninges refusaient alors de fonctionner.

— Alors ils ont enterré leur trésor ?

— Exactement !

— Désolé de briser vos beaux rêves, mais j'ai entendu cette histoire une bonne vingtaine de fois. Voulez-vous en connaître la fin ? Les Têtes Rondes de Cromwell résistèrent plus longtemps que ne s'y attendaient les royalistes. Et la famille Dalmay perdit tout, y compris le secret de l'emplacement du trésor. C'est étrange, j'ai l'impression que tous ceux qui ont fui Cromwell et ses hordes sanguinaires ont eu l'idée d'enterrer leurs bijoux et l'argenterie avant de prendre la poudre d'escampette. Le problème, c'est qu'ils ont tous oublié où.

— Je sais bien que c'est une légende, mais...

— Personne, et surtout pas les rusés Écossais, ne serait assez naïf pour imaginer qu'il reste un trésor enfoui dans les parages deux siècles plus tard. Du moins personne au-dessus de douze ans. Je vous en prie, ne me dites pas que vous êtes aussi puérile.

— Peu importe. Ce que je crois, c'est que *quel-qu'un* cherche le trésor. Regardez, il y a des preuves...

Elle désigna les petits monticules de terre et de gravats qui jonchaient la cour.

— Le sol est tellement détrempé que ce n'est pas facile à détecter au premier coup d'œil, mais Herrick a vu des traces qui ne laissent pas de place au doute : on a retourné la terre récemment.

— Eh bien, si vous désirez en faire autant, ne vous gênez pas. Creusez autant que vous voudrez.

Elle poussa un soupir excédé.

— Lisle, là n'est pas la question. Comment pouvez-vous être aussi obtus ? Ne comprenez-vous pas que...

— Je comprends très bien, mais je ne peux pas me laisser distraire. J'ai trop à faire. Il faut que j'engage des ouvriers.

— Je sais tout ça. Je voulais seulement...

— Ça ne peut pas continuer ainsi, Olivia. Le vent et la pluie passent par les carreaux cassés, des rôdeurs s'introduisent dans le château. Autrefois, aucun intrus n'aurait pu se glisser sur la galerie des ménestrels, je vous le garantis ! La garde les aurait arrêtés bien avant. Il est possible que nos fantômes aient réussi à pénétrer à l'intérieur par la porte endommagée que je vous ai montrée, celle du sous-sol. Ensuite, ils n'avaient plus qu'à grimper par l'escalier cassé. Il faut réparer cette porte et y mettre un verrou.

— Je suis d'accord, mais...

— Je descends au village pour recruter des ouvriers, annonça-t-il.

Olivia lui tourna le dos, et trébucha sur un bloc de pierre tombé du mur d'enceinte, qui avait dû rouler là au siècle dernier. Si elle regardait cette tête de mule s'éloigner, elle ne pourrait s'empêcher de lui lancer quelque chose.

Ce qui la soulagerait, mais ne changerait rien.

Lisle avait beaucoup à faire et pas de temps à perdre. Ces histoires de fantômes et de trésor lui apparaissaient comme très secondaires. Comment faire comprendre à cette tête de mule que c'était justement le cœur du problème ?

Manifestement, quelqu'un s'était donné beaucoup de mal pour fouiller le château. Ce quelqu'un devait donc avoir d'excellentes raisons pour croire à l'existence d'un trésor.

Elle balaya la cour du regard. Soit, il y avait des trous un peu partout, mais cela n'avait rien d'étonnant quand on savait que le château était à l'abandon depuis longtemps. Qu'avait donc vu Herrick qui leur échappait, à Lisle et à elle ?

Selon Lisle, il avait beaucoup plu ces derniers jours. Puis les charrettes et les chevaux étaient arrivés, et une foule de gens avaient piétiné la terre, écrasé l'herbe. Toute cette activité, ajoutée aux intempéries, avait pu masquer d'éventuelles traces laissées par les chercheurs de trésor.

Son regard erra sur le mur croulant, fut attiré par une tour de guet située à l'angle sud-ouest. Là-bas ? Elle s'approcha pour inspecter le sol alentour. De petits tas de terre flanquaient des trous creusés près du mur. Les excavations ne semblaient pas récentes, mais pas très anciennes non plus.

Qu'avait donc remarqué Herrick ?

Elle demeura là un moment, sans avoir la moindre illumination.

— Il ne me reste plus qu'à lui poser la question, murmura-t-elle.

Lisle découvrit que l'ambiance du village avait changé du tout au tout.

Lorsqu'il entra dans les échoppes en compagnie de Nichols pour passer commande, plus personne ne feignit de ne pas les comprendre. Olivia devait avoir raison, la légende de la furie rousse qui avait affronté le dragon français et son hachoir avait sûrement atteint le hameau. Il n'y avait donc aucune raison que ces gens ignorent encore comment elle avait fabriqué un fantôme et transformé une terreur collective en bonne blague.

Pas de doute, cette femme était prodigieuse.

Lisle et Nichols se rendirent à la taverne du *Maraud Détroussé*. Il y avait foule, surtout à cette heure de la journée. Et comme il n'y avait pas d'autre pub au village, c'est essentiellement là que devaient s'échanger tous les potins.

Lisle s'approcha du comptoir, commanda une pinte de bière. Au lieu de réagir comme s'il lui avait parlé grec ou chinois, l'aubergiste déposa une chope devant lui.

— Et une tournée générale ! ajouta Lisle.

Il obtint immédiatement l'attention souhaitée. Après avoir attendu que chacun soit servi, il prit la parole. Il avait l'habitude de s'adresser à une foule. C'est ainsi qu'il recrutait ses ouvriers en Égypte, quand il fallait trouver la main-d'œuvre nécessaire sur les chantiers de fouilles. Et c'est aussi de cette manière qu'il les gardait. L'argent n'avait pas toujours grande valeur aux yeux des Égyptiens qui, de surcroît, n'étaient guère enclins à risquer leur vie pour des étrangers. Ces mêmes étrangers les traitaient alors de lâches, mais Lisle les jugeait pour sa part plutôt sensés. Aussi préférait-il faire appel à leur logique et leur donner des raisons de lui faire confiance.

Il connaissait beaucoup moins les Écossais. D'eux, il savait qu'ils possédaient un courage et un sens de la loyauté qui frisaient parfois la folie. Ils l'avaient prouvé à la bataille de Culloden[1].

— J'ai besoin de bras pour réparer le château de Gorewood, attaqua-t-il sans détour. Je cherche de vrais hommes, pas des fillettes effrayées par les ectoplasmes, goules et autres fantômes. C'est la dernière fois que je viens recruter ici. Nichols, ici présent, a préparé la liste de ce que je recherche – charpentiers, maçons, etc. Les gens intéressés n'auront qu'à écrire leur nom sur cette liste et se présenter demain à 8 heures au château, prêts à commencer le travail. Si les effectifs demeuraient insuffisants, j'irais chercher de la main-d'œuvre dans les Highlands. Je me suis laissé dire qu'ils avaient de solides gaillards là-bas.

Sur ce, il vida d'une traite le contenu de sa chope et s'en alla.

Comme tous les autres, Roy regarda le fils du laird s'éloigner. Le silence était retombé dans la salle de l'auberge. Puis les clients reportèrent leur attention sur le type mince qui était resté près du comptoir, un calepin et un crayon en main.

Ce fut Tam MacEvoy qui partit le premier d'un grand rire, bientôt imité par tous les autres, qui se tenaient les côtes comme s'ils n'avaient jamais rien entendu d'aussi drôle de toute leur existence.

— Vous avez entendu ça ? gémit Tam quand il eut retrouvé son souffle.

---

1. 16 avril 1746, révolte jacobite. (N.d.T.)

— D'abord la rouquine, et maintenant lui ! dit un autre.

— T'as déjà entendu un truc pareil ? lança quelqu'un à Roy.

— Non, sur ma vie.

Il est vrai qu'il n'avait jamais entendu parler d'une troupe de solides Écossais qui se seraient laissé insulter par un Anglais sans broncher. Et il ne s'agissait même pas du laird qui, comme tout le monde le savait, était un fieffé crétin, mais seulement de son fils.

Roy jeta un coup d'œil à Jock qui avait l'air encore plus désorienté que de coutume.

— On va pas supporter ça, hein les gars ? s'écria Tam. On va lui apprendre, à Sa Seigneurie, ce que sont les vrais hommes d'ici.

Il s'approcha de Nichols.

— Toi ! aboya-t-il.

Le valet ne frémit pas d'un cil. Il soutint le regard de Tam de cet air supérieur typiquement anglais qui aurait pu lui valoir beaucoup d'ennuis, et répondit :

— Oui, monsieur… ?

— Je m'appelle Tam MacEvoy. Et tu peux tout de suite mettre mon nom sur ta fichue liste. Tam MacEvoy. Vitrier.

Un autre type joua des coudes pour s'approcher à son tour.

— Et moi, Craig Archbald. Briquetier.

— Moi ! Moi !

L'instant d'après, ils se pressaient tous autour de Nichols, se poussant, exigeant d'être portés sur la liste.

— Roy, chuchota Jock, qu'est-ce qu'on va faire ?

— On peut pas s'inscrire. Faut faire comme d'habitude.

Tout le monde à Gorewood savait que les deux frères n'avaient jamais effectué une seule journée d'honnête travail dans leur vie. S'ils avaient commencé aujourd'hui, les gens auraient trouvé ça louche.

— Mais... commença Jock.

— T'inquiète pas. J'ai une idée.

Lisle fut très occupé jusqu'au soir. De retour au château, il quadrilla la cour jusqu'au coucher du soleil. Ensuite, il passa une heure avec Herrick dans la salle baptisée « salle des archives », avant de rejoindre enfin sa chambre.

Même si elle n'y avait pas mis les pieds, Olivia savait qu'il y avait aménagé un bureau dans la vaste alcôve de la fenêtre. Sans doute avait-il travaillé là-bas jusqu'à ce qu'il soit temps de s'habiller pour le dîner.

Mais mieux valait ne pas penser à sa chambre.

Le repas terminé, ils s'installèrent devant la cheminée de la grande salle. Là, Lisle répéta le laïus provocateur qu'il avait prononcé devant les clients de la taverne du *Maraud Détroussé*.

— Et ils ne vous ont pas lancé des objets à la figure ? s'étonna Olivia.

— Sûrement pas. Deux minutes après mon départ, au dire de Nichols, ils riaient, se tapaient dans le dos et se battaient pour mettre leur nom sur la liste. Il paraît qu'ils ont même inscrit des parents absents, de peur que ces derniers soient considérés comme moins vaillants que ces sauvages Highlanders – ou qu'une certaine rouquine de notre connaissance. Car, nous le savons tous, c'est grâce à vous que la vapeur s'est tout à coup inversée.

— Mais vous avez su tirer brillamment parti de la situation.

Olivia regrettait de ne pas avoir assisté à la scène. Cela avait dû être un sacré spectacle.

— Bien joué! approuva lady Cooper à son tour. Je suis impatiente de voir tous ces gars costauds grimper à l'échelle et soulever des briques.

— Non pas que nous n'ayons de quoi nous régaler les yeux à l'intérieur du château, tempéra lady Withcote avec un regard appréciateur en direction de Herrick qui leur apportait des tisanes.

Quand le majordome se fut retiré, lady Cooper demanda:

— Dites-nous Olivia, où diable l'avez-vous déniché?

— Il s'est simplement matérialisé, tel le génie des *Mille et Une Nuits*.

— J'aimerais bien lui frotter sa lampe, chuchota lady Withcote, la mine réjouie.

— Portons un toast, Millicent. À Olivia, qui nous a trouvé un admirable majordome!

— À Olivia!

Lisle leva son verre. Son regard croisa celui d'Olivia. Elle revit les étoiles argentées, la lune, et une suite d'images troublantes défila dans son esprit.

— Et à Lisle! ajouta lady Cooper. Grâce à qui le château sera bientôt rempli de vigoureux Écossais.

— À Lisle!

— À Lisle! répéta Olivia qui, pour se venger, lui décocha un regard brûlant par-dessus le bord de son verre.

— Merci, mesdames. Mais je dois à présent réclamer votre indulgence. Cette armée d'ouvriers débarque demain au petit jour, et je veux être en pleine possession de mes facultés. Ce qui signifie que je suis malheureusement obligé de me plier aux horaires campagnards.

Après s'être excusé d'être un aussi piètre compagnon de soirée, il quitta la grande salle.

Ces dernières années, ils avaient passé l'ensemble du château au peigne fin. Ils en connaissaient chaque corridor, chaque cage d'escalier et chaque issue. Tapis à l'intérieur de la tour de guet en ruine, les frères Rankin épiaient les fenêtres de la tour sud.

Celle où s'étaient installées les femmes.

À Gorewood, tout le monde savait qui dormait là, quelle camériste servait quelle dame, où logeaient les domestiques, qui parmi eux se rendait en catimini dans les écuries, et lequel des palefreniers avait le plus de succès auprès des femmes de chambre. Après tout, tout le monde avait le droit de savoir ce qui se passait au château du village.

Ainsi, Jock et Roy attendirent que les fenêtres de la tour sud s'éteignent. Puis, prenant soin de rester dans les zones d'ombre, ils passèrent par la porte cassée du sous-sol, gravirent l'escalier endommagé et se faufilèrent jusqu'au premier étage.

Oooooowwwwwooooeeeyowwwoooooooyoowwwwwoooooeyooo.

Olivia se dressa d'un bond dans son lit :

— Dieu Tout-Puissant !

Elle entendit un bruit de pas léger.

— Mademoiselle ? Quel est ce bruit affreux ?

Olivia descendit de son lit. À la lueur des braises mourantes, elle repéra le tisonnier et s'en empara d'un geste résolu.

— Je n'en sais rien, mais celui qui fait cela va le regretter amèrement ! assura-t-elle.

Oooooowwwwwooooeeeyowwwoooooooyoowwwwwoooooeyooo.

Lisle s'éveilla, s'empara du couteau qu'il cachait sous son oreiller et sauta hors de son lit d'un même mouvement.

— Monsieur ? Que se passe-t-il ?

— Horrible ! C'est le bruit le plus horrible qui existe sur terre. Le bruit de la mort, de la torture, des âmes qui agonisent en enfer. Sacredieu, ce sont *des cornemuses* !

— Vite, ils arrivent ! chuchota Roy.

Les deux frères traversèrent au pas de course la pièce tout en longueur qui occupait le deuxième étage, avant de s'engouffrer dans l'escalier de la tour nord. Il y régnait une obscurité épaisse, mais ils l'avaient monté et descendu tant de fois qu'ils le connaissaient par cœur.

Rendus au premier étage, ils longèrent la grande salle pour rejoindre l'escalier de la tour sud. Ils dévalèrent les marches. Puis Roy s'arrêta et brandit sa cornemuse en déclarant :

— Et maintenant, un coup pour les vieilles biques !

Olivia et Bailey surgirent dans la salle du deuxième étage en même temps que Nichols et Lisle.

— Vous les avez vus ? s'enquit ce dernier.

— Non, seulement entendus, répondit Olivia. Qu'est-ce que…

— Des cornemuses, lâcha Lisle sombrement.

— Vraiment ? Quel son épouvantable.

— Je ne vous le fais pas dire.

Des cris étouffés leur parvinrent de la cage d'escalier de la tour sud. Olivia se précipita dans cette direction, mais Lisle atteignit la porte avant elle.

— Restez ici, lui intima-t-il, avant de disparaître dans l'escalier.

Olivia bouscula Nichols qui s'apprêtait à suivre son maître.

— Je n'ai pas peur des cornemuses, répliqua-t-elle, vexée.

— Mais ceux qui s'amusent à réveiller les gens au milieu de la nuit de cette manière ne doivent pas s'embarrasser de scrupules. En tout cas, nous savons déjà qu'ils n'ont aucune pitié, rétorqua Lisle sans s'arrêter.

La porte de la chambre de lady Withcote était ouverte. La vieille dame apparut sur le seuil, alors que sa chambrière tentait encore de nouer les rubans qui fermaient sa robe de chambre.

— Désolée, mes agneaux, mais cet affreux mugissement m'a réveillée en sursaut. J'ai fait un bond d'au moins un mètre dans mon lit! La dernière fois que ça m'est arrivé, c'était à cause des pieds glacés de lord Waycroft.

Constatant qu'elle n'avait rien, Lisle continua sur sa lancée, Olivia sur les talons.

Ils trouvèrent lady Cooper sur le palier de sa chambre, penchée vers les marches qui s'enfonçaient dans les ténèbres.

— Ça venait de là, indiqua-t-elle, l'index pointé vers l'escalier. Olivia, vous n'aviez pas mentionné des fantômes joueurs de cornemuse. Si j'avais su, je les aurais guettés. Avez-vous déjà vu un homme en jouer? Il faut de sacrés poumons, des épaules larges et des jambes...

— Bien, je suis heureux de constater que vous êtes indemne, coupa Lisle.

Olivia dans son sillage, il pénétra dans le couloir qui menait au grand hall.

— Laissez-moi y aller en premier, chuchota-t-il. Donnez-moi quelques minutes. Je voudrais tendre l'oreille, et vous n'avez pas idée du bruit que fait votre déshabillé quand vous vous déplacez.

— Ce n'est pas un déshabillé, c'est une chemise de nuit.

— En tout cas, c'est bruyant. Et soyez prudente avec ce tisonnier.

La grande salle était plongée dans les ténèbres. Lisle eut beau écouter, il n'entendit rien. Quels qu'ils soient, les coupables connaissaient parfaitement les lieux, et s'étaient volatilisés.

Au bout d'un moment, Olivia le rejoignit. Il n'eut pas besoin de tourner la tête. Le froufroutement de sa chemise de nuit résonnait dans la vaste pièce silencieuse. Elle s'approcha, et il perçut son parfum, celui qui imprégnait ses vêtements, l'odeur de sa peau et de ses cheveux, et aussi quelque chose d'autre, d'indéfinissable, pas vraiment une odeur, mais qui évoquait le sommeil et des draps tièdes.

D'autres images se formèrent alors dans son cerveau : sa peau qui prenait des reflets nacrés dans les rayons de lune, son rire sensuel, le frémissement qui l'avait parcourue quand le plaisir l'avait foudroyée…

Il serra les poings. Ce faisant, il se rendit compte qu'il agrippait toujours son poignard. Il s'obligea à relâcher la pression de ses doigts, chassa les images indésirables de son esprit.

— Ils sont partis, annonça-t-il.

Une lumière jaillit sur la galerie des ménestrels. Herrick fit son apparition, vêtu d'une robe de chambre. Il tenait une bougie à la main.

— J'ai calmé les domestiques, Votre Seigneurie, annonça-t-il. Du moins ceux qui ont entendu le bruit. Apparemment le son n'a pas porté jusqu'aux étages supérieurs où se trouvent la plupart d'entre eux.

— Les bienheureux, marmotta Lisle.

— Dois-je demander aux hommes de fouiller le château et les environs, Votre Seigneurie ?

— Nos mystérieux musiciens doivent être loin à l'heure qu'il est. Dites à tout le monde de retourner au lit.

Herrick s'en alla sans bruit. Lisle se tourna vers Olivia. Ses yeux s'étaient accoutumés à la pénombre, et la faible lueur de la lune lui permettait de distinguer les contours de la chemise de nuit légère.

— Nous n'allons pas les pourchasser toute la nuit, fit-il remarquer.

— Bien sûr que non. Ils doivent connaître la campagne comme leur poche, alors que nos gens se rompraient le cou dans le noir.

— Je pense qu'ils étaient dans le salon du deuxième étage. Tout près de votre chambre. Ils nous narguent, de toute évidence.

Lisle avait très envie de taper dans quelque chose.

— Je dois avouer que c'était assez perturbant, reconnut Olivia. Personne ne s'attend à entendre des cornemuses au milieu de la nuit, surtout quand on en joue aussi mal.

— Comment savez-vous qu'ils en jouent mal ?

— Mal ou pas, ce son flanque la chair de poule.

— Je suis vraiment désolé qu'on n'ait pas réussi à leur mettre la main dessus. J'aurais adoré vous voir transpercer cette espèce de sac en vessie de porc avec votre tisonnier. Il n'y a que les Écossais pour inventer un engin aussi monstrueux.

Olivia rit doucement. Un frisson partit de la nuque de Lisle, laissant une traînée de feu dans son sillage.

— Retournez vous coucher, Olivia.

254

— Mais vous avez sûrement envie de...

« Oh oui, il en crevait d'envie ! » s'avoua-t-il.

— Nous n'allons pas discuter maintenant, objecta-t-il. Réfléchissez, regardez ce que vous portez, ou plutôt ce que vous ne portez *pas*. Il faut bien que l'un de nous garde la tête froide, et nous savons tous deux que ce ne sera pas vous. Allez au lit. Et faites attention avec ce tisonnier.

14

Mercredi 19 octobre

Le soleil plongeait sous la crête des collines. Dissimulés derrière le mur de l'église en ruine, Roy et Jock épiaient les hommes qui descendaient du château en direction du village après leur première journée de travail.

Certains portaient leurs outils sur l'épaule, d'autres poussaient des brouettes, d'autres encore repartaient en charrettes attelées.

— Encore une semaine, et il ne sera plus question de poser un pied dans ce fichu château, marmonna Jock.

— Pas si on y met notre grain de sel, rétorqua Roy.

— Mais t'es aveugle ou quoi ? Y a plus de vingt types qui triment là-bas du lever au coucher du soleil. Avec tout ce boulot qu'ils abattent, on sera pas de taille !

— On est pas obligés de défaire tout ce qu'ils font. Y a qu'à faire un trou pour pouvoir entrer. À ton avis, combien de temps tiendront ces Londoniens si on les réveille toutes les nuits ?

— Je sais pas combien de temps *moi*, je vais tenir, maugréa Jock. S'il faut cavaler dans les escaliers en traînant cette maudite cornemuse... Alors qu'on pourrait employer ce temps-là à creuser.

— Dis pas de bêtises. On a toujours creusé de jour. Comment veux-tu qu'on trouve quoi que ce soit en remuant des cailloux la nuit?

C'était déjà assez difficile de trouver des pièces d'or dans la journée. Elles ne se mettaient pas à clignoter pour attirer leur attention. À demi enfouies dans le sol, elles se confondaient avec les cailloux.

Jock et Roy en avaient récupéré quelques-unes dans le sous-sol, mais c'était la boucle d'oreille ancienne trouvée dans la cour qui avait convaincu Roy que le vieux Dalmay n'était pas sénile, comme tout le monde le prétendait. Cette boucle d'oreille prouvait bel et bien qu'il y avait quelque part un trésor.

«Sous le mur», avait déclaré le vieux Dalmay.

Les gens du coin disaient que si la famille Dalmay n'avait pas été fichue de retrouver son propre trésor, cela signifiait que celui-ci s'était envolé, sans doute parce que Cromwell et ses Têtes Rondes avaient mis la main dessus. Mais si ces mêmes gens avaient vu ces pièces d'or et cette boucle d'oreille, ils auraient chanté une tout autre chanson, se disait Roy. Ils se seraient tous rués au château avec des pioches et des bêches, et sûrement pas pour aider à le reconstruire.

— Le fils du laird va leur demander de niveler le sol. Et s'ils retournent la terre dans la cour et dans le sous-sol, ils finiront par trouver le trésor. Il faut qu'on les en empêche, décréta Roy.

Lisle essayait de ne pas s'endormir dans son assiette. La journée, quoique rude, avait été gratifiante, et son cerveau était encore plus fatigué que son corps.

Il ne comprenait toujours pas que sa famille ait tenu à conserver ce tas de pierres qu'au fil des siècles elle avait passé son temps à abandonner, puis à restaurer au prix de sommes colossales. De toute façon, quoi qu'on fasse, ce château demeurerait froid, humide et lugubre.

Néanmoins, quand Lisle avait vu les ouvriers arriver du village en file indienne ce matin, il avait éprouvé une bouffée de fierté teintée de soulagement. En dépit des incohérences de son père, ces hommes lui faisaient confiance. Désormais, il était en mesure d'effectuer correctement le travail qu'on attendait de lui. Et comme la tâche était immense, il serait fort occupé.

C'était exactement le but recherché, songea-t-il en reportant son regard sur Le Problème dont il devait absolument se distraire.

Olivia portait une robe de faille agrémentée comme il se devait de volants et de rubans parfaitement superflus, alors que ses épaules et une large portion de son décolleté diabolique étaient dénudées ; peut-être pour mettre en valeur le pendentif de saphir qui, en cet instant même, semblait lui faire de l'œil ?

Elle se levait de table dans l'intention d'aller s'installer devant la cheminée savourer une tasse de thé – ou un whisky en ce qui concernait les Harpies –, lorsque les gémissements lugubres des cornemuses s'élevèrent des entrailles de la terre.

Lisle bondit de sa chaise.

— Herrick, Nichols, avec moi ! Et vous, ajouta-t-il à l'intention des valets alignés le long du mur, prenez l'escalier sud !

S'étant chacun saisi d'un chandelier, les hommes gagnèrent le sous-sol. Tant bien que mal, ils coururent parmi les gravats. Au bout d'un moment, un valet cria :

— Ici, Votre Seigneurie !

Lisle le rejoignit. Le domestique désigna le mur sur lequel une main malhabile avait griffonné à l'aide d'un morceau de charbon de bois : *FETE ATTENSSION*.

Ils ne trouvèrent rien d'autre.

Les crapules avaient décampé. Lisle renvoya les domestiques à l'étage pour rassurer les dames. Puis il revint se planter devant le mur et, fulminant, fixa l'inscription.

Ces gredins ne perdaient rien pour attendre…

Un froufrou familier lui parvint. Il tourna la tête et découvrit Olivia qui approchait, une bougie à la main. Elle s'immobilisa à côté de lui, étudia les lettres tracées sur le mur.

— Je dois admettre que je trouve assez effrayant de savoir que des individus peuvent s'introduire dans le château alors que tout le monde est éveillé, dit-elle. Ils sont d'une audace incroyable.

— Ou d'une stupidité incroyable.

— Beau-papa prétend que les criminels ont tendance à être plus rusés qu'intelligents.

— Je sais. Je préférerais avoir affaire à des types malins. Au moins j'aurais une chance de comprendre comment ils raisonnent.

— Ces cornemuses ne sont pas dangereuses en soi…

— Question de point de vue.

— … mais elles constituent assurément une nuisance qui bouleverse les domestiques.

Lisle en avait conscience. Ils avaient absolument besoin de serviteurs, or, dans les conditions actuelles, ces derniers ne resteraient qu'à moins de ne pouvoir faire autrement.

— Malheureusement nous ne bénéficions pas de la protection d'une garnison, comme au temps des invasions, soupira-t-il.

— Je doute que ces vauriens essaient de s'en prendre à nous physiquement. Les autorités s'en mêleraient, et ce n'est pas ce qu'ils souhaitent. Manifestement ils veulent juste nous chasser pour pouvoir continuer tranquillement leur chasse au trésor.

— Je ne m'en irai pas, martela Lisle. Quand je commence quelque chose, je m'y tiens. Je vais restaurer cette maudite antiquité, puis je retournerai en Égypte même s'il faut que j'effectue la traversée à la rame ! En attendant, je vais installer des pièges dans le sous-sol. Ces abrutis vont devoir trouver un autre moyen d'accès.

— Si nous trouvions le trésor les premiers, ils n'auraient plus de raison de le chercher, observa-t-elle.

Lisle était fatigué, il avait du mal à raisonner quand sa vue lui infligeait mille morts. Et il était furieux contre lui-même parce qu'il se révélait incapable de contrôler des sentiments qui, il le savait, les mèneraient droit au malheur.

Il faillit lui répliquer qu'il n'y avait pas de trésor, qu'elle avait la tête farcie d'idées aussi stupides que romantiques et, dans la foulée, qu'elle aurait pu se couvrir davantage et ne pas se tenir si près de lui qu'il pouvait sentir son parfum.

La petite voix dans sa tête l'arrêta à temps.

« Réfléchis », lui enjoignit-elle.

Ce satané trésor n'existait que dans l'imagination fertile d'Olivia, mais il aurait beau le lui dire, elle n'en démordrait pas. Elle voulait fouiller le château ? Pourquoi pas, après tout ? Cela l'occuperait, et la tiendrait à l'écart de tout un tas d'ennuis.

261

— Très bien, dit-il. Considérons les choses d'un point de vue logique. Il faut quand même une bonne raison pour se donner autant de mal, même quand on est le dernier des abrutis.

— C'est exactement mon avis, opina-t-elle. Si les premières apparitions de fantômes sont une indication, cela fait plusieurs années que ces individus ont entrepris ces fouilles. Une pareille obstination est le signe qu'il y a bel et bien quelque chose à chercher.

— Si nous savions en quoi consiste ce quelque chose, nous y verrions un peu plus clair. La réponse se trouve peut-être dans les livres et documents de mon cousin Frédérick. Ou dans des propos qu'il a tenus. Les problèmes ont commencé après son départ pour Édimbourg.

L'énigme prenait forme. Il devait réussir à appâter Olivia sans proférer de véritables mensonges.

— C'est fascinant, je l'avoue, reprit-il. Mais je n'ai pas le temps de me plonger dans ces documents, ni d'aller discuter avec les gens qui étaient proches de Frédérick. Je dois rendre à ce tas de pierres sa splendeur d'antan pour contenter mes illuminés de parents.

Il lut la déception sur ses traits, et il eut honte tout à coup. Pire, la part de folie qui subsistait en lui – celle qu'Olivia savait si aisément réveiller – avait envie de tout lâcher pour se lancer dans cette nouvelle aventure, repartir dans une chasse au trésor comme ils l'avaient fait ensemble des années auparavant.

Oui, c'était tentant. Il se rappelait encore la jubilation qu'il avait éprouvée à enfreindre les interdits et à ne plus compter que sur soi-même.

Le visage de la jeune femme s'illumina soudain.

— Vous avez raison. Avec ou sans trésor, le château doit être restauré. Je vous ai promis que vous seriez de retour en Égypte au printemps, ce qui signifie que nous n'avons pas une minute à perdre. C'est donc moi qui vais m'occuper de ce mystère ! Maintenant que Herrick est là pour me seconder, je dispose de temps libre, et je suis sûre que les Harpies vont adorer glaner des informations auprès des amis de votre cousin.

Elle se rapprocha, lui tapota la poitrine.

— Ne vous inquiétez plus de rien. Sir Olivia, votre loyal chevalier, s'occupe de tout !

« Quand je serai grande, je serai chevalier, lui avait-elle déclaré lorsqu'ils avaient fait connaissance. La vaillante sir Olivia, toujours en quête d'aventures et de nobles actions. »

Il la regarda s'éloigner d'un pas rapide dans un chuchotement de soie.

Puis il se retourna face au mur.

FETE ATTENSSION.

Bien sûr, il ne croyait pas plus aux mauvais présages qu'il n'accordait d'importance aux avertissements truffés de fautes d'orthographe.

Avec un haussement d'épaules, il se dirigea vers l'escalier.

Comme prévu, Herrick partit pour Édimbourg le mercredi. Dès jeudi, ils avaient une gouvernante, Mme Gow. Le vendredi, Herrick et Mme Gow embauchèrent une brigade de domestiques écossais pur jus. Ce même jour, Olivia autorisa tout le personnel londonien, hormis leurs trois femmes de chambre personnelles, à retourner à Londres.

Seul Aillier insista pour rester. Les autres firent leurs valises à toute vitesse et, à midi, ils avaient décampé.

Olivia avait déjà passé des heures à consulter les livres, pamphlets et périodiques du cousin

Frédérick. Chaque fois que le château de Gorewood était mentionné quelque part – par exemple dans un article de sir Walter Scott paru dans un magazine spécialisé dans les antiquités –, Frédérick avait marqué la page et griffonné des notes au crayon dans la marge.

La plupart de ces commentaires étaient illisibles, mais cela n'avait guère d'importance. Les publications imprimées apprirent à Olivia tout ce qu'elle voulait savoir sur les fantômes et leurs légendes. Certains fantômes étaient plus spécifiquement populaires dans certaines régions. Très pointilleux, Frédérick avait conservé des archives sur tous les litiges juridiques qui avaient concerné le château. Il tenait aussi son journal qui, pour autant qu'elle put le lire, ses pattes de mouche étant très difficiles à déchiffrer, traitait surtout de Gorewood et de son histoire, et faisait référence à quelques nuisances récurrentes.

Lisle s'en serait sans doute bien mieux tiré qu'elle, songeait-elle parfois, lui qui avait l'habitude des hiéroglyphes et autres signes étranges usés par le temps ou abîmés par des vandales. Et elle lui aurait volontiers demandé son aide s'il n'avait été accaparé par ailleurs.

Le lundi, elle venait de tourner une page qui lui avait donné du fil à retordre quand un morceau de papier jauni et partiellement brûlé se détacha et tomba sur ses genoux.

— Mais c'est un *indice* ! s'exclama Olivia en agitant le papier craquelé sous le nez de Lisle.

Il s'en saisit de mauvaise grâce.

Jusque-là, son plan avait fonctionné à merveille. Il avait tranquillement vaqué à ses occupations tandis qu'Olivia vaquait aux siennes de son côté.

Leurs chemins ne s'étaient croisés qu'à l'heure des repas, en présence des Harpies qu'on pouvait difficilement ignorer.

Mais aujourd'hui Olivia était venue le débusquer dans la salle du puits. Il était seul, car c'était la pause de midi et les ouvriers étaient sortis prendre leur déjeuner dans la cour.

Elle dansait pratiquement sur place, tout excitée d'avoir trouvé ce qu'elle considérait comme un <u>INDICE</u>.

Lisle était par conséquent très contrarié. Elle n'était pas censée trouver d'indice. Elle était censée chercher et chercher encore, jusqu'à ce qu'il ait terminé son travail et surmonté ce désir insensé qu'il éprouvait pour elle – ou, si c'était impossible, jusqu'à ce qu'il ait trouvé une solution radicale pour s'empêcher de céder à la tentation.

— Qu'est-ce que cela signifie à votre avis? demanda-t-elle, fébrile.

Il baissa les yeux sur le quadrillage inégal sur lequel figuraient deux croix apparemment placées au hasard.

— Cela ne signifie rien du tout. On dirait un gribouillis d'enfant. Peut-être s'agit-il d'une des toutes premières œuvres d'art du cousin Frédérick. Ma mère a conservé tous mes dessins. Les gens le font en général sans raison autre que sentimentale.

— Vous êtes *sûr*?

— En tout cas, il ne s'agit pas d'une carte au trésor, assura-t-il en lui rendant le bout de papier.

— Mais c'est peut-être un message codé.

— Il n'y a pas de code.

— Mais ces petits symboles… à l'intérieur des carrés?

Il leva les yeux sur elle.

Des toiles d'araignée s'étaient accrochées à sa robe tandis qu'elle venait le retrouver. Elle avait dû fourrager dans ses cheveux en essayant de déchiffrer le «message secret», comme l'attestaient les nombreuses épingles plantées de guingois dans ses boucles épaisses. Ses yeux bleus brillaient et elle avait les joues toutes roses.

Il en avait assez de ce château hideux et du temps épouvantable, assez de creuser des trous pour y enfouir ses sentiments qui ne tardaient jamais à rejaillir, tels des serpents qui venaient planter leurs crochets venimeux dans sa chair.

Miséricorde, pourquoi était-il revenu en Angleterre ?

Il savait pourtant bien qu'il valait mieux se tenir à distance de cette fille ! Mais il était rentré pour les Carsington. C'était injuste. Pourquoi aurait-il dû se priver de la seule famille qui ait jamais compté à ses yeux sous prétexte que l'un de ses membres lui mettait la tête et le corps sens dessus dessous ?

— C'est sans intérêt, je vous le répète. Rien qu'un vestige du passé que les personnes âgées ne peuvent s'empêcher de garder par sentimentalisme.

Le rose des pommettes d'Olivia s'accentua et se propagea à son cou. Il fallait y voir un avertissement.

— Ce n'était pas le genre du cousin Frédérick, objecta-t-elle. Si vous jetiez un coup d'œil à son journal, vous vous en rendriez compte. C'était un homme vétilleux. S'il a conservé ce document, c'est qu'il avait une bonne raison.

— Oui, et la première qui me vient à l'esprit est la sénilité.

Olivia étrécit les yeux.

— Vous m'avez demandé de chercher des indices, de mener une enquête. Je vous ai laissé tranquille des jours durant, et maintenant que je vous demande votre aide, vous me renvoyez d'un geste de la main. Vous savez très bien que ce papier représente quelque chose.

— Non, il ne représente rien. Il n'y a aucun trésor. Peut-être a-t-il existé autrefois, mais n'importe quelle personne sensée se douterait qu'il a disparu depuis longtemps. Même nos fantômes s'en sont désintéressés. Vous n'avez pas remarqué ? Nous n'entendons plus le chant sinistre des cornemuses au milieu de la nuit.

— C'est parce qu'il pleut. Ces individus n'ont pas envie de se balader sous un déluge en transportant leurs instruments, manches à balai et autres panoplies de fantômes.

— Pas du tout. Le sous-sol est piégé, je l'ai fait savoir, et ils sont donc maintenant au courant. Voilà la vraie raison.

— Et vous croyez les avoir dissuadés pour autant ? Vous pensez que vos pauvres petits pièges les ont effrayés ?

— Olivia, c'est ridicule. Je ne vais pas me disputer avec vous au sujet de fantômes.

Elle s'empourpra davantage, agita le bout de papier.

— Vous pourriez au moins…

— Non, coupa-t-il. Je ne perdrai pas une minute de mon temps sur ces gribouillis sans valeur.

— Vous me tiendriez un autre langage si vous daigniez consulter le journal, s'entêta-t-elle.

— Encore une perte de temps. Il n'en est pas question.

Lire les écrits du cousin Frédérick alors qu'elle serait penchée sur lui, qu'il humerait son parfum et entendrait ce maudit froufrou soyeux ? Sûrement pas !

— Mais c'est *vous* qui m'avez demandé d'entreprendre des recherches ! s'insurgea-t-elle. J'ai passé des heures à m'efforcer de déchiffrer son écriture, j'ai compulsé une montagne de documents. C'est *vous* qui…

— C'était pour vous occuper et ne pas vous avoir dans les pattes ! explosa-t-il. Je suis en train de dépenser une fortune à remplir cette mission idiote, réhabiliter ce château hideux où je n'ai jamais voulu mettre les pieds – et où je ne serais jamais venu sans vous !

— J'essayais de vous *aider* !

— Et quelle aide ! Si vous n'étiez pas intervenue, j'aurais dit à mes parents d'aller se faire pendre. Je serais beaucoup plus heureux en Égypte, même réduit à la famine. Qu'ai-je à faire de leur satané argent ? Ils n'ont qu'à le dépenser pour mes frères. Je suis capable de me débrouiller seul. Mais non, il a fallu que je coure en Écosse, pour les raisons les plus fallacieuses. J'essaie néanmoins de m'atteler à cette tâche pharaonique, de faire les choses correctement, et voilà que vous venez me harceler encore pour m'entraîner dans une de ces quêtes saugrenues qui sont votre marotte !

— Moi, je vous harcèle ? Mais c'est vous qui…

— C'était une manœuvre *de diversion* ! Vous devriez savoir ce que c'est, vous utilisez cette tactique à tout bout de champ. Eh bien, je vous ai rendu la monnaie de votre pièce. Quel effet cela fait-il d'être à son tour manipulée par autrui ?

— Vous… vous…

Elle en bredouillait de rage. Soudain, elle lui arracha son chapeau et lui en frappa la poitrine à plusieurs reprises, avant de le jeter par terre pour le piétiner.

— Bravo. Une réaction très adulte, commenta-t-il.

— Si vous étiez un homme, je vous provoquerais en duel !

— Et si vous étiez un homme, je vous abattrais avec plaisir.

— Je vous déteste ! Vous êtes méprisable.

Sur ce, elle lui décocha un coup de pied dans le tibia.

Elle y alla de bon cœur, mais il était trop en colère pour éprouver la moindre douleur.

— De mieux en mieux. Très féminin, grinça-t-il encore.

Cette fois elle ne répondit pas et s'éloigna au pas de charge.

1 heure du matin, mardi 25 octobre

La nuit était claire et la lune, qui commençait tout juste à décroître, offrait une luminosité suffisante pour éclairer les pas des vauriens amateurs de tours pendables ou de quiconque aurait voulu les espionner.

Ce « quiconque » en l'occurrence n'était autre qu'Olivia, qui s'était glissée hors du château après avoir attendu que tout le monde soit couché. Sur ses pantalons d'homme, son gilet, et sa veste, elle avait ajouté une longue pelisse en laine à capuche afin d'affronter les rigueurs d'une nuit d'automne écossaise. Elle avait en outre pensé à emporter une couverture pour se protéger de l'humidité nocturne.

Pour l'heure elle n'en avait pas besoin. Le sang qui bouillait dans ses veines lui tenait chaud.

Les fantômes s'étaient volatilisés, affirmait Lisle.

— C'est ce qu'on va voir, marmonna-t-elle.

Elle aurait dû parier avec lui à l'issue du dîner qui s'était déroulé dans une ambiance de courtoisie glaciale.

— Non, ils ne sont pas partis, et je vais vous le prouver, aurait-elle dû lui dire.

À quoi il aurait répondu :

— Vous ne pouvez rien prouver du tout.

— Ah non? Qu'êtes-vous prêt à parier?

— Le Château des Horreurs. Je vous l'abandonne volontiers.

La bouche en cœur, elle aurait riposté :

— Il ne vous appartient pas. Non, si je parviens à prouver que les fantômes sont toujours là, je préfère que vous me promettiez de ne plus vous conduire comme une buse… Oh, désolée, j'oubliais! Vous ne pouvez pas vous en empêcher.

Et il aurait répondu…

Elle leva les yeux sur la silhouette de la tour nord. Nulle lumière aux fenêtres. Lisle dormait, et elle espérait bien qu'il faisait d'affreux cauchemars.

Et il aurait répondu… Qu'aurait-il répondu au juste? Aucune importance. Elle était sûre d'avoir raison. Les fantômes n'avaient pas renoncé, ils avaient seulement changé de stratégie. Et c'est ce qu'elle était en train de faire, elle aussi.

Mais bien sûr, s'ils avaient parié, Lisle se serait méfié. Mieux valait lui laisser croire qu'elle boudait dans son coin. S'il s'était douté de ce qu'elle mijotait, il se serait fait un devoir de lui mettre des bâtons dans les roues. Et elle n'avait pas besoin d'un Père-la-morale pusillanime accroché à ses basques.

Elle n'avait même pas parlé de son plan à Bailey, qui aurait tenu à rester éveillée jusqu'à son retour. Or elle était prête à monter la garde jusqu'à l'aube s'il le fallait. Heureusement, sa cachette était assez confortable.

Le choix de l'endroit s'était imposé d'emblée. La tour de guet située à l'angle sud-ouest avait précisément été érigée pour servir de poste d'observation. De l'entrée, on avait une bonne vue sur la cour.

Le plus fastidieux était l'attente. Rester assise sans bouger, sans jeu de cartes, sans livre, ce n'était pas très amusant.

La pierre sur laquelle elle s'était installée avait beau être plate, elle eut rapidement mal aux fesses. Malgré l'épaisse cape de laine, ses pantalons et les dessous en flanelle qu'elle avait eu la prévoyance d'enfiler, le froid finit par pénétrer en elle. Le vent s'engouffrait dans les fissures avec des sifflements inquiétants. À mesure que le temps passait, la lune et les étoiles semblaient perdre leur éclat.

Elle jeta un coup d'œil dehors.

Le vent s'était renforcé et les nuages commençaient à s'amonceler, masquant peu à peu les astres.

Olivia se renfonça dans son abri, tira les pans de la couverture qu'elle avait fini par draper sur ses épaules. Il faisait de plus en plus froid et ses membres s'engourdissaient. Elle changea de position, mais la place lui manquait pour remuer. Elle avait tellement froid qu'elle ne sentait plus ses orteils, mais elle n'osait taper des pieds pour les réchauffer.

Elle songea à Lisle, aux choses abominables qu'il lui avait dites, à ce qu'elle aurait pu rétorquer. Mais cela ne suffisait plus à lui échauffer le sang. Elle allait devoir se lever et marcher, sinon elle serait bientôt paralysée.

Comme elle ébauchait un mouvement pour se redresser, un rai de lumière jaillit à la périphérie de son champ de vision. Ce fut si bref qu'elle crut un instant avoir rêvé. Autour d'elle, l'obscurité régnait de nouveau.

Puis elle entendit des bruits de pas.

— Attention à ta lanterne, jeta quelqu'un à voix basse.

Un cliquetis métallique. Des gravillons qui crissaient sous des semelles.

— Fait noir comme dans un four. Et voilà qu'y repleut ! Je t'avais bien dit...

— C'est qu'un petit crachin.

— C'est de la pluie ! Je t'avais dit... Oh bon Dieu !

Le faisceau de la lanterne venait d'éclairer Olivia en plein visage, l'aveuglant complètement.

Lisle ne cessait de penser à ce morceau de papier à demi brûlé. Il avait beau fermer les yeux, les lignes malhabiles qui définissaient la grille et les minuscules chiffres persistaient à se former dans son cerveau.

Ce ne pouvait pas être une carte, on n'avait indiqué ni directions ni points cardinaux.

Mais il pouvait s'agir d'une sorte de code ou d'abréviations.

Il commença à jongler mentalement avec les lignes et les chiffres, et il put dire adieu au sommeil, car ses méninges s'étaient mises en branle. Les yeux grands ouverts, il s'assit dans son lit, alluma la bougie posée sur la table de chevet et égrena quelques jurons.

Elle avait agité le papier sous son nez et maintenant ce dessin l'obsédait.

Il se leva, enfila sa robe de chambre et alla attiser les braises dans la cheminée. Muni de la bougie, il gagna le bureau placé dans l'alcôve formée par la fenêtre. De jour, la luminosité était tout à fait suffisante, et le soir, l'endroit était agréable. S'il ne pleuvait pas et si le ciel n'était pas trop chargé – rarement donc –, il pouvait admirer les étoiles. Rien à voir avec la nuit égyptienne, certes, mais au moins se sentait-il à l'écart de la civilisation et de ses règles contraignantes.

Il jeta un coup d'œil par le carreau, jura de nouveau. Il avait recommencé à pleuvoir.

— Maudit pays ! maugréa-t-il.

272

Olivia mit un moment avant de distinguer quoi que ce soit. La lanterne se balançait et éclairait maintenant dans une autre direction. Elle entendit un remue-ménage, des voix, un bruit sourd, puis des pas qui s'éloignaient précipitamment.

Elle ne prit pas le temps de réfléchir. Repoussant la couverture, elle se lança à la poursuite des fuyards, guidée par la lumière de la lanterne qui zigzaguait devant elle. Sa course l'amena ainsi à traverser la cour, puis à se faufiler à travers un trou du mur d'enceinte.

Elle déboucha sur la route.

La pluie froide avait redoublé mais, hypnotisée par la lumière de la lanterne qui luisait toujours dans la nuit et l'attirait tel un aimant, elle continua de courir.

Et soudain, elle se retrouva dans le noir complet.

La lanterne avait disparu.

Olivia tourna la tête à droite, à gauche, pivota sur elle-même. Rien. Il n'y avait que les ténèbres et la pluie glacée qui crépitait sur son crâne et ses épaules, lui ruisselait dans le cou.

Elle regarda en arrière. Elle parvenait à peine à distinguer la silhouette massive du château derrière le rideau de pluie.

Il n'y avait pas de lumière aux fenêtres.

Elle ne pouvait espérer aucune aide de ce côté-là.

Elle n'avait nulle part où s'abriter, et puis à quoi bon maintenant qu'elle était trempée comme une soupe ? Sous ses mitaines gorgées d'eau, ses doigts étaient devenus insensibles.

Elle voulut se remettre à courir, mais ses pieds étaient semblables à deux blocs de pierre. Ses vêtements semblaient peser une tonne. Si elle trébuchait et tombait…

« Inutile de s'affoler. Remue-toi. Il suffit de mettre un pied devant l'autre », s'enjoignit-elle.

Elle serra les dents, et, tête baissée, épaules courbées, lutta contre le vent cinglant pour regagner le château.

La porte de la chambre de Lisle était épaisse. S'il n'y avait eu du jeu entre le battant et le chambranle – encore une réparation à ajouter à une liste déjà longue –, sans doute n'aurait-il pas perçu le bruit. D'ailleurs, il n'était même pas sûr d'avoir réellement entendu quelque chose.

Il s'approcha de la porte, l'entrouvrit de quelques centimètres et tendit l'oreille.

Il discerna des craquements et une voix assourdie. Quelqu'un pestait. La voix était très basse, pourtant il la reconnut aussitôt.

Il s'empara de la chandelle, et gagna la pièce qui était autrefois un salon. Située directement au-dessus de la grande salle, elle était presque aussi vaste que celle-ci. Une cheminée de belle taille occupait le mur du fond.

Olivia était agenouillée devant l'âtre. Elle grelottait et, de ses mains tremblantes, essayait en vain de faire jaillir une étincelle d'un briquet à amadou.

À l'entrée de Lisle, elle releva la tête et cilla, éblouie par la flamme de la bougie.

— L... isle ? bredouilla-t-elle.

Ses dents s'entrechoquaient. Il posa la bougie, se pencha et la souleva dans ses bras. Elle était trempée. Il eut envie de rugir, de laisser libre cours à sa fureur, et c'est sûrement ce qu'il aurait dû faire. Quelqu'un aurait entendu ses vociférations – Bailey ou Nichols –, et serait accouru à la rescousse.

Mais il ne dit rien, ne prononça pas un mot. Il se contenta de l'emporter dans sa chambre.

15

Lisle la déposa sur le tapis, devant la cheminée. Elle tremblait violemment. Ses mains étaient glacées. Le cœur battant, il entreprit de lui ôter ses vêtements dégoulinants d'eau. La lourde pelisse de laine était trempée jusqu'à la doublure.

Fébrile, il se battit avec les boutons, s'impatienta, les arracha d'un geste brusque. Il fit glisser les manches de sa veste le long de ses bras, et jeta le vêtement de côté. Un juron lui échappa quand il constata que le gilet qu'elle portait, mouillé lui aussi, était fermé par une rangée de petits boutons.

Se relevant d'un bond, il alla chercher son coupe-papier sur le bureau, revint près d'Olivia et trancha la série de boutons de haut en bas. Il s'attaqua ensuite aux pantalons de lainage qui avaient été un peu mieux protégés de la pluie par la pelisse. Il l'en débarrassa également.

En dessous, elle portait une culotte de flanelle. Humide. Il jura. Comment pouvait-on porter autant de vêtements et être trempée jusqu'aux os ? Son cœur cognait dans sa poitrine, entre rage et peur. Combien de temps était-elle restée sous la pluie ? Qu'est-ce qui lui avait pris de faire une chose pareille ? Elle allait se retrouver avec un refroidissement. De la fièvre. Alors qu'ils se trouvaient au milieu de nulle part, à des lieues du premier médecin !

Il ne se donna pas le mal de dénouer le lien qui retenait sa culotte. Il le sectionna à l'aide de son coupe-papier.

— A... att... attendez ! bégaya-t-elle.

— Non, il faut faire vite.

— Je... v... vais le f... faire.

— Vous tremblez.

— J... j'ai... si f... froid !

Il fit descendre sa culotte le long de ses jambes, puis acheva de la déshabiller. Quand elle fut entièrement nue, il l'enveloppa dans une couverture, vaguement conscient qu'il devait la couvrir pour une obscure raison qui, en cet instant, lui échappait totalement.

Elle sanglotait, alignait des mots sans suite, des bouts de phrases qu'elle ne parvenait pas à terminer, à propos d'un pari, des lettres trop rares qu'il lui avait écrites et qu'elle gardait précieusement, stupidement, mais Bailey comprenait, pas vrai ?

Elle délirait. C'était un signe de fièvre. Et la fièvre annonçait la pneumonie.

« Ne pense pas à ça ! » s'ordonna-t-il.

Il drapa une deuxième couverture sur ses épaules, attisa le feu dans l'âtre. Olivia tremblait toujours.

— J... je ne p... peux p... p... pas m'en emp... pêcher... J... je ne s... sais p... pas p... pourquoi...

Il se mit à lui frictionner le dos pour activer la circulation sanguine, mais la laine était trop rugueuse pour sa peau sensible, et elle grimaça. Hagard, il balaya la pièce du regard, se précipita sur les serviettes que Nichols avait déposées à son intention pour ses ablutions du lendemain. Il revint vers Olivia, écarta la couverture pour découvrir un bras qu'il entreprit de frotter avec la serviette. Puis il réitéra l'opération avec l'autre bras.

Elle avait toujours les mains glacées. Il se concentra sur ses extrémités, lui massa les paumes, puis les pieds. Ces derniers étaient encore plus froids. Affolé, il frottait, pétrissait, faisait travailler les articulations, s'interdisant de penser. Il lui massa les épaules, les bras, les jambes. Il en avait mal aux mains, mais il n'était pas question de s'arrêter.

Il était tellement concentré sur sa tâche qu'il lui fallut un moment pour se rendre compte qu'elle avait cessé de trembler et de raconter n'importe quoi. Ses dents ne claquaient plus.

Il s'interrompit, leva les yeux sur elle.

— J'ai bien cru que je ne me réchaufferais jamais, souffla-t-elle. Oh, Lisle, pourquoi m'avez-vous mise dans une telle colère ? Vous savez bien ce qui se passe quand je suis en colère.

— Oui, je sais.

— Qu'aurais-je pu faire seule contre eux ? Mais au départ je voulais juste les espionner. Enfin, je crois. Il faisait si sombre... J'aurais dû vous demander de m'accompagner. Nous nous équilibrons l'un l'autre.

Ses propos n'étaient pas encore tout à fait rationnels, mais il y avait du mieux. Le cœur de Lisle commençait à retrouver un rythme normal. Bien qu'elle frissonnât encore de temps à autre, il sentait sa peau tiédir sous ses paumes.

Son cerveau recommença à fonctionner.

C'est alors qu'il prit conscience de la situation.

Olivia était assise devant le feu, enveloppée dans une couverture. Ses vêtements jonchaient le sol. Des boutons avaient sauté un peu partout.

— Lisle... vos mains sont si chaudes... vos merveilleuses mains...

Il baissa les yeux sur ses propres mains qui étaient en train de lui pétrir le bras droit. Il devait la lâcher. Mais il en était incapable. Ses doigts continuaient de s'activer sans relâche.

— Je ne peux pas vous décrire l'effet que cela me fait, souffla-t-elle. C'est... magique !

Il retroussa la couverture, révéla son pied. Elle gémit quand sa main glissa sur sa cheville. D'une main, il attrapa les coussins du canapé et les empila derrière la jeune femme avant de la pousser doucement pour l'y étendre. Elle ferma les yeux, soupira, puis le considéra entre ses paupières mi-closes.

Ses deux mains travaillaient maintenant sur la courbe galbée de son mollet. Sa peau était comme du velours, tiède, douce. Olivia ne tremblait plus désormais. Sa respiration s'était ralentie. Renversée sur les coussins, elle le regardait, ses yeux bleus aussi brillants que des étoiles. Les flammes jetaient des ombres dansantes sur sa peau, soulignant le délicat modelé de ses pommettes, la ligne têtue du menton.

La couverture glissa, dévoilant son cou de cygne, la rondeur gracieuse de ses épaules. Abandonnant la serviette, il vint cueillir sa joue au creux de sa main. Sa peau était aussi douce que la plus douce des soies, telle celle portée par les Égyptiennes fortunées, si fine qu'on pouvait aisément faire passer tout un métrage à travers l'anneau d'une bague. Cependant ce n'était pas de la soie, mais bien sa chair à *elle* qu'il ne se lassait pas de toucher pour se rassurer.

Un instant plus tôt, il avait cru la perdre, et le monde s'était arrêté de tourner, et tout n'avait plus été que vide et ténèbres.

À présent, il ne pouvait se rassasier de cette vie qui palpitait sous sa main.

Olivia tourna légèrement la tête. Sa bouche entra en contact avec sa paume.

« *Non-non-non !* » cria une voix dans la tête de Lisle.

Mais c'était un mensonge. Il n'avait jamais rien désiré autant.

C'était si simple. Un frôlement. Ses lèvres qui lui effleuraient la main. Mais il attendait depuis une éternité, et le frisson qui le parcourut fut d'une violence sauvage, comme s'il avait été traversé par la foudre. Il ricocha jusqu'à son cœur, qui se mit à battre de manière erratique, avant de terminer sa course dans son ventre. Son corps entier se tendit comme un arc, et son esprit se réduisit à une sorte de tunnel.

Agenouillé devant elle, il ne voyait qu'elle, dont la peau laiteuse semblait presque irisée à la lueur des flammes. Sous la couverture, sa poitrine se soulevait et s'abaissait à un rythme rapide. Seul le crépitement des tisons dans l'âtre brisait le silence de la chambre plongée dans une semi-pénombre.

D'une main, elle retenait les deux pans de la couverture. Il tendit le bras, repoussa doucement sa main. Elle ouvrit les doigts. Sans protestation. Sans mot dire. Son beau regard fixé sur lui comme s'il était un mystère qu'elle tentait de percer.

Bien sûr, il n'y avait aucun mystère. Il n'était qu'un homme, elle lui avait désespérément manqué, et l'espace d'un instant, il avait entrevu un monde sans elle.

Il vivait sans elle, très loin d'elle, mais à quoi bon revenir si ce n'était pas vers elle ? À quoi ressemblerait sa vie ?

Elle était là, chaude et vivante dans la lumière des flammes. C'était un fait tout simple. Elle était là et il la désirait : autre fait qui éradiquait toutes les bonnes résolutions et les soubresauts pathétiques de sa conscience.

Il la regardait, s'emplissait les yeux, l'esprit et l'âme de la beauté de son corps dénudé.

— Bonté divine… lâcha-t-il dans un souffle. Bonté divine, Olivia.

Sa peau avait l'éclat nacré de la lune quand elle éclaire haut dans le ciel. Ses seins fermes – ceux que le diable lui avait donnés – se dressaient fièrement, leur petite pointe rose appelant les caresses.

Elle lui prit la main et il ne tenta pas de résister lorsqu'elle la posa sur un sein satiné. Sous sa paume, il sentit le bourgeon durcir. Sa virilité se dressa en réponse dans ses pantalons.

Dans son esprit, le tunnel s'étrécit encore.

Il ne voyait plus qu'elle. Il ne pensait qu'à elle. Le monde se réduisait à Olivia, étendue devant la cheminée. Sa main s'arrondit autour du globe pâle. Elle soupira. De son autre main, il cueillit son sein jumeau, le pressa doucement. Elle eut un rire de gorge, et ferma les yeux.

— Oui, chuchota-t-elle. C'est ce que je veux.

Des mots simples. Dans lesquels vibraient le désir et le plaisir, et il ne savait quoi d'autre. Et cela lui suffisait, car lui-même n'aurait pas dit autre chose. *C'était ce qu'il voulait, lui aussi.*

Elle ne résista pas plus lorsqu'il lui écarta les jambes, puis inclina la tête pour toucher du bout de la langue la pointe délicate d'un sein.

— Oui, souffla-t-elle.

Oui. Tout était dit. Dans ce « oui », il y avait le goût de sa peau, le son de sa voix, la façon dont son corps se cambrait sous sa caresse. Elle enroula les bras autour de son cou pour le retenir, gémit quand il aspira le bourgeon durci dans sa bouche pour mieux la savourer.

Oui, c'était ce qu'il voulait.

L'instant d'après, elle prenait son visage entre ses mains pour l'embrasser. Ses lèvres douces s'entrouvrirent en une invite éhontée. Alors il se laissa emporter par ce baiser éperdu, charnel, qui semblait contenir des centaines de baisers gardés en réserve au fil des ans, un baiser qui n'en finissait pas, le catapultait dans un univers sauvage où eux seuls existaient.

Tout s'était aboli, sauf le goût de sa bouche, l'odeur de sa peau, son corps qui ondulait, et ses mains qui glissaient sur son torse, remontaient avec impatience sa chemise de nuit.

Il interrompit leur baiser, le temps de l'ôter, de la jeter par terre.

Lui aussi était nu, à présent.

C'était ce qu'il voulait.

Les paumes d'Olivia couraient sur ses épaules et ses bras, se promenaient sur son torse. Il frémit.

— Ah, fit-elle avec intérêt.

Tendant le cou, elle vint taquiner de la langue les minuscules boutons bruns. Puis elle noua les jambes autour des hanches de Lisle, et l'embrassa à pleine bouche. Sa langue joua avec la sienne, espiègle, insistante. Il frissonna de nouveau, sentit son sexe palpiter contre son ventre souple.

Il la souleva, glissa les mains sous ses fesses. Sans lâcher sa bouche, il la renversa en arrière, et elle se laissa faire, les jambes toujours enroulées autour de ses hanches. Il releva la tête. Son regard accrocha le sien au moment où il lui écartait les cuisses. Elle reposa les pieds sur le tapis. Il glissa alors une main entre eux, vers le triangle de boucles cuivrées, immisça un doigt dans sa fente étroite et commença à la caresser.

Il savait comment donner du plaisir, et il voulait plus que tout la contenter, mais elle brûlait les étapes, s'embrasait sous l'effet de la passion qui la tenaillait. Elle referma les doigts sur son sexe, les fit aller et venir doucement.

Avec un grondement sourd, il lui repoussa la main et commença à entrer en elle. Son étroitesse ne le surprit pas, mais elle se dressa dans un sursaut avec un petit cri étouffé, les muscles raidis.

Il reprit sa bouche, l'embrassa avec une ardeur décuplée.

Peu à peu, la tension diminua. Elle lui saisit le visage à deux mains pour lui rendre son baiser avec une intensité farouche. Il s'enfonça davantage. Elle se raidit, mais ne tenta pas de lui échapper ni de le repousser.

Une voix lui parvint de très, très loin :

« Arrête. Il est temps d'arrêter ! »

Mais il était trop tard. Il était en elle, elle lui appartenait, et il ne pouvait rien faire d'autre que posséder ce corps offert, à coups de reins répétés qui semblaient scander : « *Tu es à moi. À moi. À moi.* »

Dans le brouillard de désir qui lui obscurcissait l'esprit, il la sentit venir à sa rencontre, accompagner son mouvement. Encore, et encore, et encore. Ses ongles s'enfoncèrent dans son dos.

Et soudain ce fut l'explosion, un tourbillon insensé de bonheur et de plaisir où retentirent leurs cris à l'unisson.

Puis le silence retomba, seulement troublé par les battements affolés de leurs deux cœurs.

Bouleversée, elle gisait sous lui.

Les gravures coquines de grand-mère Hargate n'évoquaient pas le quart du dixième de ce qu'elle venait de vivre. Elle-même comprenait à peine ce qui venait de se passer. Une intimité si profonde...

Un tel déluge de sensations... Des sentiments paroxystiques...

Bonté divine !

Lentement, les battements de son cœur s'apaisèrent. Son souffle ralentit. Le sexe de Lisle glissa hors d'elle, et elle se sentit à la fois désolée et follement heureuse.

Cette terrible marche sous la pluie battante, sur cette route qui n'en finissait pas. Les heures les plus noires de sa vie. Même quand son père était mort et qu'elle avait eu le cœur brisé, elle ne s'était pas sentie aussi seule, car sa mère était à ses côtés. Mais cette nuit, face à la silhouette sombre et hostile du château, elle s'était sentie totalement perdue et délaissée.

Et voilà comment cela s'était terminé. Par un voyage au paradis. Non pas ce lieu ennuyeux et dégoulinant de vertu dont parlaient les gens, mais les bras de Lisle.

Il roula sur le côté pour la libérer de son poids, l'attira contre lui, les fesses pressées contre son ventre, la tête calée au creux de son épaule, puis il referma la main sur son sein.

Cette caresse était si intime, si possessive... Elle aurait pu en mourir de plaisir. Son cœur en exécuta une pirouette dans sa poitrine.

Elle n'osait parler de peur de rompre le charme. Elle préférait se cramponner à cet instant, alors que tout semblait si naturel parce qu'enfin leurs corps et leurs âmes venaient de s'aimer en toute liberté. L'espace d'un moment aussi bref qu'éternel, ils avaient oublié le reste du monde et ses contraintes.

Ce fut lui qui brisa finalement le silence.

— Olivia, murmura-t-il d'une voix rauque, est-ce que ça va ?

Oui, enfin. Ce n'était pas trop tôt !

— Oui, répondit-elle.

— Je pense que…

— Ne pensez pas, fit-elle en recouvrant sa main arrondie autour de son sein de la sienne. Ne pensez à rien. Ne bougez pas. Ne faites rien. Contentons-nous… d'être.

Un long silence s'ensuivit, qui se chargea peu à peu d'une tension palpable. D'ici une minute, Lisle serait accablé. À cause de son maudit sens de l'honneur.

— J'ai cru que vous alliez mourir, chuchota-t-il enfin.

— Moi aussi, je l'ai cru.

— J'ai cru que vous ne cesseriez jamais de trembler, que votre corps allait se refroidir et se refroidir encore, jusqu'à ce que vous mouriez dans mes bras.

Elle avait eu si froid, elle était si faible, qu'elle avait simplement laissé les choses se produire. À présent elle se rappelait ses mains lui frictionnant désespérément le corps, et la douleur, insoutenable, lorsque le sang s'était remis à circuler dans ses veines.

— Moi aussi. J'ai cru que je n'aurais plus jamais chaud. En fait, je ne suis même pas sûre que j'étais capable de penser.

— Mais qu'avez-vous fait ? Pourquoi êtes-vous sortie ?

Elle lui raconta son expédition nocturne en détail, y compris leur conversation imaginaire.

— Si vous teniez tant que ça à me torturer, vous auriez dû me lancer quelque chose à la tête au lieu d'aller vous promener la nuit sous une pluie battante !

— Il ne pleuvait pas quand je suis sortie. Le ciel était dégagé, à part un petit nuage ici ou là.

— Mais vous êtes restée dehors pendant des *heures*.

— Qui m'ont paru des années.

Il soupira :

— Mon Dieu, que vais-je faire de vous, Olivia ?

— Votre maîtresse cachée ?

— Je ne plaisante pas.

Elle se retourna entre ses bras.

— C'est pourtant ce que nous voulons tous les deux. Nous nous sommes donné tant de mal pour garder nos distances. Sauf qu'on ne lutte pas contre l'Inévitable.

— Nous n'avons pas essayé très fort. Quoi qu'il en soit, l'échec est patent.

— Normal. Je n'ai aucune volonté, vous le savez bien.

— Moi si. J'aurais pu appeler votre femme de chambre, réveiller toute la maisonnée, et tout le monde serait accouru pour vous amener une boisson chaude, une serviette, que sais-je ? Quelqu'un aurait été chercher un médecin. Mais non.

Elle lui caressa la joue.

— Ne pouvez-vous mettre votre conscience dans un tiroir et le refermer pendant un petit moment ? Juste le temps de savourer l'instant présent.

Il l'attira à lui, enfouit le visage dans ses cheveux et répliqua d'une voix étouffée :

— Vous me rendez fou. Mais avec vous, être fou est toujours passionnant. Nous sommes les meilleurs amis du monde – quand nous ne nous écharpons pas. Et maintenant, nous avons fait l'amour, et tout se passe bien. Ce ne sont pas de mauvaises bases pour un mariage.

Ah.

Elle s'écarta vivement.

— Je le savais. Je le savais !

Il la ramena contre son corps dur, si dur, si chaud qu'elle n'avait qu'une envie : se blottir là pour toujours.

— Écoutez-moi, murmura-t-il, la bouche contre son oreille.

— Lisle, si nous nous marions, nous allons nous gâcher mutuellement la vie.

— Pas complètement.

— Je vous adore. Je vous ai toujours adoré et je continuerai. Ce que j'aime en vous, c'est votre droiture, vos beaux principes, votre sens du devoir. Ce sont toutes ces belles choses qui vous encombrent l'esprit et vous empêchent de voir la réalité telle qu'elle est. Vous êtes en train de vous dire : « Je l'ai déshonorée, je dois réparer ma faute. » Mais la vérité – écoutez-moi bien, il s'agit là d'un fait irréfutable –, c'est que tôt ou tard j'aurais perdu ma vertu. Je suis heureuse que cela se soit passé avec vous. Il faut commencer sa vie amoureuse de manière spectaculaire, et vous m'avez fait ce cadeau.

— *Commencer ?* répéta-t-il en se raidissant.

Elle eut un pincement au cœur, sachant qu'elle allait devoir retourner le couteau dans la plaie. Mais que faire d'autre pour l'empêcher de gâcher sa vie ? Lisle était déterminé à faire ce que l'honneur commandait, et c'était l'homme le plus têtu du monde.

— Je vous adore, je vous l'ai dit. Mais je suis égoïste, et foncièrement romantique. Pour moi, il est impensable de ne pas tenir la première place dans le cœur d'un homme. Jamais je ne me contenterai de ce dont tant de femmes se contentent, et qui leur promet une vie d'ennui et de solitude.

— Vous *contenter ?* Olivia, vous savez que je vous aime plus que…

— Plus que l'Égypte ? coupa-t-elle.

Il y eut un court mais éloquent silence. Puis :

— C'est absurde. Ce sont des choses totalement différentes.

— Sans doute, mais l'une d'elles a tenu et tiendra toujours la première place dans votre cœur. Et je ne saurais me contenter de la deuxième place.

Elle le sentit tressaillir.

Elle s'écarta, s'assit sur le tapis.

— Il faut que je retourne dans ma chambre.

Il se redressa à son tour, et la gorge d'Olivia se noua. Il était si beau avec ses cheveux dorés, son corps athlétique dont les flammes soulignaient magnifiquement les contours. L'homme idéal, le héros des légendes qui avait inspiré ces statues de bronze et d'airain que l'on vénérait pour leur splendeur.

Elle était toute prête à lui vouer un tel culte. Elle avait la fibre suffisamment romantique pour cela. Mais elle était aussi trop cynique pour obéir aux convenances en l'épousant.

Il attrapa l'une des couvertures pour l'en envelopper.

— Vous n'êtes pas en état de réfléchir correctement, déclara-t-il. Vous n'avez pas le choix, Olivia. Vous pourriez être enceinte. Et même si ce n'était pas le cas, notre société est soumise à des règles. Et je sais que vous ne voudriez pas jeter le discrédit sur votre famille.

— Alors il va nous falloir trouver un moyen de contourner les règles, rétorqua-t-elle. Sinon nous allons faire de notre vie un enfer. Si vous vouliez bien museler votre conscience un moment, vous vous en rendriez compte. Vous êtes trop sensé pour vous voiler la face.

Le silence s'étira. Les brandons craquaient dans l'âtre. La pluie continuait de tomber dans un crépitement monotone. La pluie. Qu'y avait-il de plus ordinaire ? Il pleuvait tout le temps dans ce fichu pays, et pourtant c'était la pluie qui l'avait amenée ici, qui les avait réunis ce soir.

Ce qui était horrible, c'est que pour une fois elle se montrait raisonnable. Aussi lucide que lui. Il éprouvait des sentiments pour elle. Il était entiché d'elle. Mais cela suffisait-il? Il n'en était pas sûr, et cette même conscience qui le poussait à la demander en mariage lui soufflait qu'elle serait malheureuse s'il s'obstinait.

Les rares fois où il s'était autorisé à envisager qu'elle fasse partie de sa vie, il n'avait pensé qu'au chaos que serait alors son existence. Jamais il n'avait songé à ce qu'il adviendrait de celle d'Olivia.

À présent, plutôt que d'envisager un avenir ravagé par le simoun, il sondait son propre cœur.

Il était bien incapable de lui offrir ce qu'elle désirait. Bien sûr qu'elle méritait de tenir la première place dans le cœur d'un homme! Et pour la première fois, il se rendait compte qu'il ne lui avait sans doute ménagé aucun espace dans le sien.

— Nous ne résoudrons pas cette question ce soir, conclut-il.

— Probablement pas.

— Il vaudrait mieux que vous regagniez votre lit.

— Oui, mais auparavant nous devons nettoyer la scène du crime. Je propose de faire du feu dans le salon et de suspendre mes vêtements mouillés devant. On aura ainsi l'impression que j'ai réellement fait ce que je tentais de faire tout à l'heure: me sécher devant la cheminée.

Dans ce domaine, mieux valait la laisser agir. Il savait réagir rapidement lorsque les circonstances l'exigeaient, mais effacer les traces d'un forfait n'était pas sa spécialité.

Elle se leva et la couverture glissa à terre.

La lueur des flammes caressa ses courbes pleines, ainsi que le triangle cuivré entre ses cuisses. Le cœur douloureux, Lisle promena le regard sur ce corps magnifique.

— Vous êtes vraiment belle... Toutefois je ne vous conseille pas de déambuler ainsi dans les couloirs du château. Vous attraperiez froid et tous les efforts que j'ai faits pour vous réchauffer seraient réduits à néant.

Il se leva à son tour, ramassa sa propre chemise de nuit, s'approcha d'elle pour la lui enfiler. Les manches lui recouvraient les mains et l'ourlet lui tombait à mi-mollet.

— Je ne sais pas si c'est une bonne idée, observa-t-elle, l'air dubitatif. Je peux expliquer dans quelles circonstances j'ai dû me débarrasser de mes habits, plus difficilement pourquoi je porte votre chemise.

— Je vous fais confiance, dit-il en passant sa robe de chambre. Vous trouverez quelque chose.

Il lui prit la main pour la guider vers la porte, se rappela l'ardeur avec laquelle ils s'étaient étreints. La flamme sournoise du désir s'alluma de nouveau dans son ventre.

Comment lutter ?

Il entrebâilla la porte. Le salon adjacent était plongé dans l'obscurité. Il attendit, aux aguets, comme il l'aurait fait avant de pénétrer dans un tombeau où étaient peut-être tapis des pillards. Son oreille était entraînée à détecter le bruit d'une respiration.

Il n'y avait personne.

Il entraîna Olivia dans la pièce uniquement éclairée par les braises mourantes du feu.

— Vous croyez réussir à trouver votre chemin sans vous rompre le cou ? Je ferais peut-être mieux de vous accompagner.

— Tout ira bien, murmura-t-elle. L'avantage de vivre dans un château à l'abandon, c'est qu'on ne risque pas de se cogner dans les meubles.

Elle libéra sa main, et s'éloigna d'un pas léger.

Il aurait voulu dire quelque chose, mais il était en proie à de tels tourments intérieurs qu'il ne trouva pas les mots. Il la rattrapa alors, la saisit par l'épaule pour la faire pivoter, puis la gratifia d'un baiser bref, mais passionné.

Elle se laissa aller contre lui.

Il s'arracha à ses lèvres, la repoussa.

— Allez-y.

Elle obéit. Il écouta décroître le bruit étouffé de ses pieds nus sur les dalles de pierre. Il attendit que la porte se soit refermée à l'autre bout de la pièce, avant de retourner dans sa chambre.

Il y trouva Nichols en train de ramasser consciencieusement les vêtements d'Olivia épars sur le sol.

Traverser ce salon qui n'en finissait pas aux petites heures de la nuit n'aurait déjà pas été chose aisée en temps normal. Et Olivia n'était pas au mieux de sa forme. Elle avait la gorge douloureuse, les yeux la picotaient, et elle n'avait qu'une envie : s'asseoir et pleurer pendant au moins une semaine.

Elle avait eu raison de dire ce qu'elle avait dit, mais elle l'avait blessé. Oh, elle se moquait bien de le blesser physiquement ! Il était capable d'encaisser les coups. Et puis, c'était normal qu'elle lui saute sur le poil quand il se conduisait comme le dernier des imbéciles et qu'il ne voulait rien comprendre. Mais ce soir, il s'était occupé d'elle, l'avait réchauffée, ramenée à la vie, puis il lui avait fait l'amour... et lui avait mis le cœur à l'envers.

Plus rien n'était pareil désormais. Quoi qu'elle ait éprouvé auparavant – oh, elle l'avait toujours aimé, tant bien que mal –, ceci était différent. Et, en cet instant, terriblement douloureux.

« Arrête de geindre, s'ordonna-t-elle. Chaque chose en son temps. »

En premier lieu, elle devait rejoindre son lit sans se faire remarquer, puis élaborer une histoire crédible pour expliquer la présence de ses vêtements devant la cheminée du salon.

Personne ne s'étonnerait qu'elle ait décidé d'aller poursuivre des ruffians sous la pluie, en pleine nuit, vêtue d'habits masculins. Cela lui ressemblait tellement. Elle devait juste passer sous silence les événements qui avaient suivi après que Lisle fut entré dans le salon.

C'est-à-dire un cataclysme.

Elle se faufila dans sa chambre. La pièce était éclairée. Une bougie brûlait sur le guéridon, près de la cheminée. Bailey était assise non loin, un vêtement à repriser sur les genoux.

— Je peux tout expliquer, affirma Olivia.

— Ça, mademoiselle, je n'en doute pas une seconde, répondit tranquillement la camériste.

Nichols, qui était en train de disposer les habits mouillés devant la cheminée du salon, se figea en voyant apparaître une petite flamme à l'autre bout de la salle.

La flamme avança dans sa direction. Au bout de quelques secondes, il reconnut Mlle Bailey dont le visage était illuminé par le halo jaunâtre. Sous le châle épais qui lui couvrait les épaules, elle devait être en chemise de nuit car, contre toute attente, il aperçut un volant au niveau de ses chevilles. Des rubans agrémentaient ses pantoufles mais, dans la faible luminosité, il ne parvenait pas à en distinguer la teinte.

— Mademoiselle Bailey ? Que faites-vous là à une heure pareille ? J'espère que ce ne sont pas les esprits frappeurs qui vous ont sortie du lit.

— Certainement pas, rétorqua-t-elle. Je suis venue à cause de ces vêtements. Nous ne pouvons pas les laisser ici. Avec tout le respect que je dois à votre maître, il semble qu'il ait perdu l'esprit. De même que ma maîtresse.

Nichols regarda les vêtements qu'il venait d'étendre avec tant de soin.

— Nous n'allons pas jouer les hypocrites, reprit la femme de chambre. Vous et moi savons parfaitement ce qui s'est passé ce soir. Il faudrait sans doute inspecter la chambre… voir ce qui a besoin d'être lavé.

À cause d'éventuelles taches de sang.

Nichols n'aurait su dire si la caMériste avait rougi ou si c'était seulement la lueur du feu qui se reflétait sur ses joues.

— Hum… J'y ai pensé moi aussi, mais il m'a paru indélicat de le mentionner à Sa Seigneurie, avoua-t-il.

La caMériste désigna les vêtements et déclara avec l'autorité de celle qui a l'habitude de dissimuler des forfaits :

— Je vais ramener tout cela dans les appartements de Mlle Carsington.

Nichols récupéra les habits, puis suggéra :

— Si vous voulez bien m'éclairer, je vais les porter.

Mlle Bailey accepta d'un hochement de tête. Parvenu à la porte, Nichols déposa son fardeau sur le bras libre de la jeune femme. Comme il se penchait pour atteindre la poignée, il lui murmura à l'oreille :

— Mademoiselle Bailey...

— Non, pas de ça, coupa-t-elle aussitôt.

Il laissa échapper un bref soupir, ouvrit le battant. Elle se glissa dans la chambre de sa maîtresse. Il referma derrière elle, soupira de nouveau.

Un instant plus tard, la porte se rouvrit et Bailey chuchota :

— Attendez.

Plein d'espoir, Nichols se retourna.

Une main jaillit dans l'entrebâillement. Elle brandissait la chemise de nuit de Sa Seigneurie.

— Vous pouvez reprendre cela, jeta-t-elle, avant de disparaître.

16

Dissimulés dans la seule partie de l'église incendiée encore debout, Roy et Jock frissonnaient dans la nuit glaciale.

— Qui c'était? murmura Jock.

— Quelle importance? Ce type était là et nous attendait.

— Fallait bien que ça arrive tôt ou tard. Ils font le guet, maintenant. Y paraît que le fils du laird veut acheter des chiens de garde.

— Les chiens, ça peut toujours s'empoisonner.

— Bon Dieu, ce gars-là m'a foutu une trouille bleue. J'ai failli me pisser dessus.

Roy aussi avait eu la peur de sa vie en voyant apparaître soudain ce visage livide dans l'embrasure de la porte de la tour. S'il avait pris le temps de réfléchir un peu, il aurait compris qu'il s'agissait d'un être humain. Mais qui réfléchit dans une situation pareille? Ils avaient lâché la pelle et la pioche pour prendre leurs jambes à leur cou sans demander leur reste.

Jock avait gardé la lanterne à la main, mais il n'avait pas pris le temps de refermer le petit clapet de métal qui permettait de masquer la flamme. Et cette chose – non, c'était bel et bien un homme – les avait poursuivis sur la route, jusqu'à ce que

Roy ait la présence d'esprit d'arracher la lanterne des mains de son crétin de frère.

À présent ils étaient terrés dans cette maudite église, dans l'incapacité de faire du feu. Roy observait par-dessus le mur à demi effondré la masse sombre du vieux château dressé sur sa butte, qu'on distinguait à peine contre le ciel gris foncé.

— La pluie se calme, constata Jock au bout d'un moment.

Il était plus que temps. Les deux hommes se levèrent et quittèrent l'église délabrée.

— Ils veulent nous empêcher d'entrer dans le château, marmonna Roy. Va falloir qu'on trouve quelqu'un qui nous dise ce qui se passe à l'intérieur.

— Personne voudra jamais faire ça !

Il est vrai qu'au village, ils n'étaient guère appréciés. Les gens les évitaient. Ce qui était aussi bien, de l'avis de Roy. Les gens, il ne les aimait pas beaucoup non plus.

— J'en connais au moins une qui nous dira pas non. Suffit d'être persuasifs, rétorqua-t-il en ricanant.

Peu après midi, mercredi 26 octobre

— Vous avez compris ce qu'il fallait faire ? demanda Olivia.

— Bien sûr, opina lady Cooper en rajustant son chapeau.

— Il n'y a rien de plus simple, renchérit lady Withcote.

Les trois femmes se tenaient près de la porte d'entrée de la grande salle. Elles attendaient la voiture qui emmènerait les Harpies à Édimbourg, avec pour mission de chercher les infirmières et les domestiques de Frédérick Dalmay afin de leur soutirer des informations.

— J'espère que la tâche ne sera pas trop fastidieuse, dit encore Olivia. C'est un peu comme chercher une aiguille dans une meule de foin.

— Pas du tout, protesta lady Cooper. Nous avons les noms des personnes que nous devons rencontrer. Ce ne devrait pas être très compliqué de les retrouver.

— Et de leur tirer les vers du nez.

— Et en cas d'échec, il reste les pots-de-vin, conclut lady Cooper.

Un valet qui venait de gravir les marches du perron annonça :

— La voiture est avancée, mesdames.

Lisle arriva quelques minutes après le départ des Harpies.

— Ces dames m'ont dit qu'elles allaient à Édimbourg chercher des indices, dit-il après avoir salué Olivia.

Cette dernière ne l'avait pas revu depuis la nuit passée. Elle avait mis du temps avant de s'endormir et, en conséquence, avait pris son petit déjeuner très tard. Les Harpies lui avaient tenu compagnie, mais Lisle était demeuré invisible. Elle avait appris de la bouche de Herrick que le maître était allé superviser le travail des ouvriers.

Olivia avait décidé de se comporter comme s'il ne s'était rien passé d'extraordinaire. Et c'était plus facile qu'elle ne l'aurait cru. Après tout, il était toujours Lisle et, à la lumière du jour, ce qu'ils avaient fait cette nuit apparaissait comme la chose la plus naturelle du monde. Parce qu'elle l'aimait et qu'elle l'avait sans doute toujours aimé, cet amour ayant pris des formes différentes au cours des ans.

Et voilà qu'il était là, devant elle... une pelle à la main.

— Que comptez-vous faire avec cela ? s'enquit-elle.

Lisle était en train de fixer les mains d'Olivia d'un air perplexe. Il releva vivement la tête.

— Pardon ?

— La pelle.

— Ah, oui... Un des ouvriers l'a trouvée ce matin à son arrivée. Il y avait aussi une pioche.

— Des preuves !

— Je n'ai pas besoin de preuves. Je vous crois. Mais j'avais une idée plutôt floue de la scène. Vous avez dû les effrayer, parce qu'ils ont tout lâché pour détaler comme des lapins.

— Tout sauf leur lanterne.

S'ils l'avaient lâchée, Olivia n'aurait pas pu les suivre dans la nuit... et ce qui s'était passé ensuite n'aurait jamais eu lieu.

— Quoi qu'il en soit, je n'avais pas l'intention d'apporter cette pelle ici. J'ai vu que les Harpies étaient sur le point de partir, et je suis allé aux renseignements. Je l'ai emportée par mégarde.

Il regarda autour de lui. Herrick s'avança aussitôt.

— Joseph va vous débarrasser, Votre Seigneurie.

Un jeune valet se hâta d'aller récupérer l'outil, puis quitta la pièce tandis que Herrick s'éclipsait de son côté.

— Je ne sais pas ce que j'ai aujourd'hui, murmura Lisle. J'ai la tête ailleurs.

Le feu flambait dans la cheminée du hall. Des servantes allaient et venaient, discrètes et silencieuses. Dans la vaste pièce, la luminosité était plutôt réduite, en dépit des grandes fenêtres et du

candélabre en étain dont toutes les bougies brû-
laient. À en croire l'horloge, on était en milieu de
journée, mais le climat écossais étant ce qu'il était,
on se serait cru au crépuscule.

— Vous avez peut-être fait des rêves étranges,
hasarda Olivia.

— Peut-être, oui. J'étais venu vous proposer mon
aide, lâcha-t-il à brûle-pourpoint.

De nouveau, il fixait les mains de la jeune
femme.

— Votre aide ? Pour quoi faire ?

— Pour trouver des indices.

Le regard dont elle l'avait enveloppé lorsqu'il
était entré.

Exactement le même que celui qu'elle avait
posé sur lui le soir du bal, quand il l'avait enfin
repérée au milieu de la foule de ses admirateurs.
Et ce qu'il avait vu dans ce regard l'avait alors
fait s'arrêter net.

Cette nuit, elle lui avait dit... elle lui avait dit...

« Je vous adore. Je vous ai toujours adoré et
je continuerai. »

Qu'est-ce que cela signifiait ?

Il s'éclaircit la voix :

— J'ai eu tort de ne pas prendre au sérieux ces
fantômes et leurs provocations. Si j'avais réfléchi... Mais nous savons à présent pourquoi je ne
l'ai pas fait. Le fait est que j'avais tort. Le fait est
que les ouvriers n'ont pas besoin que je les sur-
veille en permanence. Le fait est que nous devons
mettre un terme aux agissements de ces plaisan-
tins. Et votre théorie tient debout. Ces individus
doivent avoir d'excellentes raisons pour chercher
un trésor auquel personne d'autre ne croit. Soit
ils sont d'une extrême stupidité, soit quelqu'un les

a induits en erreur... soit ce trésor existe bel et bien.

Olivia croisa les mains au niveau de sa taille. Elle portait peu de bijoux. Un simple bracelet. Et une seule bague.

— Je vous remercie, dit-elle.

Il se força à détourner les yeux de la bague, regarda autour de lui. Ils étaient seuls.

— C'est pour cette raison que je ne dormais pas cette nuit, confia-t-il à mi-voix. Je n'arrêtais pas de penser à ce morceau de papier que vous avez trouvé. Alors je me suis levé pour y réfléchir. Quelques idées me sont venues, mais je travaillais de mémoire. J'aimerais y jeter un nouveau coup d'œil.

— Il se trouve dans la salle des archives. Suivez-moi.

Comme Lisle l'avait découvert avec surprise, l'apparence extérieure assez simple du château dissimulait un aménagement complexe, souvent illogique. La pièce qui était devenue la salle des archives était ainsi coincée entre le couloir de la cuisine et un boudoir adjacent au salon du deuxième étage. On y accédait par l'escalier de la tour sud, mais il existait également un chemin détourné qui passait par la galerie des ménestrels et la tour nord.

— Quel changement ! remarqua Lisle. La dernière fois que je suis venu ici, c'était un vrai capharnaüm.

— Depuis, Herrick a fait du rangement. Il a demandé aux ouvriers d'installer des étagères et de monter une armoire.

Tout était désormais rangé, trié, étiqueté. Il fallait avouer que sous la houlette d'Olivia, la domesticité se révélait particulièrement efficace, ce qui ne laissait de surprendre quand on connaissait son côté fantasque.

Cela dit, elle était aussi très calculatrice. Impitoyablement, parfois.

Et peut-être ne la trouvait-on fantasque que parce qu'elle se forgeait ses propres règles.

— Les meubles proviennent du bureau de votre cousin, précisa-t-elle.

Ces derniers n'encombraient pas la pièce. Il y avait juste une petite table à écrire dotée d'un unique tiroir devant la fenêtre. Un antique plumier en bois était posé sur le plateau, et une chaise qui semblait peser une tonne, placée devant.

— C'est plutôt austère, commenta Lisle.

— Frédérick Dalmay n'était pas homme à suivre les modes. La plupart de ses meubles sont usés et assez laids. Je les ai laissés à Édimbourg. Mains attend vos consignes pour savoir s'il doit les vendre ou les donner à quelque institution charitable. J'ai toutefois pensé que ce serait bien d'avoir ici certaines de ses affaires. Il a vécu si longtemps au château. Et apparemment il s'y plaisait.

— Vous avez eu raison. Cette table à écrire est parfaite ici.

— Herrick a emporté les livres de comptes les plus récents dans son bureau. Mais comme la collection de votre cousin concerne essentiellement l'histoire du château, il m'a paru logique de la conserver ici, dans la salle des archives.

Elle alla chercher un livre sur une étagère.

— J'ai remis le mystérieux papier à l'intérieur du recueil dans lequel je l'ai trouvé, au cas où la clé du code se trouverait dans l'ouvrage lui-même. Pour ma part je n'ai rien lu qui puisse m'éclairer, mais vous aurez peut-être plus de chance. Ce n'est probablement pas par hasard qu'on a placé ce feuillet ici et pas ailleurs.

Elle ouvrit le livre à l'endroit où se trouvait le bout de papier, le tendit à Lisle. Il s'en empara, et parcourut rapidement les deux pages entre lesquelles il était glissé.

— C'est encore une histoire de fantôme, dit-elle. Celle du prisonnier détenu dans le donjon. Je pensais qu'il y avait peut-être un lien.

— C'est possible.

Elle s'approcha, tendit le cou pour lire par-dessus son épaule. Il sentit son parfum flotter jusqu'à lui.

Il se racla la gorge.

— Finalement je m'en souvenais assez bien, dit-il. J'avais en tête cette grille maladroite et ces symboles griffonnés dans certaines cases.

— Ce pourrait être une devinette ou un simple jeu, je sais, mais je ne peux m'empêcher de penser qu'il y a plus que cela.

— Voilà pourquoi je n'arrivais pas à dormir. J'avais l'impression qu'il y avait plus que ce qui nous était donné à voir.

— Je ne suis pas douée pour ce genre de choses, reconnut-elle. Pour déchiffrer un code, il faut être logique, et je ne le suis pas.

— Je le suis bien assez pour deux.

— On dirait l'œuvre d'un enfant qui aurait tenté de représenter le château, murmura-t-elle, pensive. La perspective aplatie. Les proportions curieuses.

— C'est ainsi que procédaient les Égyptiens. Songez aux dessins qui ornent les murs des tombeaux. Les proportions ne sont pas respectées. En fait, la taille symbolise l'importance. Les visages sont de profil, mais l'œil regarde...

Lisle n'acheva pas sa phrase. Son regard avait quitté le morceau de papier pour balayer la pièce.

— Un mur. Cela représente un mur.

— Un mur ? Vous êtes sûr ? Ce serait un peu trop simpliste, non ?

— Justement, un plan se doit d'être simple. J'aurais dû apporter ma loupe, marmonna-t-il, paupières plissées, en tentant de lire les minuscules inscriptions.

Olivia se dirigea vers la table à écrire et, comme par magie, sortit une loupe du plumier.

— Très utile pour déchiffrer les pattes de mouche de votre cousin, expliqua-t-elle.

Ces écrits pour lesquels elle lui avait demandé son aide. Qu'il lui avait refusée. Parce qu'il était un crétin. Cela, il l'avait compris. Tout comme il avait compris qu'il disposait de très peu de temps pour se racheter.

Se rapprochant de la fenêtre, il étudia de nouveau le papier à travers la loupe.

— Cela ressemble à des chiffres. Qu'en pensez-vous ?

Elle scruta à son tour le dessin.

— En effet, confirma-t-elle. Mais pas tous. Il y a aussi d'autres choses, mais j'ignore ce que c'est censé représenter. Des fleurs ? Le soleil ? Les étoiles ? Des espèces de symboles ? Quand vous avez effectué vos mesures, avez-vous trouvé des inscriptions sur les murs du château ?

— Non, rien, hormis les ornements habituels, les encadrements de portes sculptés, ce genre de choses. En tout cas, rien qui corresponde à ces signes.

Il leva le papier à bout de bras pour le comparer aux quatre murs qui les entouraient :

— Ce pourrait être ce mur-ci.

— Ou n'importe lequel, rétorqua-t-elle avec un petit haussement d'épaules. Si tant est qu'il s'agisse bel et bien d'un mur. C'est possible, en tout cas.

Cela pourrait-il représenter une fenêtre, par exemple ?

— Difficile à dire. Auriez-vous mes plans ?

— Je les ai confiés à Herrick... Attendez, non. Il n'en avait plus besoin, se reprit-elle en allant ouvrir le tiroir du secrétaire dont elle sortit les plans en question. Nous avons préféré les ranger ici pour les avoir sous la main en cas de besoin.

Elle les lui tendit. Le regard de Lisle glissa de nouveau sur sa bague. Il se força à reporter son attention sur les plans, les fixa jusqu'à avoir retrouvé sa faculté de concentration.

— Si ce chiffre correspond à la longueur d'un mur, fit-il en indiquant le dessin, cela ne correspond pas à la pièce où nous nous trouvons. À vue de nez, ce mur mesure presque trois mètres de long, et sur le papier il est écrit *quatre*. Quelles salles du château mesurent quatre mètres de long ? La plupart des pièces de la tour sud. Les appartements de Herrick.

— Et s'il s'agissait de la hauteur ? Cela éliminerait du coup presque toutes les pièces du premier étage.

Elle s'anima soudain.

— Là ! À côté de l'escalier cassé du sous-sol. L'entresol au-dessus de la salle du puits. *C'est là*, j'en suis sûre !

Il tourna la tête pour la regarder. Son regard bleu croisa le sien. Le souffle court, il contempla sa bouche.

— Impossible, murmura-t-il. Je n'y arriverai jamais.

— À quoi donc ? demanda-t-elle doucement.

— À faire semblant. Je ne suis pas doué pour jouer la comédie.

Et, l'enlaçant, il la souleva du sol pour l'embrasser.

Il n'était pas question de résister. Il l'embrassait avec une fougue qui interdisait toute tiédeur. Elle lui rendit son baiser de toute son âme, enroula les jambes autour de lui tandis qu'il lui empoignait les fesses.

Il pivota, l'assit sur le plateau de la table à écrire et interrompit leur baiser pour se dégager de ses bras qu'elle avait noués autour de son cou.

« Si tu arrêtes, je t'étrangle », pensa-t-elle.

Elle le regarda se diriger vers la porte.

« Tu es un homme mort, Pérégrine Dalmay ! »

Il poussa le verrou.

Puis il attrapa la chaise dont il alla coincer le dossier sous la poignée de la seconde porte, celle qui donnait sur l'escalier de la tour sud.

Enfin il revint se planter devant elle.

— Il faut que je vous débarrasse de ces vêtements mouillés.

— Mais… ils sont secs.

Inclinant la tête, il lui murmura à l'oreille :

— Alors *faites semblant*.

Sa voix était si rauque qu'un frisson courut le long du dos d'Olivia.

— D'accord, souffla-t-elle.

Il repoussa son châle, qui glissa au sol. Puis ses mains remontèrent vers sa nuque, et il s'attaqua à la première agrafe qui fermait sa robe dans le dos. Il fit de même avec la suivante. Et continua avec détermination, une à une, sans quitter Olivia des yeux. Comme hypnotisée par l'éclat argenté de ses prunelles, elle était incapable de détourner le regard.

Il défit les agrafes plus grosses situées au niveau de la taille, et elle sentit les pans de son corsage s'écarter. Lisle tira sur l'encolure, dénoua les rubans qui maintenaient les larges manches, avant de se pencher pour s'occuper des minuscules boutons de nacre aux poignets.

Fascinée, elle fixait ses cheveux d'or. Bientôt, elle plongerait les doigts dans les mèches épaisses. Bientôt, elle laisserait ses mains courir sur son corps. Mais pour l'heure, elle allait juste se laisser faire.

Il rabattit son corsage jusqu'à la taille. Elle souleva les hanches et il fit glisser sa robe le long de ses jambes. Il ne disait rien, et elle se garda de rompre le silence. C'était parfait ainsi. Ils n'avaient pas besoin de mots. Le bruit léger de leur respiration et le chuchotement des étoffes qu'on froisse suffisaient.

Comme toujours, Lisle était concentré, méthodique. Il délaça son jupon qui suivit le même chemin que sa robe, s'en débarrassa d'un coup de pied. Se penchant sur son épaule, il dénoua les liens de son corset.

Olivia se mit à respirer plus vite. Le souffle de Lisle s'accéléra également. Mais il ne disait toujours rien.

Il la débarrassa de son corset. Sa chemise glissa, révélant un sein. Elle ne songea pas à se couvrir. Il ne tenta pas de le faire non plus et tourna son attention sur sa culotte.

De petits frissons irrépressibles la parcouraient.

Le lien fut dénoué, la culotte ôtée. Puis ce fut au tour de ses jarretières et de ses bas. Enfin, il fit passer la chemise par-dessus sa tête, et elle se retrouva entièrement nue sur la table à écrire, le corps frémissant.

Lisle était encore habillé de pied en cap.

Au creux de son ventre, les sensations se succédaient, lancinantes. Elle se tenait parfaitement immobile sous le regard gris qui glissait sur sa peau telle une caresse. Lorsqu'il s'inclina de nouveau, elle se tendit vers lui, persuadée qu'il allait l'embrasser. Mais il détourna légèrement la tête et l'embrassa sur la joue, avant de la lécher, délicatement.

Elle frissonna.

Non pas de froid. Elle était en feu.

La langue de Lisle allumait un brasier dans son sillage. À la commissure de ses lèvres. Dans son cou. Sur sa gorge. Ses seins. Son bras. Son poignet. Il s'agenouilla, et fit courir sa bouche et la pointe de sa langue le long de sa jambe, lui embrassa chaque orteil.

S'il continuait ainsi, elle allait devenir folle. Et, Seigneur Dieu, Allah, Bouddha et tous les autres, les anges, les saints et les martyrs, et toutes ces divinités bizarres à tête d'ibis ou de faucon, sa bouche était en train de remonter sur sa cuisse, en direction de sa...

Elle poussa un cri qui sembla se répercuter sur les murs de la petite pièce.

Doucement, il lui appuya sur le ventre, et elle se coucha avec docilité sur le plateau du bureau. Son corps se tordait, s'arc-boutait. Des petits bruits, des soupirs et des mots dénués de sens sortaient de sa bouche...

On aurait dit que des milliers de petits volcans entraient en éruption en elle. Et puis cela se produisit de nouveau, cette explosion sauvage qui parut la catapulter dans le ciel à toute vitesse, avant de la laisser retomber, brisée, éblouie.

— Ô mon Dieu... Ô mon Dieu... Ô mon Dieu...

La voix sourde de Lisle lui parvint de très loin :

— Vous frissonnez. Il faut que je vous réchauffe de *l'intérieur*.

— Pour l'amour du Ciel... dépêchez-vous !

Il eut un rire bref. Puis elle l'entendit déboutonner ses pantalons. L'instant d'après, il la pénétrait.

Elle se cabra, les yeux écarquillés, les mains crispées sur ses avant-bras robustes.

Il se figea.

— Je vous fais mal?

— Non. Oh, non! Au contraire. Oh, Lisle, mon Dieu!

La veille, elle avait eu mal lorsqu'il l'avait déflorée. Et même ensuite, quand le plaisir était venu. Mais cette fois, cela n'avait rien à voir. Il l'emplissait toute, et c'était merveilleux. Elle se cramponna à son cou pour mieux le sentir, pour l'ancrer plus profondément en elle.

Elle remua les hanches.

— Oh oui, comme ça! s'écria-t-elle.

Elle était complètement nue alors qu'il n'avait découvert que sa virilité qui palpitait en elle. La sensation était extraordinaire.

— C'est terriblement... mal, haleta-t-elle.

— Oui.

— C'est... *parfait*!

— Olivia...

Leur conversation s'arrêta là. Il captura sa bouche dans un baiser avide, tandis que leurs corps ondulaient à un rythme de plus en plus débridé. Puis la vague déferla une fois encore, emportant Olivia toujours plus loin, toujours plus haut.

Un rire joyeux la secoua.

— Comme je vous aime! s'écria-t-elle.

Lentement, la vague la déposa sur terre. Elle embrassa Lisle sur la joue, dans le cou, sur la bouche.

— Je vous aime, je vous aime, répéta-t-elle.

Puis elle s'évanouit.

17

Lisle la sentit s'affaisser contre lui.

Stupéfait, il baissa les yeux. Ses paupières papillonnaient. Le souffle anarchique, elle reprit ses esprits. Soulagé, il demanda d'un ton bourru :

— J'espère que vous vous êtes pâmée d'extase.

— Oui, murmura-t-elle, un peu hagarde. Bonté divine…

Elle avait dit : « Je vous aime. »

Il lui prit la main, celle à laquelle brillait une unique bague.

— Qu'est-ce que c'est ? demanda-t-il en désignant le bijou.

— Une bague.

— Cette pierre.

— Ce n'est pas une pierre. C'est un scarabée. C'est vous qui me l'avez offert. Vous ne vous en souvenez probablement pas.

Il s'en souvenait parfaitement. Il avait glissé ce scarabée dans une lettre, des années auparavant.

— Je l'ai fait monter en bague.

— Quand ?

— Juste après avoir décidé que je n'en ferais ni un bracelet ni un collier. Une bague, c'était mieux. Je pouvais la porter tout le temps.

Il fixait le bijou.

Tout le temps.

Depuis toutes ces années.

Combien de fiançailles avait-elle rompues? Combien de fois avait-elle été punie pour ses frasques? Combien de lettres lui avait-elle écrites, qui débutaient par ces mots: *Une fois de plus, je suis en DISGRÂCE*, ou bien *On m'expédie à la campagne le temps que le vent du SCANDALE retombe*.

La fantasque, l'insouciante, la téméraire Olivia, qui n'obéissait qu'à ses propres règles. Mais qui, à sa façon, lui était restée fidèle.

— Cette bague, la portiez-vous au bal d'anniversaire de votre arrière-grand-mère?

— Bien sûr. Je vous dis qu'elle ne me quitte jamais. Cela me donne l'illusion que vous êtes... à portée de main, conclut-elle en riant.

— Très mauvais jeu de mots. Surtout en un moment pareil. Vous êtes nue comme un ver...

— Je sais. C'est extraordinaire. C'est la première fois que je suis assise nue devant une fenêtre. C'est une expérience rafraîchissante, à tous les sens du terme. Vous êtes très inventif.

Il n'y avait qu'elle pour savourer d'être nue, dans une pièce froide, au cœur d'un vieux château écossais. C'était là une vision qu'il n'oublierait pas de sitôt, et dont il emporterait le souvenir... en Égypte.

Néanmoins, il préférait ne pas partager cette vision, si merveilleuse soit-elle, avec le reste du monde. Par chance, il y avait des alcôves devant les fenêtres du château, et celle-ci était plutôt petite. Sinon, ils auraient offert un joli spectacle aux ouvriers qui travaillaient dans la cour.

Non qu'Olivia s'en souciât le moins du monde.

— Inventif, moi? Disons plutôt que, dans le feu de l'action, le bureau m'a paru le plus pratique. En fait, je ne me suis pas posé de question. C'est bien le problème, voyez-vous, quand on s'embarque dans ce genre d'affaires.

Tout en parlant, il s'était penché vers le tas de vêtements amoncelés à ses pieds pour récupérer le châle d'Olivia qu'il drapa sur ses épaules. Il fourra les pans de sa chemise dans ses pantalons, se reboutonna. Puis il ramassa le reste des habits d'Olivia, résistant à la tentation d'y enfouir le visage.

Il l'aida à enfiler sa chemise.

— J'aimerais autant que vous n'attrapiez pas une pneumonie.

— Ça en vaudrait la peine. Êtes-vous en train de m'habiller ?

— Je vous ai déshabillée, je peux aussi bien faire l'inverse.

Il entreprit de lui remettre son corset.

— Pouvez-vous vous tourner ? C'est plus facile ainsi.

— Même Bailey est incapable de m'ôter mon corset de face. Et vous, vous êtes venu à bout de toutes ces agrafes et de tous ces rubans. Je suis impressionnée.

— C'est que j'ai étudié vos astuces vestimentaires. La mode a tellement changé depuis mon dernier séjour en Angleterre. J'ai l'impression qu'elle devient de plus en plus complexe.

— À vos yeux, c'est comme une énigme à résoudre. Ou ces hiéroglyphes à déchiffrer.

— En l'occurrence, ce n'est pas purement intellectuel.

Il fit glisser une jarretière le long de sa jambe. Elle tenta de l'arrêter.

— Laissez-moi faire.

— Non. Je les ai enlevées, je les remets.

C'était très compliqué, ces couches successives de vêtements qui se fermaient et s'ouvraient grâce à des mécanismes élaborés, et jusqu'à présent, il n'y avait jamais vraiment prêté attention. Mais lorsqu'il s'agissait d'Olivia, cela devenait fascinant.

Il remonta son bas de sa cheville fine jusqu'à sa cuisse galbée. Quelque chose appuyait sur son cœur, l'oppressait, l'écrasait. Il noua la jarretière, fit de même avec l'autre jambe.

C'était peut-être une forme de torture, mais rien ne valait le plaisir de la déshabiller et de l'habiller comme si elle lui appartenait.

— Vous savez y faire. Et vous avez le souci du détail, remarqua-t-elle.

— Les détails, c'est ma spécialité.

— Et vous sentez-vous prêt à élucider le secret du Mystérieux Papier ?

Il se figea, sa culotte à la main. Il avait complètement oublié ce papier. Comment aurait-il pu y penser alors qu'elle était là, devant lui, avec son sourire délicieux, son parfum, sa peau semée de taches de rousseur comme si on y avait saupoudré de la poussière d'or ?

S'il avait vécu au temps de l'Antiquité égyptienne, c'est sa silhouette et son visage qu'il aurait peints sur les murs de son propre tombeau, afin de la contempler durant l'éternité.

Elle avait transformé le scarabée en bague, et elle la portait tout le temps.

Il la souleva de la table, la déposa sur le sol et l'aida à enfiler sa culotte. Après en avoir noué le lien autour de sa taille, il lui passa son jupon, et enfin sa robe, qu'il agrafa entièrement.

— Et voilà, conclut-il. Terminé.

Oui, tout était en place, excepté ses cheveux, qui retombaient en longues mèches bouclées dans son cou. Elle s'approcha de lui, posa la main sur sa poitrine, puis la fit descendre et descendre encore.

— Lisle, c'était *follement* excitant !

— Je pense que...

Mais il n'était plus capable de penser. Elle avait plaqué la paume sur son sexe qui gonflait déjà, anticipant les plaisirs à venir.

Son sourire, son parfum et son rire.

Il n'attendit pas d'écouter ce que sa conscience avait à lui dire.

Il la plaqua contre le mur, retroussa ses jupes et trouva la fente de sa culotte. Cette fois, il ne s'embêta pas à lui enlever quoi que ce soit.

Plus tard

Olivia remonta ses bas qui s'étaient détachés durant leur dernière étreinte et renoua ses jarretières. Du coin de l'œil, elle vit Lisle reboutonner son pantalon.

— Il va quand même falloir que nous sortions d'ici, dit-il.

— Oui. Les choses sont en train de nous échapper.

Elle manquait peut-être d'expérience dans le domaine de la Passion Physique, mais elle maîtrisait les probabilités. Plus ils feraient l'amour, plus le risque serait grand qu'elle tombe enceinte. Et si cela se produisait...

Elle leva les yeux sur cet homme grand, fort, et pas tout à fait civilisé. Elle serait heureuse de porter son enfant. Elle trouverait bien un moyen de s'en sortir. Elle était douée pour ça un coup

Il alla déverrouiller la porte. Oliv... d'œil par la fenêtre.

— Nous n'allons pas avoir b... coup de lumière pour fouiller l'entresol. Le s... déjà en train de se coucher. Sommes-nous ici ?

— Depuis combien de

— Un bon moment. Avec tous ces boutons, ces agrafes, ces rubans à dénouer, puis à renouer. La seconde fois vous avez été plus direct, mais, en fait, cela a duré plus longtemps.

Après avoir ôté la chaise coincée sous la poignée, il ouvrit la porte et, d'un geste, invita Olivia à sortir.

— Il est temps d'y aller.

Oui, il était grand temps. Elle commençait à se poser des questions. Des questions embarrassantes. Que ferait-elle quand Lisle retournerait en Égypte ? Finalement, était-ce si dramatique d'arriver en seconde position dans le cœur d'un homme ? Ou en troisième, voire en quatrième ? Était-ce pire que de n'être rien du tout, de vivre sur un autre continent et d'attendre la lettre qui lui apprendrait qu'il était tombé amoureux d'une autre femme ?

Une femme qu'il épouserait et auprès de laquelle il s'établirait pour ne plus jamais revenir, cette fois.

Serait-ce la fin du monde si elle se résignait à faire ce que n'importe quelle femme aurait fait dans sa situation ?

Ce serait terrible, oui. Pour *lui*.

Elle s'engagea dans l'escalier, et il lui emboîta le pa.

— J'espère que le thé est prêt. Je meurs de faim, déca.a-t-il.

El. aussi avait l'estomac dans les talons. Elle n'ava. p.en avalé depuis son petit déjeuner tardif.

sol ? su.uoi ne pas le faire servir dans l'entre-de lumiè.t-elle. Autant profiter de ce qu'il reste

— Nous

recherches pouvons pas entreprendre des objecta-t-il. tant que les ouvriers s'y trouvent, les murs en us voyaient en train d'examiner

.éférant à un vieux bout de

papier, ils se demanderaient ce que nous trafiquons et ne seraient pas longs à comprendre. Et le nombre de chasseurs de trésor grimperait en flèche.

— Vous avez raison, admit-elle. Mais dans ce cas, il va falloir attendre la nuit.

— Et pourquoi diable devrions-nous attendre la nuit ? répliqua-t-il.

— Parce que tout le monde dormira. Ainsi nous ne risquerons pas d'éveiller les soupçons.

Il secoua la tête.

— Voilà ce que nous allons faire : tout d'abord, prendre tranquillement notre thé. Le temps que nous terminions, les ouvriers seront partis. Nous descendrons alors sous prétexte d'évaluer la progression des travaux. Il y a de grandes chances pour que nous nous disputions longuement à ce sujet, ce qui devrait nous laisser quelques heures pour visiter l'entresol. Vous comprenez ?

— Bien sûr. Ma cervelle fonctionne à merveille, merci.

Deux heures après le départ des ouvriers, Olivia, plantée au milieu de l'entresol, scrutait en vain les murs nus.

— Soit nous nous y attaquons à la pioche, soit nous revenons quand il fera grand jour, déclarat-elle. Les deux extrémités mesurent chacune quatre mètres, et ce sont des murs aveugles. Je ne sais pas comment vous travaillez dans vos tombeaux égyptiens, mais, personnellement, je n'y vois goutte. On aperçoit bien des marques dans la pierre, mais s'agit-il de symboles ? Je n'en sais fichtre rien.

— Les murs des tombeaux sont en général gravés au ciseau et peints. On peut parfaitement les étudier à la lueur d'une torche. Ici, on a l'impression que quelqu'un s'est attaqué au mortier avec une pioche et que le tout a été rejointoyé ensuite, mais il pourrait s'agir d'une banale réparation, constata Lisle en passant la main sur la surface rugueuse d'un moellon.

— En tout cas, si d'autres nous ont précédés dans cette quête au trésor, il semble qu'ils n'étaient pas mieux renseignés que nous.

— Cela ne rimerait à rien de démolir ces murs au petit bonheur la chance. Cette salle est relativement en bon état. Je crains que vous ne deviez contenir votre impatience. Il va falloir réfléchir encore un peu.

Olivia pivota sur elle-même. D'après Lisle, cet endroit avait dû être autrefois une salle de garde. On y trouvait une cheminée, un placard, ainsi qu'un cabinet d'aisances aménagé dans l'angle sud, à côté d'une penderie. L'endroit avait été nettoyé et rénové tout récemment, et Olivia avait beau être impatiente, elle n'avait aucune envie de saccager le travail des ouvriers.

— Dimanche, proposa-t-il. Les ouvriers ne viendront pas et la plupart des domestiques prendront leur demi-journée. Nous pourrons passer la pièce au peigne fin sans être dérangés et sans éveiller les soupçons. En plein jour.

— J'espère que nous aurons appris davantage entre-temps. Les Harpies seront de retour pour le dîner. Peut-être pourront-elles lever un petit coin du voile. Et il nous reste encore à compulser des tas d'écrits de votre cousin. Je n'ai pas eu le temps de tout lire, loin de là.

Elle se tourna vers le mur qui s'obstinait à garder ses secrets et, l'index dressé, lança:

— À dimanche, donc, Insoluble Mystère !

— « Les murs ont des yeux et des oreilles, mais regarde en dessous », répéta Lisle. C'est bien cela ?

Les Harpies hochèrent la tête.

Elles étaient rentrées tard d'Édimbourg où elles avaient dîné chez des amis. On venait de leur servir un souper léger, durant lequel elles avaient relaté à Lisle et à Olivia leurs diverses conversations avec les proches de Frédérick Dalmay.

— Désolée, mes enfants, cela n'a aucun sens, soupira lady Withcote.

— Et ce n'est pas un secret, renchérit lady Cooper. Tout le monde sait quelles ont été les dernières paroles de votre cousin sur son lit de mort. Les gens ont cru qu'il s'agissait encore d'une de ces plaisanteries dont il était friand.

— Il paraît qu'il perdait un peu la tête sur la fin de sa vie.

Tout le monde était également au courant de la liaison que Frédérick avait entretenue avec une veuve de la région, liaison qui s'était poursuivie durant des années. Et tout le monde savait que ce n'était pas la seule dame qu'il avait fréquentée. Le cousin de Lisle avait eu un faible pour la gent féminine, qui le lui avait bien rendu.

C'était un collectionneur, qui pratiquait l'humour autant que les femmes, et qui était aux anges chaque fois qu'il dénichait un livre, un article ou une lettre traitant du château de Gorewood. Pourtant, il n'avait mis de côté aucun document spécifique en rapport avec le trésor légendaire.

Cependant…

— Les murs, murmura Lisle.

Il tourna les yeux vers Olivia, qui poussait du bout de sa fourchette le morceau de gâteau dans son assiette, en picorant distraitement une miette de temps à autre.

— Oui, les murs, répéta-t-elle, l'air clairement ailleurs.

Nuit du vendredi 28 octobre

Les frères Rankin regardaient Mary Millar qui, aidée de deux habitués, soutenait son frère et le guidait vers la porte de la taverne.

Complètement ivre, Glaud Millar titubait à chaque pas.

— Un type serviable celui-là, murmura Roy.

— Pour sûr, opina Jock.

Mary Millar travaillait comme femme de chambre au château. Son frère était cordonnier de son état. Les frères Rankin avaient pris Mary à part pour l'informer de leurs craintes : ils avaient très peur qu'un malheureux accident survienne et que Glaud se retrouve les doigts brisés. Ce qui risquait fort d'arriver, à moins qu'elle ne se décide à leur parler plus souvent… disons, de ce qui se passait au château. Ils s'inquiétaient aussi beaucoup des accidents dont elle pourrait être victime à son tour si jamais elle mettait qui que ce soit au courant.

Il suffisait de payer à boire à Glaud pour gagner son amitié. En l'espace d'une nuit, les frères Rankin étaient devenus ses meilleurs amis. Chaque soir, quand Marie venait le chercher, elle le trouvait attablé dans un coin avec ses deux nouveaux camarades. Alors depuis quelque temps, elle s'asseyait et passait un moment à discuter avec eux.

Ce soir, elle avait évoqué la visite des deux vieilles dames à Édimbourg.

— Ils savent ce qu'a dit le vieux avant de canner, pourtant ils creusent pas, s'étonna Jock.

— « Les murs ont des yeux et des oreilles, mais regarde en dessous. » À part de la terre, que veux-tu qu'il y ait sous un mur ?

Jock jeta un regard autour d'eux, mais personne ne les écoutait. Même quand la taverne était bondée, les clients s'arrangeaient toujours pour ne pas les approcher de trop près.

Roy semblait réfléchir. Penché sur sa chope de bière, Jock murmura :

— On a trouvé des choses, nous, dans la terre. Près du mur. Eux, ils creusent pas où il faut. Et nous, on peut rien faire.

Roy cogitait toujours.

— J'te jure que je vais devenir marteau, reprit Jock. Tout ce temps perdu…

— Peut-être que ça veut pas dire ce que ça a l'air de dire, suggéra Roy.

La pensée était trop profonde pour Jock. Secouant la tête, il souleva sa chope et la vida.

— Le vieux avait de l'éducation. Et le fils du laird, il a été aux grandes écoles lui aussi. Peut-être qu'il va deviner ce que ça veut vraiment dire. Peut-être que c'est comme du grec, que c'est des choses que nous on peut pas piger, et que le papier explique tout. Ce papier, on peut pas le voler. Alors peut-être qu'on devrait les laisser faire tout le boulot.

— Tu veux qu'on abandonne le trésor ? s'insurgea son frère.

— J'ai pas dit ça. J'ai dit qu'on allait les laisser trouver le trésor. J'ai pas dit qu'ils le *garderaient*.

— Ma parole Roy, t'as pris un coup sur la tête ou quoi ? Tu crois qu'on va pouvoir le prendre et l'emmener comme ça, avec tous ces serviteurs, et ce salopard de Herrick qui les commande ? Et je parle pas des verrous, des barres aux portes et des pièges dans le sous-sol !

— Nous avons Mary, lui rappela Roy. Elle fera ce qu'on lui demandera.

Dimanche 30 octobre

— Maudites pierres ! Satané mur ! cria Olivia. Tu n'es pas le Sphinx, bon sang ! Tu caches quelque chose, je le sais parfaitement.

Elle donna un coup de maillet sur la paroi.

— Ne tapez pas...

— Aïe !

Elle lâcha l'outil qui alla rebondir sur le sol.

— ... si fort, acheva Lisle dans un murmure.

Il abandonna son marteau et s'approcha d'elle. L'air maussade, elle se frottait le bras. Il repoussa sa main et entreprit de le masser.

— Il faut s'y prendre plus délicatement.

— Je ne suis pas douée pour ça. Je ne sais pas ce que je cherche. Je ne sais pas quels sons je dois repérer. Ne pourrions-nous pas plutôt utiliser la technique de Belzoni ?

— De quelle technique parlez-vous ?

— Vous savez bien. C'est vous qui me l'avez expliquée. En observant simplement une structure, il a remarqué des anomalies et découvert l'entrée de la Seconde Pyramide. Il l'a raconté dans son livre. Ne pourrions-nous percer le secret de ce mur juste en le *regardant* ?

— Je l'ai regardé, mais ici c'est différent. Le matériau est différent. Et je ne sais pas trop ce qu'il faut chercher.

Il laissa doucement retomber son bras avant de s'écarter d'un pas.

320

Cinq jours. Une éternité. Ils avaient passé leur temps à lire la documentation du cousin Frédérick. Mais pas derrière des portes closes, cette fois. Ils avaient emporté livres et papiers dans la grande salle et travaillé chacun d'un côté de la table.

Ils n'avaient pas eu besoin de se concerter. Les choses leur avaient échappé, même Olivia l'avait admis. Elle d'ordinaire si téméraire avait fait marche arrière.

«Nous allons nous gâcher mutuellement la vie… Je ne me satisferai pas d'arriver en second dans le cœur d'un homme », l'avait-elle prévenu.

— Où est notre indice ? s'enquit-il.

— Quelque part par terre. Je l'ai lâché. Je préférerais ne l'avoir jamais vu.

— Rappelez-moi de ne jamais vous emmener sur un site de fouilles.

— Comme si vous étiez capable de le faire !

— Je le pourrais, mais vous péririez d'ennui. Ou bien vous tueriez quelqu'un. La patience n'est pas votre vertu principale.

Elle fit volte-face dans un tourbillon de jupes, puis se laissa choir sur l'un des bancs que les ouvriers avaient laissés là.

Lisle se concentra sur le papier. Les marques dessinées sur la grille ne correspondaient pas à celles que l'on trouvait sur les murs de l'entresol. Car il y en avait des quantités ici, parmi lesquelles des initiales que des inconnus avaient gravées, comme l'avaient fait certains visiteurs sur le Grand Lit de Ware.

— Vous y avez vraiment songé, dit-elle. À m'emmener sur un site de fouilles.

Oui, il y avait songé. Très souvent, même. La première fois qu'il avait vu les grandes pyramides et le Sphinx, il avait pensé à elle, à ce qu'elle aurait dit si elle s'était trouvée à ses côtés, à l'expression de son visage…

— Parfois, j'imagine ce que ce serait de pouvoir me tourner vers vous et dire : « Regardez cela, Olivia ! Et ceci ! »

— Oh.

— L'instant de la découverte est très excitant. Vous adoreriez ça. Mais avant et après, il faut des heures, des jours, des semaines d'un travail pénible et répétitif.

— Durant lequel vous oublieriez jusqu'à mon existence.

— Vous pourriez m'apporter une tasse de thé de temps à autre. Cela me rafraîchirait la mémoire.

— C'est à Nichols de faire ça.

— Vous pourriez vous déshabiller.

— Et danser nue dans le désert ?

— La nuit, sous le ciel étoilé. Vous n'imaginez pas à quoi ressemblent les nuits là-bas.

— À vous entendre, c'est le paradis…

Elle se releva soudain d'un bond et lança d'un ton accusateur :

— Je sais ce que vous êtes en train de faire ! Vous essayez de m'appâter.

— Voyons, c'est grotesque…

Essayait-il de l'appâter ? Peut-être.

— Je vous connais, Lisle. Mieux que quiconque. Votre conscience grignote du terrain. Nuit après nuit. Et vous avez échafaudé un plan machiavélique, un piège dans lequel vous voudriez me voir tomber. Vous avez décidé de me faire miroiter les attraits d'une vie à vos côtés, et comme vous me connaissez bien, vous savez exactement comment vous y prendre.

Était-il machiavélique ? Son plan fonctionnait-il ?

Elle s'approcha de lui :

— Je suis plus patiente que vous ne le croyez, mais je ne suis pas d'humeur. Vous ne m'aurez pas avec votre ciel étoilé. Maintenant montrez-moi ce maudit papier.

L'Égypte. Danser dans le désert, nue sous les étoiles.

Il avait l'air si angélique avec ses cheveux d'or et ses yeux d'argent. Mais c'était le diable en personne, un vil tentateur.

Elle lui confisqua le papier, s'obligea à se concentrer. Si le dessin représentait un mur, les cases figuraient les moellons. Mais que signifiaient ces minuscules chiffres et inscriptions?

À droite, à mi-hauteur se trouvait une sorte de symbole.

— Celui-ci ne ressemble pas aux autres, remarqua-t-elle.

— C'est une marque laissée par un maçon, je pense. On dirait des initiales. Un W et un C accolés et traversés par une flèche.

— La flèche pointe vers la gauche.

— Et vous voyez quelque chose qui ressemble à ça ici?

Tous deux pivotèrent vers le mur est, à la recherche d'une trace similaire incrustée dans la pierre. Mais il n'y avait rien. Ils se tournèrent vers le mur ouest. Rien non plus.

— Ce devrait pourtant être sur un... commença Olivia, avant de s'interrompre brusquement, puis de s'exclamer: À moins qu'il ne faille chercher tout autre chose!

Des mots et des images défilaient dans son esprit. Elle se remémora ce qu'avaient dit les deux Harpies, ainsi que certaines paroles prononcées par Lisle.

— Vous vous souvenez quand j'ai dit que cette grille était trop simple, et que vous m'avez répondu qu'en général les plans l'étaient ?

Il regarda le papier, puis le mur.

— La flèche désignerait un endroit ? fit-il. Mais les initiales W.C. ?

— « Les murs ont des yeux et des oreilles. Regarde en dessous »… Gare en dessous. Oui, cela pourrait ressembler à l'une de ses plaisanteries, murmura-t-elle, perdue dans ses réflexions.

— Je ne comprends rien à…

— Venez !

Elle lui prit la main.

Sa main dans la sienne. C'était si simple de lui prendre la main, mais les émotions que cela faisait naître en elle étaient tout sauf simples.

Elle l'entraîna vers le cabinet d'aisances, ouvrit la porte du réduit.

— Ce sont les latrines, objecta Lisle.

— Les water-closets. W.C. Il m'est revenu à l'esprit qu'à Édimbourg, quand on jette par la fenêtre les eaux usées du premier étage des maisons, on lance un avertissement : « Gare en dessous ! » Pour que les passants se mettent à l'abri. C'est cela qu'a dit votre cousin sur son lit de mort !

Le cabinet était exigu et sombre. La robe d'Olivia prenait beaucoup de place et Lisle eut un peu de peine à se faufiler à côté d'elle. Mais ensuite ils purent examiner à la bougie le mur couvert d'initiales, de dessins rudimentaires et d'inscriptions scatologiques plus ou moins poétiques que diverses mains avaient gravés dans la pierre.

Ils avaient pris soin de laisser la porte ouverte pour permettre à la lumière en provenance de la fenêtre de pénétrer dans le réduit, néanmoins celui-ci n'était pas conçu pour accueillir deux personnes. Très vite l'atmosphère s'épaissit et se réchauffa dans cet espace confiné. La tête rousse d'Olivia était juste sous le nez de Lisle qui sentait son parfum monter jusqu'à lui et l'envelopper petit à petit.

— On ferait mieux de se dépêcher, dit-il. Sinon...

— Je sais. Est-ce que c'est pareil dans un tombeau ?

— Je l'ignore. Je n'ai jamais été dans un tombeau en votre compagnie.

Il ne pouvait s'empêcher d'incliner la tête vers la sienne, fasciné par les petites boucles qui dansaient avec insolence sur sa tempe.

— Attention à la bougie ! l'avertit-elle.

Au même moment une goutte de cire chaude lui tomba sur le doigt, il redressa la bougie et vit le moellon délimité par le joint de mortier. De chaque côté, quelqu'un avait gravé une croix.

— Ici ! s'exclama-t-elle.

— Oui, on dirait bien...

— Seigneur, je ne peux pas y croire ! C'est ancien, n'est-ce pas ?

— Oui, confirma-t-il. Cette fois les signes sont gravés dans le mortier, pas dans la pierre. Le mortier est ancien, les marques sont donc anciennes.

Partout ailleurs, les marques étaient gravées dans la pierre. Le cœur de Lisle s'emballa. Ce n'était peut-être rien. Une autre plaisanterie de son cousin. Comment dater avec précision ces traces ? Elles pouvaient remonter à dix ans, vingt ans ou deux siècles.

— Oh, Lisle, nous avons trouvé ! Quoi au juste, je ne sais pas, et je m'en moque. Nous avons cherché et nous avons trouvé, s'écria-t-elle en se tournant vers lui, radieuse.

Il posa la bougie sur la planche qui fermait la chaise percée, prit la jeune femme par la taille et la souleva pour amener son visage à hauteur du sien.

— Vous êtes la fille la plus folle et la plus intelligente que je connaisse.

Riant, elle noua les bras autour de son cou, et il l'embrassa. C'est bien dans cette intention qu'il l'avait prise dans ses bras. Elle lui rendit son baiser avec passion, comme si ce devait être le dernier.

Il la reposa lentement sur le sol, récupéra la bougie, et fit ce qu'il faisait d'ordinaire. D'abord regarder, puis réfléchir, et enfin décider. Il étudia le mortier, envisagea diverses solutions, puis opta pour la meilleure selon lui.

— Il nous faut des burins, décréta-t-il.

Cela prit un temps fou. Ils avaient également apporté des pioches, mais se rendirent vite compte que dans un espace aussi réduit il était impossible de manipuler un tel outil. Ils se résignèrent donc à faire tomber le mortier morceau par morceau, à l'aide d'un burin et d'un marteau.

Appliqués, ils travaillaient côte à côte, et leurs corps en nage se touchaient de temps en temps.

Petit à petit, ils dégagèrent le moellon, jusqu'à le desceller entièrement.

— Je croyais le mortier plus solide. Je pensais que cela nous prendrait des heures, avoua Lisle qui s'efforçait de faire bouger la pierre. Elle n'est pas aussi lourde qu'elle en a l'air. Voulez-vous m'aider à la déplacer ou préférez-vous aller chercher des domestiques ?

— Comment pouvez-vous poser une telle question ? Après avoir passé tant de temps à cogiter et à trimer sur ce maudit mur, je ne vais sûrement pas laisser les domestiques me voler ce moment de triomphe !

— Nous ne savons pas encore si triomphe il y aura.

— Ça m'est égal que nous trouvions une paire de godillots de votre cousin derrière cette pierre. Nous aurons trouvé *quelque chose*.

— Très bien. Alors posez la main ici pour maintenir le moellon pendant que je le fais glisser.

Elle suivit ses consignes et, un centimètre après l'autre, la pierre fut délogée du mur. Ce fut cependant plus rapide que prévu, et Olivia l'aurait laissé tomber si Lisle ne l'avait promptement rattrapée.

Il la posa sur la chaise percée.

Vue de face, la pierre ressemblait en tout point aux autres. Mais de profil, on remarquait qu'elle avait été rabotée sur plusieurs centimètres.

Lisle s'empara de la bougie. Se hissant sur la pointe des pieds, Olivia tendit le cou pour regarder dans le trou que la pierre venait de révéler.

Au fond reposait un coffre cerclé de fer.

18

Du moins, cela ressemblait à un coffre cerclé de fer.

Olivia le considéra, bouche bée. Elle ne savait pas vraiment à quoi elle s'était attendue, mais sûrement pas à ça.

— Dieu Tout-Puissant, murmura-t-elle.

— On dirait un coffre.

— Et très sale, apparemment. À moins que le bois n'ait moisi ?

— On dirait qu'il a été enterré. Peut-être que celui qui l'a caché là a changé d'avis après coup.

Lisle enfonça les mains dans le trou, saisit le coffre par les côtés, et tira. En vain. L'objet ne bougea pas d'un millimètre. Il s'y reprit plus énergiquement, et le coffre remua un peu.

— Il est plus lourd que je ne pensais, déclara-t-il. Je vais avoir besoin que Nichols me donne un coup de main.

Tandis qu'il s'en allait chercher son valet, Olivia demeura dans les latrines à regarder le coffre avec incrédulité. Elle avait encore du mal à en croire ses yeux quand Lisle revint avec Nichols et une boîte à outils.

Elle recula pour permettre aux deux hommes de racler la couche de terre dans laquelle le coffre était enchâssé. Cela fait, ils s'emparèrent des poignées que ce nettoyage avait révélées et, dans un même élan, tirèrent l'objet hors du trou.

Avec précaution, ils le déposèrent sur le sol.

— Transportons-le dans la pièce voisine, nous aurons plus de lumière, suggéra Lisle.

Ils reprirent leur fardeau et passèrent dans la salle de garde. Puis Nichols continua de nettoyer le coffre.

Il procédait avec un soin méticuleux. Olivia en trépignait intérieurement d'impatience.

— Un problème, Nichols ? s'enquit Lisle.

— Pas vraiment, Votre Seigneurie. Mais il vaut mieux être prudent.

— Vous ne pensez pas qu'il risque d'exploser ? s'inquiéta Olivia. Le cousin Frédérick aimait faire des farces, mais pas à ce point.

— Non, il n'y a aucun danger de ce côté-là, mademoiselle. C'est juste que certains détails indiquent qu'il s'agit d'une facture allemande du XVIe ou du XVIIe siècle.

Olivia fronça les sourcils.

— Un coffre allemand ? Du XVIe ou du XVIIe siècle ? répéta-t-elle.

— Et alors ? fit Lisle.

— Ces coffres sont célèbres dans le monde entier, expliqua-t-elle.

— Très compliqués, ajouta Nichols.

— Le mécanisme d'ouverture est diabolique. Mon grand-oncle Hubert DeLucey, qui pouvait ouvrir n'importe quel coffre, affirmait qu'il avait passé des jours à s'échiner sur l'un d'eux. Et il avait les clés !

— Il ne faudrait pas abîmer le mécanisme par mégarde, acquiesça Nichols sans cesser de s'activer avec délicatesse.

Les doigts d'Olivia lui démangeaient. Elle s'obligea à se tenir en retrait. Tandis que Nichols, avec une indéfectible patience, ôtait les couches de terre durcie, elle se mit à tourner à pas lents autour du coffre, l'examinant avec attention.

Il faisait environ soixante centimètres de long sur trente de large, et autant de profondeur.

Quand Nichols en eut terminé, le soleil se couchait. Pendant que le valet nettoyait le sol, Olivia et Lisle s'agenouillèrent devant le coffre.

— Vous voyez, ces serrures ? Elles sont fausses, dit-elle. Les vraies sont cachées quelque part. Et bien sûr, une fois que nous les aurons forcées, nous en trouverons d'autres.

— Encore plus difficiles à violer, je suppose ?

— Je n'ai vu qu'une seule fois un coffre pareil, et je n'ai pas eu l'occasion de travailler dessus. Je sais qu'il faut ouvrir les serrures dans un certain ordre, puis tourner des molettes. C'est très délicat, même quand on possède les clés. Or nous ne les avons pas.

Lisle regarda son valet.

— Nous aurons besoin d'autres bougies, Nichols. Et pendant que tu y es, allume donc un feu dans la cheminée. Je pense que nous en avons pour un moment.

Quatre heures plus tard, Olivia, assise à la table, le menton calé dans les mains, fixait le maudit coffre d'un air furibond.

Celui-ci avait résisté à toutes ses tentatives.

Après que Lisle et elle eurent enlevé toute trace de rouille, puis graissé les parties métalliques, elle s'était mise à l'ouvrage.

— Cela fait une éternité que je n'ai pas crocheté une serrure digne de ce nom, avait-elle confié à Lisle.

À la fin de la première heure, il avait demandé à Nichols d'apporter une chaise, ainsi qu'une table sur laquelle ils avaient installé le coffre.

À la fin de la deuxième heure, Bailey avait apporté du thé pour tout le monde et un châle pour sa maîtresse.

Au cours de la troisième heure, Lisle avait suggéré :

— Nous devrions monter nous changer avant le dîner.

— Allez-y si vous voulez, avait rétorqué Olivia. Quant à moi, je ne quitterai pas l'entresol avant d'être venue à bout de ce satané coffre.

Il avait alors prié les Harpies de dîner sans eux, et avait descendu des sandwichs et une bouteille de vin.

Olivia avait essayé tous les crochets et passe-partout de sa trousse spéciale, et cela en faisait beaucoup. En désespoir de cause, elle avait tenté l'épingle à cheveux, l'aiguille à coudre, le cure-dent et le fil de fer. En vain.

Au bout de quatre heures, Lisle avait fait remarquer :

— Parfois, il vaut mieux abandonner le travail pour s'y remettre à tête reposée.

— Aucune serrure ne m'a jamais résisté !

— Mais vous avez dit vous-même qu'il s'agissait d'un type particulièrement coriace. Diabolique. Vous êtes face à une énigme. Combien d'années croyez-vous qu'il a fallu à tante Daphné pour déchiffrer les signes pour « Ramsès » ?

— Nous ne sommes pas en présence d'une langue morte ! Il s'agit d'une serrure, d'un mécanisme qui s'ouvre d'une manière ou d'une autre. Et ça, c'est ma spécialité !

Il soupira.

— Le problème, c'est que votre esprit n'est pas tourné pour élucider ce genre de mystères. Il faut un esprit méthodique, laborieux. Tandis que vous, vous êtes dans l'émotion, dans l'agitation.

Elle releva la tête pour le fusiller d'un regard qui semblait capable de transpercer l'acier.

— Prétendriez-vous vous en tirer mieux que moi ?

— Il serait peut-être temps de me laisser essayer.

— Non ! s'entêta-t-elle. Je vais y arriver. Et je le ferai sans l'aide d'un *amateur*.

Elle avait prononcé ce dernier mot d'un ton si dédaigneux que, malgré tous ses efforts, il ne put s'empêcher d'éclater de rire. Un rire qui n'en finissait pas.

Rageant, elle se dressa d'un bond.

— Ce n'est pas drôle, espèce de buse !

Il la saisit par la taille et l'attira dans ses bras pour l'embrasser. Elle se débattit durant quelques secondes, puis l'enlaça et lui rendit son baiser avec ardeur. Au bout d'un moment il sentit son corps tressaillir, et elle éclata à son tour d'un rire si joyeux qu'il en éprouva une étrange félicité.

— Je vais y arriver, répéta-t-elle en tapant du pied, sans cesser de rire. Même si c'est à s'arracher les cheveux !

— Ce n'est peut-être pas votre habileté qui est en cause, objecta-t-il en caressant ses boucles soyeuses. Il est possible que les rouages aient joué avec le temps.

— Que conseillez-vous alors ? Utiliser une masse ?

— Je sais que cela vous ferait un bien fou, mais cela risquerait de détruire le coffre, et peut-être son contenu. Non, ce qu'il nous faut, c'est un forgeron.

— Tu es en retard, Mary.

La femme de chambre remontait le chemin qui menait au cottage qu'elle partageait avec son frère. Elle sursauta violemment quand Roy sortit de l'ombre.

— Glaud... Vous n'avez pas... balbutia-t-elle.

— T'inquiète pas, Jock veille sur lui. Faudrait pas qu'il se blesse les mains. Il pourrait plus travailler. Dis-moi donc ce qui t'a retenue si longtemps ?

— C'est dimanche. Presque tout le monde a pris sa demi-journée.

— Mais pas toi. Glaud me l'a dit. Tu aurais dû m'en parler, Mary.

— On est mieux payé si on travaille le dimanche. J'ai besoin de cet argent, vous le savez bien.

— Et toi, tu devrais savoir que c'est pas parce que la taverne est fermée aujourd'hui que tu vas pouvoir rentrer chez toi sans te faire repérer. Si j'étais toi, je me mettrais à table.

La jeune femme jeta un regard nerveux autour d'elle, puis murmura d'un ton hésitant :

— Ils... ils ont trouvé quelque chose. La demoiselle et le fils du laird. Tous les domestiques étaient partis, excepté leurs serviteurs personnels. Ils ne se sont pas rendu compte de ma présence. J'ai... écouté aux portes, comme vous me l'avez demandé.

— Et qu'est-ce que t'as entendu ?

— Ils ont trouvé un coffre.

Roy exhala un long soupir.

— Et ?

Mary se tordait les mains, de plus en plus anxieuse.

— Tu ferais mieux de tout me dire. Tu te sentiras mieux. Et Glaud aussi...

— Ils ont trouvé un coffre dans la tour sud, dans l'ancienne salle de garde. M. Nichols a passé des heures à le nettoyer, mais comme ils n'ont pas réussi à l'ouvrir, ils vont l'emporter chez le forgeron. C'est tout ce que je sais. Laissez-moi passer, s'il vous plaît. Il faut que je prépare son dîner à Glaud.

Elle fit mine de poursuivre sa route, mais Roy l'attrapa par le bras.

— Le forgeron. Quand ?

— Tôt demain matin. Avant que la nouvelle se répande, et avant que les ouvriers arrivent au château. Ils ne veulent pas attirer l'attention.

Il la lâcha.

— Rentre chez toi. Et dis à Jock que je l'attends.

Mary se précipita à l'intérieur du cottage. Quelques instants plus tard, Jock en sortit, et Roy lui raconta ce qu'il venait d'apprendre.

Lundi 31 octobre

Du château au village, il y avait moins d'une demi-lieue, ce qui ne prenait guère de temps à parcourir, même à une allure d'escargot. Lisle tenait par la bride le cheval attelé à la petite charrette dans laquelle avait été déposé le coffre, recouvert d'un vieux tapis de selle. Olivia marchait sur le bas-côté.

C'était encore une de ces matinées froides et grises. La plupart des ouvriers n'étaient pas encore arrivés, et les rares qu'ils avaient croisés sur la route, tout emmitouflés, les avaient salués d'un bref signe de tête sans s'attarder.

Lisle et Olivia avaient revêtu des vêtements chauds sans se soucier d'élégance. Elle avait endossé la lourde pelisse qui était censée la protéger la nuit où elle avait guetté les fantômes ; quant à Lisle, il portait un vieux manteau, dont Nichols avait déjà tenté de se débarrasser à plusieurs reprises sous prétexte qu'il n'était pas digne de figurer dans la garde-robe d'un comte. En attendant, il était très épais et le protégeait efficacement des rigueurs d'un climat auquel il ne s'était pas encore accoutumé. Du reste, il était peu probable qu'il s'y habitue un jour.

Leur mise modeste avait un autre avantage : elle leur permettait de ne pas attirer l'attention.

— Ça va ? Vous n'avez pas froid ? s'enquit-il au bout d'un moment.

— Oh, non ! J'ai plus de couches qu'un oignon. Bailey m'a forcée à mettre des dessous et un jupon de flanelle, un corset matelassé et une robe en laine.

— Merci pour ces détails instructifs.

— Celui qui voudrait me débarrasser de cet attirail aurait bien de la peine, je vous le garantis.

— Est-ce un défi ?

— Ma foi, je n'y avais pas pensé, mais c'est une excellente idée.

— Nous n'avons pas le temps.

— Nous n'avons *jamais* le temps.

— Nous ne pouvons pas nous permettre de le prendre.

— Mais j'en ai assez d'être vertueuse ! C'est contre-nature. On vient à peine de découvrir la Passion, et on est censé ne plus y goûter. C'est injuste !

— Parce qu'on est censé la découvrir durant sa nuit de noces.

— Les femmes, vous voulez dire. Car pour ce qui est des hommes, ils ont toute latitude de la découvrir et de s'y adonner quand bon leur semble. Mais nous autres...

— Les hommes n'ont pas plus le choix. La Passion leur tombe dessus sans crier gare. Si j'avais pu la découvrir quand cela me chantait, croyez-vous que je me retrouverais dans cette situation fâcheuse? Entre toutes les femmes, il a fallu que ce soit vous...

— Vous êtes si romantique.

— *Vous*, répéta-t-il. Celle qui exige le soleil, la lune, les étoiles et l'Amour d'une Vie en lettres majuscules. Pour votre gouverne, sachez que je ferais un très bon mari.

— Pour une momie peut-être.

Tous deux étaient de méchante humeur. Le manque de sommeil et la frustration physique ne faisaient pas bon ménage.

— Je suis l'héritier d'un marquisat, de plusieurs domaines fort rentables, et d'une immense fortune. Du moins si mon père et ma mère ne dilapident pas tout et ne mettent pas en fuite nos métayers.

— C'est si tentant, à vous entendre.

— Et voilà. Des sarcasmes. C'est exactement ce que l'on a envie d'entendre à 7 heures du matin.

— Il est presque 8 heures.

— D'où tenez-vous cela? Le soleil n'existe pas dans ce satané pays!

— Quand donc allez-vous cesser de dénigrer l'Écosse? À sa façon, c'est un très joli pays, mais il va falloir vous mettre dans le crâne qu'ici il n'y a ni sable, ni chameau puant, ni momie décatie...

— Même leurs ruines sont minables, coupa-t-il en désignant l'église à demi écroulée devant laquelle ils passaient. Regardez-moi ça, les pierres sont noires, envahies de mousse et de salpêtre... Ce sont des ruines *anarchiques*. Il y a même des arbres qui poussent entre les dalles! Pourtant il y a des gens enterrés ici. Enterrés et complètement oubliés. Même le cimetière...

C'est alors qu'il les vit. Arrêtant le cheval, il cria :

— Courez !

À cet instant, deux hommes masqués jaillirent du cimetière.

Au lieu de courir, Olivia pivota vers les deux hommes qui venaient de bondir sur la route.

Apeuré, le cheval se cabra. Le coffre glissa, percuta violemment la planche arrière qui se brisa. Le coffre tomba sur la route. L'un des deux hommes se précipita vers lui. Lisle plongea sur lui et le jeta contre la charrette. L'homme rebondit, voulut frapper Lisle. Ce dernier esquiva et lui décocha un coup de poing en pleine face. Cette fois son agresseur s'écroula et ne se releva pas.

Lisle entendit Olivia pousser un cri strident. Il fit volte-face. Le deuxième brigand était en train de se colleter avec elle. Il la maintenait à bout de bras, tandis qu'elle essayait de lui arracher son masque d'une main et de le frapper de l'autre, tout en lui décochant de sournois coups de pied dans les tibias.

Avec un grondement sourd, Lisle se rua sur la brute.

— Attention ! hurla Olivia.

Quelque chose heurta l'arrière de la tête de Lisle. La douleur explosa dans son crâne, mais il eut surtout conscience du visage horrifié d'Olivia, de ses yeux bleus écarquillés et de sa bouche arrondie.

Puis les ténèbres le happèrent.

— Nooooon ! Nooooon ! hurlait Olivia qui tentait frénétiquement de se libérer de son assaillant pour rejoindre Lisle.

— Laisse-la et viens plutôt me donner un coup de main, ordonna l'autre ruffian à son acolyte. Ce truc pèse une tonne.

L'homme lâcha Olivia qui courut s'agenouiller auprès de Lisle. Étendu sur le sol, il ne bougeait pas. Une tache rouge maculait sa cravate.

— Vous… vous avez intérêt à ne pas être mort, balbutia-t-elle.

Hagarde, elle pressa les doigts contre sa gorge à la recherche d'une pulsation. Oui. Là ! Elle laissa échapper un énorme soupir de soulagement.

Elle regarda autour d'elle. Les deux vauriens avaient disparu, ainsi que le cheval et la charrette. À cet endroit, la route flanquée d'arbres des deux côtés bifurquait abruptement. C'était le lieu idéal pour une embuscade, car il était invisible du château et des champs environnants. De toute façon, il n'y avait personne dans les parages. Mais des ouvriers n'allaient pas tarder à passer. Du moins l'espérait-elle.

— Au secours ! appela-t-elle. À l'aide !

Elle reporta son attention sur Lisle.

— Réveillez-vous, lui enjoignit-elle, s'efforçant d'affermir sa voix. Réveillez-vous, je vous en prie !

Doucement, elle glissa la main sous sa tête, sa pauvre tête poisseuse de sang. Elle avait vu l'homme se dresser derrière lui, une pierre à la main. Elle avait crié pour l'avertir, mais l'homme avait été trop rapide. Ensuite, elle avait eu l'impression que tout se passait au ralenti : la main qui brandissait la pierre… Lisle qui tressaillait… puis s'effondrait à terre.

— Réveillez-vous, il le faut !

Elle se mit à lui tapoter les joues, d'abord doucement, puis avec plus de vigueur. En cas de choc à la tête, plus on restait inconscient longtemps, plus la blessure était dangereuse, elle le savait.

Il remua soudain la tête de gauche à droite. Ses paupières papillotèrent.

— Que diable… bredouilla-t-il.

— Oh… Lisle ! s'écria-t-elle en se jetant sur sa poitrine.

Il referma les bras sur elle.

— Je vous interdis de mourir, sanglota-t-elle. Je ne peux pas vivre sans vous !

— Il était temps que vous vous en rendiez compte, grommela-t-il.

Grande salle du château de Gorewood

— Comment étaient-ils au courant ?

Lisle était assis sur une chaise, près de la cheminée où brûlait un bon feu. Sous le regard inquiet d'Olivia et des Harpies, Nichols avait nettoyé la plaie, puis appliqué un onguent qui empestait.

Olivia aurait pu le soigner elle-même, mais elle savait qu'il ne fallait pas se mettre entre un homme et son valet. Elle avait donc pris place à la droite de Lisle pour superviser l'opération et vérifier que la blessure était aussi superficielle que les deux hommes l'affirmaient.

Elle était pétrie d'angoisse quand un groupe d'ouvriers avait finalement débouché sur le lieu du guet-apens. Quand ils avaient voulu charger Lisle à bord d'une carriole, celui-ci avait protesté qu'il était tout à fait capable de marcher, mais les ouvriers n'avaient rien voulu entendre. Ils avaient réagi comme s'il les avait insultés. Il s'était donc résigné, et Olivia avait suivi l'attelage, malade de peur. Elle n'avait cessé de se remémorer l'instant fatidique, lorsque le brigand avait brandi la pierre, et qu'elle avait cru que Lisle se faisait tuer sous ses yeux.

À présent, elle était rassurée. Les épais cheveux de Lisle, ainsi que son chapeau l'avaient protégé. La pierre lui avait juste entaillé le cuir chevelu, ce qui expliquait le saignement.

Il n'empêche, elle se sentait encore toute retournée.

— Je sais que les nouvelles vont vite, reprit Lisle, mais là, c'est absurde ! Nous avons arrêté notre plan tard hier soir. Qui, en dehors de Nichols, Bailey et Herrick, était au courant que nous serions sur cette route au petit jour ?

— La question n'est pas de savoir qui était au courant, mais comment nos assaillants l'ont été, fit remarquer Olivia.

Herrick fit son entrée.

— Votre Seigneurie, les hommes sont de retour de leur expédition. J'ai le profond regret de vous annoncer qu'ils n'ont retrouvé ni ces misérables ni le coffre.

— Étant donné l'avance qu'ils avaient, je ne me faisais guère d'illusions, avoua Lisle. Si seulement les ouvriers n'avaient pas été retardés par cet homme affalé au bord de la route...

— Glaud Millar. C'est le cordonnier du village, Votre Seigneurie. Tous les soirs, il roule sous sa table à la taverne. Mais au matin, il est fidèle au poste et prêt à entamer sa journée de travail.

Olivia dévisagea le majordome.

— Vous croyez que quelqu'un l'a laissé là délibérément, Herrick ?

— Il est vrai que je trouve la coïncidence suspecte, mademoiselle.

— Moi aussi, renchérit Lisle. Nos agresseurs ont eu tout le temps de s'enfuir pendant que les ouvriers s'occupaient de Millar. À l'heure qu'il est, ils doivent déjà être à Édimbourg.

— Je n'en suis pas si sûr, Votre Seigneurie, objecta Herrick.

— Voyons, ils ont notre coffre *et* notre charrette *et* notre cheval. Je me demande ce qui les empêcherait d'être à Édimbourg ?

— Votre Seigneurie, il y a au village un certain nombre de bons à rien qui ne sont pas les lascars les plus malins du monde. Pourtant, je pense qu'après un tel forfait, aucun d'eux ne se risquerait à prendre la route pour se rendre tout droit là où tout le monde s'attend qu'ils aillent. En outre, si deux voisins disparaissaient subitement, la chose ne passerait pas inaperçue. Aussi je me permets de vous suggérer de poursuivre les recherches dans les alentours.

Les frères Rankin s'étaient cachés derrière un bosquet situé à quelques centaines de mètres de l'église en ruine.

Jock considérait le cheval volé d'un air dépité.

— Non, Jock, répéta Roy. Le coffre est en sécurité maintenant. Tout ce qu'on a à faire, c'est attendre que les choses se tassent.

— Mais on pourrait aller à Édimbourg. Un sur le cheval, l'autre dans la charrette avec le coffre.

— Juste le jour où le fils du laird se fait assommer, voler son cheval, sa charrette et son coffre ? Avec des hommes qui les cherchent partout dans la campagne ?

— Si Mary parle, ils sauront que c'est nous, de toute façon.

— Raison de plus pour rester. Si on dégage le terrain, elle se sentira libre de tout raconter. Mais si elle nous trouve à la taverne ce soir, installés avec Glaud comme d'habitude, elle tiendra sa langue.

— Et si elle a *déjà* parlé ? Ce salopard de Herrick...

— T'en fais pas, le sang est plus épais que l'eau. Tu sais bien qu'elle adore son crétin de frère. Elle se taira, je te dis. Et quand ce sera plus sûr, on aura qu'à se trouver une charrette et un bon cheval, faire nos malles – avec le coffre dedans – et partir pour Édimbourg. Ou peut-être Glasgow. Les gens de là-bas seront sûrement pas au courant de ce qui s'est passé ici, à Gorewood.

Roy réfléchit un instant, puis tapota l'épaule de son frère, l'air confiant.

— Oui, voilà la solution, Jock. Glasgow. C'est là qu'on ira.

— On pourrait pas y aller maintenant? hasarda Jock, plein d'espoir.

Roy jeta un coup d'œil au cheval qui broutait tranquillement.

— Trop risqué, décréta-t-il. Mais bientôt. Dès qu'on aura un autre cheval et une charrette. Celui-là, on va le détacher. Il rentrera à l'écurie quand ça lui chantera.

19

Ce soir-là

La porte du *Maraud Détroussé* s'ouvrit et quatre personnes entrèrent.

Jock, qui était en train de porter sa chope à la bouche, se figea dans son mouvement.

— Roy...

— Je vois, murmura ce dernier.

Le fils du laird, la rouquine qui avait flanqué un coup de genou dans les parties sensibles de Jock, Nichols, le petit valet nerveux, et ce salopard de Herrick.

— Qu'est-ce qu'ils veulent ? chuchota Jock.

— À ton avis ?

— On ferait mieux de partir...

— Ils entrent et on détale ? Qu'est-ce qu'ils vont penser d'après toi ?

— Je sais pas.

— Ils vont penser qu'on est coupables, voilà ce qu'ils vont penser. Bouge pas et fais comme si de rien n'était.

— Et si Mary va tout leur dire ?

Roy jeta un coup d'œil au frère de Mary, Glaud, qui était affalé sur la table, la tête sur les bras.

— Et qu'est-ce qu'elle pourrait bien raconter ? Nous, on lui a juste demandé des nouvelles du château. N'importe qui aurait pu en faire autant.

Le fils du laird et la rouquine s'approchèrent du comptoir et adressèrent quelques mots à Mullcraik. Celui-ci leur remplit deux chopes. Herrick ne les avait pas suivis. Il était resté près de la porte, les bras croisés. Tam MacEvoy quitta sa table et se dirigea vers la sortie. Herrick n'eut qu'à lever la main pour que Tam rebrousse chemin.

Le fils du laird se tourna vers la salle et brandit sa chope.

— Et une tournée générale, monsieur Mullcraik !

Il y eut un bourdonnement de voix. Tam Mac-Evoy se rassit brusquement.

— Merci, Votre Seigneurie ! lança une voix.

D'autres approuvèrent. Le fils du laird et la rouquine se contentèrent de sourire.

— Tiens, tu vois ? fit Roy à son frère. Ils sont venus poser des questions à tout le monde, et personne sait rien. Nous non plus, on sait rien. Et Sa Seigneurie va nous payer à boire, comme aux autres.

Après que chaque client eut été servi, quelqu'un proposa de porter un toast à Sa Seigneurie. Cela fait, Sa Seigneurie déclara sans élever la voix, mais suffisamment fort pour que tous entendent :

— La plupart d'entre vous me connaissent. Vous savez donc que je ne serais pas ici à vous rincer le gosier si je n'attendais quelque chose en retour.

Il y eut des rires. Il poursuivit :

— Je pense que vous savez déjà tous que ce matin, Mlle Carsington et moi-même avons été attaqués sur la route. On nous a volé notre charrette et son cheval, une vieille couverture de selle mitée, ainsi qu'un coffre encore plus vieux. Plus tard dans la journée, le cheval a ramené la charrette à l'écurie. La couverture avait disparu, tout comme le coffre. C'est ce coffre qui nous intéresse tout particulièrement, mais si quelqu'un avait des nouvelles de la couverture, nous serions preneurs. Comme vous vous en doutez, acheva-t-il en se tournant vers la rouquine, nous sommes venus ici à la recherche d'*indices*.

Une heure plus tard

— Ce sont eux, murmura Olivia. Les deux là-bas, dans le coin.

— Les frères Rankin, précisa Herrick sans même tourner les yeux dans leur direction.

Ceux-là figuraient déjà sur sa liste de suspects.

— Ils sont devenus brusquement très amis avec Glaud et Mary Millar, continua-t-il. Et Mary est femme de chambre au château. Elle a travaillé tard hier soir. J'ai discuté avec elle tout à l'heure, mais elle m'a assuré qu'elle était rentrée directement chez elle. Dommage, Votre Seigneurie. C'est une brave fille, mais elle n'a plus que Glaud au monde, et il semblerait que ces deux gredins exercent un chantage sur elle.

— Nous n'avons aucune preuve, objecta Lisle. Tout cela n'est que pure spéculation. Je n'ignore pas que les Rankin sont soupçonnés de nombreux larcins, mais...

Il secoua la tête. Gorewood partait à vau-l'eau, en grande partie par la faute de son père. Les honnêtes gens vivaient sous la coupe de quelques malfrats qui bafouaient la justice en toute impunité. Plus personne ne faisait référence en matière d'autorité. Même le pasteur, dont lord Atherton payait la charge, habitait Édimbourg et se souciait fort peu du salut de ses ouailles.

— Nous n'avons aucune preuve et ils le savent, intervint Olivia. Il leur suffit de garder le silence et nous en serons pour nos frais.

— Une bonne raclée leur délierait peut-être la langue ? suggéra Lisle.

— Pas très subtil.

Bien que Lisle se sentît assez déprimé ce soir-là, sa réponse le fit rire.

— Très bien, dit-il. À vous de jouer.

Penchés l'un vers l'autre, les frères Rankin s'entretenaient à voix basse au-dessus de leurs chopines. Glaud Millar cuvait sa bière, la tête posée sur ses bras repliés.

Olivia et Lisle s'approchèrent. La jeune femme prit place sur le siège libre, face à Jock, et Lisle s'empara d'une chaise à une table voisine pour s'installer à son tour, obligeant Jock et Roy à se pousser pour lui faire de la place.

Olivia se pencha vers Glaud.

— Glaud Millar ? Nous aimerions vous parler.

Glaud ne répondit pas. Il ronflait.

— Vous fatiguez pas, mamzelle, intervint Roy. Il est dans le potage. Y a que sa sœur qui pourra le tirer de là.

— C'est qu'il a eu une rude journée, observa Lisle. Des gens l'ont trouvé au lever du jour en train de dormir dans le fossé. On l'a transporté chez lui, et ce soir, le revoilà dans le même état.

Olivia s'adressa à Lisle :

— Vous admettrez que ces voleurs sont malins. Ils ont élaboré ce plan ingénieux en un rien de temps.

— Ingénieux ? Ils ont traîné un pauvre ivrogne sur la route et l'ont abandonné là, au risque qu'il se fasse écraser.

— C'était une tactique brillante, s'entêta Olivia. Si les ouvriers n'avaient pas été retardés par M. Millar, ils auraient pu arriver au moment de l'embuscade et voler à notre secours. Non, vraiment, c'était très futé de leur part.

Jock se rengorgea. Puis, comme Roy lui décochait un regard noir, il baissa le nez sur sa chope.

— Comment ne pas admirer une action aussi audacieuse? poursuivit Olivia.

— Je ne vois pas en quoi s'attaquer à une femme sans défense est audacieux, rétorqua Lisle.

— Sans défense? s'insurgea Jock. Mais elle a...

— Je vous demande bien pardon, mamzelle, intervint Roy, mais vous m'avez l'air tout à fait capable de vous défendre. Tout le monde a entendu parler de cette histoire avec le cuisinier français.

— Dans ce cas, répondit-elle en souriant, si le voleur était au courant, il a été très courageux de s'en prendre à moi.

— Hein, pas vrai? acquiesça Jock. Il a quand même failli perdre sa virilité dans l'affaire!

— Jock, fit son frère d'un air menaçant.

Mais Olivia gratifia Jock d'un nouveau sourire éblouissant, et le benêt prit aussitôt cet air hébété qui caractérisait les hommes foudroyés par sa beauté.

— Pourtant vous vous êtes bravement défendu, ajouta-t-elle.

— J'ai...

— Vous! hurla soudain une femme. Espèces de porcs, menteurs, et voleurs! Laissez mon frère tranquille!

À la table, tout le monde tourna la tête.

Mary Millar se tenait sur le seuil de la taverne, sa coiffe pendant dans le dos, les cheveux en bataille, le visage écarlate. Debout devant elle, le bras tendu, Herrick lui bloquait le passage.

— Laissez-moi passer ! Je vous en prie, monsieur Herrick. J'en ai assez supporté de ces gars-là !

Sur un signe de Lisle, Herrick s'écarta, et Mary fonça vers la table au pas de charge. Jock commença à se lever, mais Lisle le fit se rasseoir d'une bourrade.

— Parfait, reste assis et écoute-moi bien. Et vous tous, écoutez aussi ! s'écria Mary en jetant un regard de défi aux autres clients.

Une voix lui répondit :

— Vas-y Mary, dis ce que t'as à dire, fit une voix.

— Et vous aussi, Votre Seigneurie, continua-t-elle. Cette fois, j'en ai assez.

— Je vous écoute, Máry.

Elle se tourna vers les frères Rankin.

— C'était déjà ignoble de faire boire Glaud alors qu'il a un penchant pour la bouteille... mais en plus vous m'avez obligée à espionner les gens du château ! Je savais que ce n'était pas bien. Je n'aurais pas dû vous parler du coffre. Je me doutais que vous essayeriez de le voler. Mais je me suis dit que des crétins comme vous n'y arriveraient jamais. J'ai voulu croire qu'il ne se passerait rien de grave. Mais vous avez saoulé Glaud, et vous l'avez abandonné au bord de la route comme un sac de vieilles nippes ! Vous avez assommé Sa Seigneurie qui a été si bonne pour nous tous. Et vous vous en êtes pris à une *femme*, espèces de lâches !

Mary arracha sa coiffe et se mit à en frapper Roy. Puis, à la stupeur générale, elle fit subir le même traitement à son frère inconscient.

— Et toi aussi Glaud, écoute-moi ! J'en ai assez de veiller sur toi. Débrouille-toi tout seul à présent ! À cause de toi, je n'ai plus de travail. Je n'ai plus rien ! Alors je vais m'en aller, et toi... toi et tes ordures d'amis, vous pouvez aller au diable !

Et s'étant saisie d'une chope, elle en renversa le contenu sur le crâne de son frère. Celui-ci s'ébroua et releva la tête pour la considérer de ses yeux vitreux.

— Mary ?

— Fiche-moi la paix ! J'en ai fini avec toi.

Tournant les talons, elle se précipita vers la porte. Herrick interrogea Lisle du regard, vit son imperceptible hochement de tête, et laissa la jeune femme sortir.

Dans la taverne, le silence était de plomb.

Un sourire radieux aux lèvres, Olivia dévisagea tour à tour les deux Rankin.

— Eh bien, voilà qui était édifiant ! commenta-t-elle avec entrain.

— Qu'avez-vous fait du coffre ? demanda Lisle qui, lui, ne souriait pas du tout.

Le dénommé Roy soutint effrontément son regard.

— Je sais pas de quoi vous parlez. Cette fille a perdu la boule. Elle raconte n'importe quoi.

Lisle se leva d'un bond, saisit Roy par les épaules de sa veste et le souleva presque de terre avant de le projeter contre le mur.

— Lisle, s'interposa Olivia, croyez-vous vraiment que...

— Nous avons essayé votre manière. Essayons la mienne, à présent !

Elle se leva vivement pour s'écarter de la table. Jock l'imita dans l'intention manifeste de déguerpir, mais Lisle lui bloqua la route en renversant la table. Glaud, déséquilibré, tomba de sa chaise et s'étala sur le sol.

Lisle attrapa Jock et l'envoya valdinguer à travers la salle. Sur son passage, le nigaud renversa une table et quelques chaises.

Dans la taverne, tous les clients s'étaient levés.

— J'en ai assez de ce petit jeu, gronda Lisle. Je vais compter jusqu'à trois, et vous me direz ce que vous avez fait de mon coffre. Ensuite je vous ferai enchaîner et traîner jusqu'au château. Et là, je vous ferai jeter tous les deux du haut des remparts !

Roy se redressa en se frottant la nuque.

— Vous pouvez pas faire ça. Les temps ont changé, protesta-t-il.

— *Un.*

— T'inquiète pas, dit Roy à l'intention de son frère. Il bluffe. Il peut pas faire ça, c'est interdit par la loi. Ce serait un meurtre. Vous l'avez entendu, vous autres ? Il nous a menacés de mort. Toi, Tam MacEvoy, tu l'as entendu ?

— Non, j'ai rien entendu, rétorqua Tam, goguenard.

— Moi non plus, assura Craig Archbald.

— Quelle honte ! lança quelqu'un. Profiter de la faiblesse de ce pauvre Glaud pour faire pression sur sa sœur. Et ils ont pas fait que ça, ces ordures !

— Vous voulez qu'on vous aide à leur flanquer une raclée, Votre Seigneurie ? beugla un autre.

— Y a pas de raison qu'on s'amuse pas un peu, nous aussi ! renchérit un client.

— Mullcraik, va chercher de la corde !

— *Deux*, articula Lisle.

Jock se rebiffa :

— Si vous nous tuez, vous le trouverez jamais ce foutu coffre !

— C'est vrai, reconnut Lisle. Mais vous ne l'aurez pas non plus. *Trois.*

Roy échangea un regard avec Jock. Tout à coup, ils bousculèrent les hommes les plus proches et se ruèrent vers le fond de la salle. Une chope vola dans les airs et heurta le crâne de Roy qui s'écroula comme une masse.

Dans la confusion générale, plusieurs villageois se précipitèrent vers les deux frères.

Lisle félicita Olivia :

— Bien visé !

Par-delà le tohu-bohu, on entendit Jock hurler :

— Nooon ! Arrêtez-les, Votre Seigneurie. Ils vont nous mettre en pièces !

— Alors dis-lui où se trouve le coffre, rugit l'un de ses assaillants.

La foule s'écarta, et Jock apparut, encadré par deux solides gaillards. D'autres étaient en train de transporter Roy inconscient.

— Alors, où est-il ? demanda Lisle calmement.

Jock baissa les yeux sur son frère, mais l'un des hommes qui le maintenaient le secoua avec impatience.

— Réponds, abruti ! ordonna-t-il.

— Dans... dans l'église, bredouilla Jock.

Il était tard, mais tout le village les accompagnait. Brandissant torches et lanternes, les hommes riaient et plaisantaient. Ils avaient aidé Lisle à capturer les deux vauriens et se faisaient une joie de l'aider à récupérer le Coffre Subtilisé, comme l'appelait Olivia.

— Votre méthode était peut-être meilleure après tout, admit celle-ci alors qu'ils pénétraient dans l'église en ruine.

— Nous avons travaillé en étroite collaboration. Vous avez commencé par leur ramollir le cerveau – surtout celui de Jock. Il ne me restait plus qu'à les malmener un peu.

— Tout de même, vous êtes doué quand il s'agit de mener les hommes à la bataille.

— Quoi qu'il en soit, cela a fonctionné, conclut Lisle. Si Jock n'avait pas vendu la mèche, nous aurions pu chercher des mois durant sans rien trouver.

— Même en sachant que le coffre était ici, ajouta-t-elle en regardant autour d'elle.

Elle n'avait pas tort. Lisle avait l'habitude de chercher des trésors, mais dans un contexte bien différent. À la lumière du jour, cela aurait sans doute été plus facile, mais pour l'heure tous les tas de pierres se ressemblaient.

On amena Jock, qui avait les mains liées.

— Ici, dit-il en donnant un coup de pied dans une large pierre plate. Sous ce tas-là.

Le monticule de décombres n'avait rien de particulier, et rien n'indiquait qu'il avait été dérangé dernièrement. Tout le monde se mit à l'ouvrage, et l'endroit fut rapidement dégagé.

Un trou avait été creusé dans la terre. Le coffre gisait au fond. À L'aide de cordes, les hommes réussirent à le remonter. Lisle permit aux villageois de le contempler tout leur saoul pendant quelques minutes. Il faut dire qu'on ne voyait pas cela tous les jours, un coffre aussi ancien avec des tas de serrures tarabiscotées.

Enfin, Lisle déclara :

— Nous allons le charger dans la charrette et le ramener au château pour la nuit. Mais j'attends tous ceux que cela intéresse demain chez le forgeron, à l'heure où il ouvre sa boutique.

Un homme de haute taille s'avança alors.

— Je vous demande pardon, Votre Seigneurie, mais je suis John Larmour, le forgeron. Vous n'êtes pas obligé d'attendre jusqu'à demain. Je peux faire ça maintenant à la forge, si vous voulez. Il suffit de ranimer le feu. Quoique, à regarder ce coffre, je ne pense pas que nous en aurons besoin.

Des acclamations accueillirent cette proposition. « Quels braves gens », songea Lisle, qui répondit, la voix un peu enrouée par l'émotion :

— Merci, Larmour. C'est très aimable à vous, et j'accepte volontiers. Herrick, envoyez donc quelqu'un au château afin d'inviter lady Cooper et lady Withcote à se joindre à nous.

— Ainsi que les femmes de chambre, ajouta Olivia.

— Ainsi que les femmes de chambre, répéta Lisle. Et tout le monde. Et amenez donc aussi nos prisonniers. Je ne voudrais pour rien au monde qu'ils manquent cela.

Ils vinrent aussi, les vieillards, les femmes et les enfants qui sortaient par grappes des modestes cottages. La foule se rassembla devant l'échoppe du forgeron. Une partie se serra à l'intérieur, et les plus chanceux se massèrent devant la fenêtre et la grande porte restée ouverte, les enfants juchés sur les épaules de leurs pères.

Dans la forge, les flammes des bougies jetaient des ombres mouvantes sur les murs et éclairaient les visages dévorés de curiosité.

Les Harpies étaient assises au premier rang, sur des tabourets rembourrés que les valets avaient pensé à apporter. Leurs caméristes se tenaient derrière elles.

Jock et Roy étaient là, bien entendu, les mains et les chevilles entravées, et surveillés de près par de grands costauds.

John Larmour étudia le coffre pendant un long moment avant de déclarer :

— Un travail superbe, vraiment. C'est dommage de le forcer, mais je vais être obligé d'y aller à la scie à métaux pour briser les cadenas.

Lisle donna son assentiment d'un signe de tête, et le forgeron se mit à l'ouvrage.

Il ne lui fallut guère de temps. Une fois les cadenas ouverts, Olivia put de nouveau s'attaquer aux mécanismes de fermeture. Elle mit un certain temps à trouver le cache qui masquait la première serrure et, cela fait, entreprit de la taquiner à l'aide des divers outils du forgeron.

Enfin un déclic se produisit.

Ensuite, il fallut faire tourner des petites molettes métalliques tout en retirant simultanément certains crochets. Lisle lui prêta main-forte et ils réussirent la manœuvre avec brio. Elle dut faire jouer un autre mécanisme, mais cette fois elle avait compris le système et fut plus prompte à en venir à bout.

Lisle remarqua qu'elle prenait soin de se positionner de manière à bloquer la vue aux personnes présentes.

Victorieuse, elle s'écarta enfin. Un tonnerre d'applaudissements retentit et elle fut chaudement félicitée par les villageois impressionnés.

— Bravo, la belle !

— Un sacré coup de main, la gamine !

Olivia se tourna vers Lisle.

— À vous l'honneur.

Il se pencha et souleva le lourd couvercle.

Un plateau de métal ouvragé apparut. Il dissimulait l'intérieur du coffre. Aussitôt chacun y alla de ses supputations. Il y avait des pièces d'or là-dessous, assuraient les uns. Des bijoux, affirmaient les autres. De l'argenterie. Des pierres précieuses. Du linge sale, hasarda même un petit malin.

— Des gravures licencieuses, gloussa lady Cooper. Je vous parie cinq livres, Millicent.

— Ne soyez pas ridicule, rétorqua lady Withcote. Cela ne pèserait pas aussi lourd s'il n'y avait que du papier là-dedans. Je pencherais plutôt pour des sculptures. Peut-être ces satyres en cuivre qui ont eu tant de succès à une époque.

— J'ai toujours aimé les satyres, soupira rêveusement lady Cooper.

— Vous parlez de lord Squeevers, j'imagine.

— Squeevers le Bigleux ? Non, lui je l'appelais le Cyclope.

— Il avait de ces jambes poilues...

— Vous auriez vu le reste !

— Mais, je l'ai vu.

— Vous rappelez-vous la fois où...

— Bon, les paris sont lancés, rien ne va plus ? coupa Olivia. Parfait. Maintenant lord Lisle, si vous voulez bien mettre fin à cette attente insoutenable.

Lisle souleva le plateau de métal.

Il n'y avait ni bijoux ni pièces d'or luisant doucement à la lueur des bougies – ce qui d'ailleurs ne surprit pas Lisle.

À l'intérieur du coffre reposait un vêtement coupé dans un épais tissu broché.

— Oh... une vieille robe de chambre ! murmura Olivia, dépitée.

— Cela n'a pas de sens, riposta Lisle. Qui se donnerait tant de mal pour cacher de vieux vêtements ? Ce coffre n'a pas été ouvert depuis des siècles et...

Lisle s'interrompit. Tout en parlant, il avait plongé la main dans le coffre et ses doigts venaient de rencontrer une surface solide. Il ôta le vêtement avec précaution, et se rendit compte que l'objet, quel qu'il soit, était enveloppé dans plusieurs couches de tissu.

Lisle le souleva et le déposa sur l'établi du forgeron.

— J'ignore ce que c'est, mais ça pèse son poids, commenta-t-il.

Un murmure courut dans la foule, chacun interrogeant son voisin.

Lisle écarta les couches d'étoffe, révélant un coffret rectangulaire en plomb. Dieu merci, celui-ci ne comportait qu'une seule serrure, de type tout à fait banal. Il ne fallut à Olivia que quelques minutes pour en venir à bout.

Le silence se fit lorsqu'elle souleva le couvercle.

— Ô mon Dieu! chuchota-t-elle.

Lisle retint sa respiration, puis demanda dans un souffle:

— Est-ce ce que je pense que c'est?

— Mais c'est quoi, bon sang? grogna Jock. Ils vont encore nous faire mariner longtemps?

— Ils le font exprès pour nous taper sur les nerfs, assura Roy.

Ils avaient sous les yeux un épais parchemin. Bien que l'encre se soit délavée au fil des ans, l'écriture élégante était parfaitement lisible. Au bas du document plus large que long était apposé un sceau de cire dans lequel était emprisonné un long ruban rouge.

— C'est un vieux papier, dit quelqu'un près de Lisle.

Jock gémit:

— Un papier! Tout ce travail, toutes ces années à creuser pour un vieux papier bon à jeter!

— C'est sûrement précieux, contra Roy. Y a des imbéciles comme le vieux Dalmay qui sont prêts à payer très cher pour des vieilleries comme ça.

— Mais il est mort, se lamenta son frère. Qui achèterait ça maintenant? Bon sang Roy, tu parlais de pièces d'or et d'argent, de bijoux!

— Eh ben, on en a trouvé! se défendit Roy.

— Trois pauvres pièces, une vieille timbale, une cuillère et une boucle d'oreille ! Tu appelles ça un trésor, toi ? brailla Jock, avant de mugir : Et eux, c'est quoi qu'ils ont trouvé, hein ?

— Ce sont des lettres de patente, annonça Lisle.

Les frères Rankin ignoraient de quoi il s'agissait et le firent savoir. Quelques voix s'élevèrent çà et là pour leur promettre une bonne correction s'ils ne se taisaient pas. Matés, ils ravalèrent leur amertume.

Lisle parcourut le document rédigé en latin. À son côté, Olivia s'efforçait également de déchiffrer le texte, bien qu'elle n'ait que des rudiments de latin, contrairement à Lisle qui maîtrisait en outre le grec et six autres langues. Olivia dut néanmoins saisir le sens général, car il la vit essuyer une larme d'émotion.

Lui-même n'aurait pas dû se sentir aussi bouleversé. Il avait tenu entre ses mains des antiquités bien plus précieuses. Mais aucune ne l'avait touché de manière si personnelle, et il avait la gorge nouée.

— Alors, c'est quoi, Votre Seigneurie ? demanda quelqu'un.

Lisle se ressaisit et répondit :

— Ce n'est pas ce que la plupart des gens considéreraient comme un trésor, cependant c'en est bel et bien un. Un trésor de famille. Ce parchemin, daté du 21 juin 1431, porte la signature du roi James Ier d'Écosse.

Un concert de « Aaah ! » et de « Oooh ! » lui apprit que l'assistance mesurait parfaitement l'importance de cette relique. Au milieu du brouhaha, Lisle distingua la voix des frères Rankin qui se disputaient quant à la valeur vénale d'un tel document. Il fallut que quelqu'un les rabroue de nouveau pour les réduire au silence.

Lisle enchaîna :

— Dans ce parchemin, le roi octroie à mon ancêtre sir William Dalmay le droit de construire le château de Gorewood, «un château ou une forteresse qui seront cernés de murailles, de fossés et de palissades», est-il précisé.

— Vous pouvez nous le lire en entier, Votre Seigneurie ? s'enquit Tam MacEvoy.

Lisle s'exécuta. Il lut tout d'abord le texte en latin, afin de préserver la solennité de l'instant, puis il le traduisit devant la foule tout ouïe.

Lorsqu'il eut terminé, Tam MacEvoy hocha la tête.

— Si je comprends bien, Votre Seigneurie, ça prouve que le château de Gorewood vous appartient.

— Que ça vous plaise ou non ! ajouta quelqu'un dans l'assistance.

Il y eut des rires en réponse.

— Et nous aussi, on fait partie du lot, ajouta Tam. Faudra vous y faire, Votre Seigneurie !

Les villageois opinèrent du bonnet en échangeant des sourires. Lisle parcourut la foule d'un regard troublé ; ces gens qui, tout en riant, n'en étaient pas moins tout à fait sérieux.

La main d'Olivia se posa sur son bras.

— Vous avez encore cette expression, chuchota-t-elle.

— Quelle expression ?

— Accablée de culpabilité.

— C'est à cause de ces gens. Et de mon père. De la négligence dont il s'est rendu coupable...

Elle lui pressa le bras.

— Oui, je sais. Il faudra que nous en parlions. Plus tard.

Elle replaça avec précaution le parchemin dans son coffret. Puis, alors qu'elle s'apprêtait à rabattre le couvercle, elle s'interrompit.

— Que se passe-t-il ? interrogea Lisle.

— Il y a quelque chose qui brille, au fond, dans l'angle… Une pièce, on dirait. Ou…

Elle attrapa l'objet en question, et le leva à hauteur d'yeux. Il s'agissait d'une bague, de femme apparemment : un anneau d'or orné de pierres qui rutilaient, des rubis ou peut-être des grenats, d'un rouge aussi ardent que celui de ses cheveux.

Il y eut des exclamations admiratives, et ceux des premiers rangs se tournèrent pour passer le mot aux autres. Il y eut aussi des applaudissements. Et des grognements de dépit du côté des frères Rankin.

Olivia tourna vers Lisle un regard lumineux.

— Vous voyez ? C'est un grand moment de joie pour tout le monde – excepté les méchants de l'histoire. Savourez-le.

Quelques heures plus tard

Debout devant la fenêtre, Lisle observait le ciel nocturne plutôt nuageux dans lequel quelques étoiles consentaient à briller.

Quand tous avaient eu fini de s'extasier sur le trésor, ils avaient remis le coffre dans la charrette et avaient regagné le château en une longue procession joyeuse.

Seuls Roy et Jock faisaient grise mine. Sitôt arrivés, ils avaient été enfermés dans le donjon en attendant que Lisle décide de leur sort.

Encore un problème à régler.

Il en avait rencontré de semblables en Égypte où il avait eu affaire à des autochtones mécontents, des ouvriers revendicatifs, des voleurs, des escrocs. Parfois tout allait mal. Les bateaux sombraient. Les rats envahissaient le chantier. La maladie frappait.

C'était sa vie. Une vie intéressante, parfois même exaltante.

Et maintenant...

Un coup léger frappé à la porte le fit tressaillir. Il alla ouvrir. Olivia se tenait sur le seuil, vêtue d'un déshabillé blanc vaporeux orné de rubans, dentelles et ruchés... Ses cheveux flottaient sur ses épaules dans un glorieux désordre.

Il l'attira à l'intérieur et referma la porte. Puis, changeant d'avis, il rouvrit le battant et la poussa dehors.

— Décidez-vous, lui dit-elle.

— Vous entrez dans la chambre d'un homme en pleine nuit, dans une tenue indécente, et vous voudriez qu'il prenne des décisions ?

Depuis combien de temps n'avaient-ils pas... ?

Des jours et des jours. Une éternité.

— Il faut que nous parlions, déclara-t-elle.

Il l'attira de nouveau à l'intérieur et ferma la porte.

— Que les choses soient claires : une fille qui rend visite à un homme habillée comme vous l'êtes cherche les ennuis.

— C'est vrai, reconnut-elle.

— Bon. Dès lors que c'est entendu...

Il se débarrassa de sa robe de chambre.

En dessous, il ne portait rien du tout.

— Oh, fit Olivia.

À la lueur du feu, ses boucles lustrées avaient l'éclat liquide des rubis et des grenats. Sa peau nacrée semblait caressée par la lune. Il la souleva dans ses bras et l'emporta pour la déposer sur le lit.

— D'accord, dit-elle, nous parlerons après.

— Oh, que oui ! acquiesça-t-il. Nous avons beaucoup à nous dire.

D'une main impatiente, il retroussa le déshabillé et resta un instant à contempler ses longues jambes déliées.

— Vous aimez mes jambes, remarqua-t-elle.

— À un point tel que c'en est inquiétant.

Il se pencha, sema une pluie de baisers sur l'une de ses jambes en partant de la cheville. Elle ferma les yeux, se cambra.

— Homme cruel et sans cœur…

— Vous oubliez « diabolique ».

Il lui caressa l'intérieur des cuisses, de haut en bas, puis de bas en haut. Lentement. Elle renversa la tête en arrière, offerte.

Ses doigts atteignirent le cœur de sa féminité.

— Vos mains, oh, vos mains, Lisle !

Elle se redressa, arracha les rubans qui fermaient son déshabillé et s'en débarrassa en hâte avant de faire passer sa chemise de nuit par-dessus sa tête. Ses boucles ruisselèrent sur ses épaules, comme un rappel du triangle cuivré qui moussait entre ses cuisses.

Ce n'était vraiment pas difficile de l'imaginer en train de danser nue dans le désert, sous la lune.

— Assez de ces âneries sur la vertu et l'honneur ! s'exclama-t-elle. Je ne serai jamais vertueuse. Vous ne pouvez pas exiger cela de moi.

— Je vous assure que c'est bien la dernière chose à laquelle je…

— Venez, dit-elle en se rallongeant, les bras tendus. Venez !

Comme il s'agenouillait entre ses jambes, elle lui prit les mains pour les poser sur ses seins. Il se pencha, la gratifia d'un long et tendre baiser, tout en lui pétrissant doucement la poitrine. Tandis qu'elle faisait courir ses mains sur son dos et ses fesses musclées, elle creusa les reins pour sentir son sexe dur contre son ventre. Sa main chemina entre eux, et elle se saisit avec hardiesse de sa virilité. Doucement, ses doigts se mirent à aller et venir.

Lisle émit un son étranglé.

— Vous avez fini de jouer ? demanda-t-il d'une voix rauque.

— Je commence à peine.

Elle le poussa légèrement. Il comprit, et roula sur le dos. Elle s'installa à califourchon sur lui.

— Je sais qu'on peut faire cela, j'ai vu des illustrations, dit-elle.

Riant, il la prit aux hanches et la guida tandis qu'elle s'empalait lentement sur son sexe dressé. Un long soupir tremblant s'échappa des lèvres de la jeune femme.

— Oh, Lisle… mon chéri !

Elle inclina le buste. Son mouvement accentua la pression de sa chair intime sur son sexe, et il ne put retenir un grondement de plaisir. Elle l'embrassa. Un baiser profond, brûlant, qui l'emporta, balaya toute raison, alors qu'elle imprimait son propre rythme à leur étreinte.

Bientôt la cadence s'accéléra, comme s'ils n'avaient que trop attendu, qu'ils n'en pouvaient plus et que c'était leur dernière chance de s'aimer ainsi.

Lisle regarda ses grands yeux aux pupilles si dilatées qu'ils en paraissaient noirs, le halo ardent de sa chevelure autour de son visage ravissant.

— Je vous aime, murmura-t-il.

Et le plaisir déferla.

Un long moment s'écoula.

Le monde avait retrouvé sa quiétude. Olivia se laissa glisser doucement le long du flanc de Lisle.

Étendu sur le dos, les yeux fixés sur le ciel de lit, il écouta sa respiration se calmer.

Elle posa une main légère sur son torse qui se soulevait et retombait encore à un rythme rapide. Même si le tumulte en lui n'était pas tout à fait apaisé, il était sûr d'une chose. Absolument sûr.

— Je vous aime, répéta-t-il en couvrant sa main de la sienne.

20

Olivia savoura ces paroles, les laissa se frayer un chemin jusque dans son cœur et les y retint, auprès de ses secrets les plus chers.

Elle savoura également le silence. Les murs épais du château les isolaient du monde extérieur et étouffaient tous les bruits parasites. Elle n'entendait que le crépitement du feu dans l'âtre et les battements anarchiques de son propre cœur

Elle se redressa sur le coude pour le regarder et répondit :

— Je commençais à soupçonner quelque chose de ce genre.

— Je vous aime, et vous aussi vous m'aimez. Ce n'est pas possible autrement. Nous sommes faits l'un pour l'autre, c'est une évidence.

Elle prit une profonde inspiration, exhala un long soupir.

— Ne bougez pas, lui enjoignit-elle.

Se glissant hors du lit, elle attrapa sa chemise de nuit qu'elle enfila rapidement. Lisle se redressa vivement, l'air affolé.

— Olivia !

— Je veux vous montrer quelque chose. Je ne serai pas longue, promit-elle.

Lorsqu'elle revint, munie d'un coffret en bois laqué, il avait passé sa robe de chambre et arpentait la chambre.

— Désolée, s'excusa-t-elle. Bailey m'attendait alors qu'elle aurait dû dormir depuis longtemps. Elle est toujours sur le qui-vive, tel Argus et ses cent yeux. Elle m'a dit que j'allais attraper la mort, et m'a obligée à enfiler une robe de chambre.

Elle posa le coffret sur le lit avant d'y grimper, puis elle tapota le matelas.

— Venez, je vais vous montrer mes trésors.

— Je pensais que c'était déjà fait.

Il la rejoignit, l'embrassa sur la tempe.

— Vous n'êtes pas censée bondir hors du lit quand un homme vous annonce qu'il vous aime. Vous n'avez donc aucune éducation ?

— Mais je voulais absolument vous montrer *ceci*, protesta-t-elle.

Elle ouvrit la boîte et commença à sortir les paquets de lettres, le petit bonhomme en bois peint – le premier cadeau qu'il lui avait fait –, le bracelet de turquoise, le morceau d'albâtre, le mouchoir brodé à ses initiales qu'elle lui avait chipé quelques semaines plus tôt, etc. Un bric-à-brac hétéroclite précieusement amassé durant plus de dix années.

La gorge serrée, elle leva les yeux sur lui.

— Vous voyez ? Moi aussi, je vous aime.

— Je vois, murmura-t-il. Oui, je vois.

Elle l'avait dit, mais dans sa bouche les mots avaient une valeur toute relative. Elle était capable de faire croire n'importe quoi à n'importe qui, il le savait, et elle savait qu'il le savait. Alors elle avait voulu lui montrer sa boîte à secrets, celle qui contenait tous les trésors auxquels elle tenait réellement. Ce faisant, elle lui avait ouvert son cœur.

Il déglutit avec difficulté. Après un long silence vibrant, il murmura :

— Vous devez m'épouser, Olivia.

Les yeux baissés sur sa collection chérie, elle répondit dans un souffle :

— Je crois, oui. J'ai voulu faire preuve d'abnégation, être courageuse et me sacrifier, mais finalement je n'y arrive pas.

Il la fixa, stupéfait, tandis qu'elle replaçait posément les colifichets et les lettres dans le coffret.

— Vraiment ? fit-il.

— Oui. J'ai cru pouvoir être la plus forte, mais vous ne cessez de gagner du terrain. Comme la moisissure.

— Très agréable.

Il éprouvait un soulagement inouï. Comme si un poids énorme dont il ne s'était rendu compte qu'il pesait sur lui venait de lui être enlevé.

— Nous nous complétons, dit-elle encore. Nous nous aimons, nous sommes les meilleurs amis du monde, et au lit cela se passe plutôt bien.

— Plutôt bien ?

— En tout cas bien mieux que la nuit de noces de lady Cooper !

Il s'esclaffa.

— J'ai fait mieux que le premier mari de lady Cooper, et en plus j'ai la bague ! Je m'en sors mieux que bien, non ?

— La bague que nous avons trouvée dans le coffre ? Oh, ce serait parfait.

Il l'attira dans ses bras pour l'embrasser, puis suggéra :

— Pourquoi ne pas nous marier « à l'écossaise » ? Il suffit d'aller réveiller deux témoins et de se déclarer mari et femme. Le tour sera joué et vous pourrez passer la nuit avec moi en toute bonne conscience.

Elle s'écarta et lui caressa la joue.

— J'avoue que c'est très tentant, mais je crains que ma mère ne tienne absolument à assister à mon mariage.

— Ah, oui, votre mère, dit-il en hochant la tête. J'oubliais nos parents. Bon sang. La peste emporte les parents !

— J'ai une idée. Nous allons descendre voler de quoi faire un pique-nique dans le garde-manger, puis nous remonterons nous installer devant la cheminée. Et ensuite, nous pourrons comploter contre nos parents.

Une demi-heure plus tard

Assis en tailleur devant le feu que Lisle avait ravivé, ils avaient dévoré une demi-miche de pain accompagnée d'un excellent fromage. Ils avaient également apporté de la cuisine une carafe de vin et buvaient à tour de rôle, à même le goulot.

— Mes parents, soupira Lisle. Mes satanés parents ! Je suis en train de vivre le moment le plus heureux de ma vie, et il faut qu'ils se glissent dans la pièce comme… comme…

— Des fantômes.

Il prépara une tartine de fromage, la tendit à Olivia.

— Mon père, dit-il sombrement. Je lui en veux pour ce qu'il a fait subir à ces gens qui dépendent de lui. Il a changé d'avis cent fois, donné des ordres contradictoires, édicté des règles par pur caprice. Il a même augmenté les loyers sur un coup de tête. Bref, chaque fois qu'il s'est occupé de Gorewood, il n'a fait que créer des problèmes supplémentaires. Les frères Rankin ne sont pas les seuls à voler, intimider les braves gens et vandaliser les propriétés privées. Mais ici personne ne fait respecter la loi. Lord Glaxton se garde bien d'intervenir. J'ai appris que les rares fois où il a essayé, mon père l'a menacé de poursuites judiciaires. Quant aux villageois, ils sont trop occupés à tâcher de survivre dans ces conditions. Pour ma part, je peux superviser les travaux et fournir du travail à ces gens, mais je suis bien incapable de faire entendre raison à mon père, et je sais pertinemment que dès que j'aurai le dos tourné, tout recommencera comme avant. D'un autre côté, je ne peux pas rester ici.

L'expression coupable était de retour.

— Bien sûr que non, vous ne pouvez pas. Vous avez voué votre vie à l'Égypte. C'est votre destin, la voie que vous avez choisie. Vous demander de passer à autre chose, ce serait comme exiger d'un poète qu'il cesse d'écrire, ou d'un peintre qu'il remise définitivement ses pinceaux, ou... de beau-papa qu'il renonce à la politique. C'est impossible.

— Et pourtant, c'est ce que ma conscience me dicte.

— Évidemment. Vous êtes si *admirable*. Heureusement pour vous, votre fiancée n'a pas ce genre de cas de conscience.

Elle porta la carafe à ses lèvres et but une gorgée de vin.

— Je vous aime, dit-il.

— Et moi, je vous aime comme une folle. Je ferai votre bonheur, même si je dois voler et tuer. Mais ça ne devrait pas être nécessaire.

Elle contempla le feu un moment, puis :

— Oh, Lisle, j'ai une Idée !

Grande salle du château de Gorewood, dix jours plus tard

— C'est intolérable ! tonna lord Atherton. Vous lui passez tous ses caprices, Rathbourne. Car ce n'est qu'un caprice, et vous le savez très bien ! Voilà mon fils désireux de se marier, que dis-je désireux, *impatient*, et...

— Il a le cœur brisé, gémit lady Atherton. Regardez-le, le pauvre garçon.

Lisle avait l'air qu'il a d'ordinaire lorsque ses parents font une de leurs crises. Mais ils interprétaient toujours ses propos et ses actes à leur façon. Il n'y avait pas de raison qu'il en soit autrement aujourd'hui.

Il leur avait adressé la lettre qu'Olivia lui avait dictée – sans mots soulignés et sans majuscules. De son côté, elle avait écrit à sa mère et à son beau-père. Le marquis et la marquise d'Atherton avaient débarqué à Gorewood peu de temps après, devancés de justesse par lord et lady Rathbourne.

Tous quatre avaient hâte de marier Lisle et Olivia, quoique pour des raisons différentes. La nouvelle de leurs noces les avait donc enchantés.

C'est alors qu'Olivia avait prétendu avoir changé d'avis.

Entre-temps, lady Cooper et lady Withcote étaient parties en visite au château de Glaxton. Olivia avait jugé cela plus prudent. Bien que pleines de bonne volonté, les deux Harpies risquaient de vendre la mèche lors d'une soirée trop arrosée.

Même Lisle, qui était parfaitement sobre, craignait de se trahir. Jouer la comédie n'avait jamais été son fort.

— Ne vous en faites pas, mère, intervint-il. Certes, je suis déçu, mais je me ferai une raison.

— Je ne peux pas obliger Olivia à se marier, insista lord Rathbourne, visiblement navré.

— Mais elle l'aime, elle l'a dit ! glapit la marquise. Et lui aussi l'aime. Il nous a écrit qu'ils allaient se marier, et je l'ai répété à *tout le monde* !

— Elle a changé d'avis, c'est tout, intervint lady Rathbourne. Olivia est coutumière du fait.

— Mais pourquoi ? *Pourquoi ?* ulula la marquise en tournant vers Olivia un regard accablé.

Cette dernière toussota.

— En toute sincérité, je préférerais ne pas avoir à fournir d'explication pour ne pas vous froisser. Mais s'il le faut vraiment… Voilà, je n'avais tout simplement pas compris que Lisle n'avait pas un sou. Il n'est donc plus question que je l'épouse.

Lord et lady Rathbourne échangèrent un regard.

Le marquis et la marquise ne s'en aperçurent pas. Ils ne s'apercevaient jamais de rien. Pour le moment, tout ce qu'ils comprenaient, c'était qu'une des filles les plus riches d'Angleterre était en train de repousser leur fils.

— Voyons, Pérégrine est mon fils aîné, il héritera de toute ma fortune ! protesta le marquis.

— Mais pas avant très longtemps, plaise à Dieu, rappela Olivia. Je vous souhaite une longue et heureuse vie, milord, ajouta-t-elle, la bouche en cœur.

— Olivia, intervint la marquise, vous avez dit que vous teniez à lui. Avant de partir pour l'Écosse, vous nous avez laissé entendre que vous accepteriez volontiers sa demande en mariage.

Même si ses parents l'horripilaient au plus haut point, Lisle avait de plus en plus de mal à garder son sérieux. Il admirait le jeu d'Olivia qui, depuis une heure, manœuvrait ses parents pour les amener petit à petit exactement là où elle le voulait.

— Certes, répondit celle-ci, mais c'était avant de comprendre à quel point sa situation était délicate.

En l'épousant, je deviendrais la risée de Londres, et lui-même baisserait dans l'estime de ses pairs. Les gens prétendraient que je cherchais si désespérément un mari que je n'ai pas hésité à épouser un coureur de dot.

— Un coureur de dot ! hurla la marquise, suffoquant d'indignation.

— Bien sûr, je n'en pense pas un mot, la rassura Olivia. Je sais bien que Lisle n'est pas ainsi. Il m'épouserait même si j'étais pauvre comme Job. Mais vous savez comme les gens sont mauvaises langues. Je ne supporterais pas que son nom soit sali par de telles insinuations. Cela me chagrine beaucoup, car je trouve que nous étions bien assortis, mais je crains que cette union ne puisse se faire.

Elle pivota vers Lisle, ses grands yeux bleus brillant de larmes. Des larmes qu'elle pouvait verser ou retenir à volonté, il en était convaincu.

— Mon cher Lisle, j'ai bien peur que notre amour ne soit maudit, dit-elle avec un vibrato dans la voix.

— C'est vraiment malheureux, avoua-t-il, car j'avais déjà la bague et le reste.

— Tout ceci est absurde ! s'emporta lord Atherton. Pérégrine n'est absolument pas dans le besoin.

— Il ne possède rien en son nom propre, insista Olivia. Il ne peut compter sur aucune source de revenus en dehors d'une simple pension...

— Une pension fort généreuse ! coupa le marquis. Et que je me proposais d'ailleurs d'augmenter, étant donné le travail qu'il a accompli ici, à Gorewood.

— Certes, soupira Olivia, mais une pension que vous pouvez lui octroyer ou lui retirer à votre guise. Elle ne lui *appartient* pas.

L'expression du marquis se modifia soudain. Il plissa les paupières.

— Est-ce le seul véritable obstacle ? demanda-t-il. L'argent ?

— L'argent, oui. Mais pas seulement. Cela manquerait de… substance. Ce que nous souhaiterions vraiment, c'est un domaine à exploiter. Personne n'irait accuser un propriétaire terrien d'être un coureur de dot.

Elle laissa son regard errer sur les murs de la grande salle, qui étaient désormais décorés de tapisseries coûteuses et de tableaux d'ancêtres.

— Tenez, Gorewood par exemple. Oui, maintenant que j'y pense, cela ferait très bien l'affaire, reprit-elle d'un air songeur. Si jamais vous en cédiez le titre de propriété à votre fils, j'accepterais sur l'heure de l'épouser.

Cette nuit-là

Il fut décidé qu'un grand mariage aurait lieu d'ici à un mois. Craignant toutefois qu'Olivia se ravise dans l'intervalle, le marquis et la marquise d'Atherton dépêchèrent un domestique à Édimbourg, avec pour mission de ramener un homme de loi.

Celui-ci fut chargé d'établir l'acte légal par lequel le château, ses dépendances et ses terres, ainsi que les revenus afférents, devenaient propriété du comte de Lisle.

Au coucher du soleil, tout était réglé.

Peu après, comme le permettait la loi écossaise, Olivia et Lisle se déclarèrent mari et femme en présence de leurs parents respectifs, de lady Cooper et de lady Withcote, de lord Glaxton, et d'une poignée de domestiques.

Tous se retrouvèrent dans la grande salle pour fêter l'événement. Aillier prépara un succulent dîner, dont de délectables pâtisseries cuites dans son « abominable » four.

Quand Lisle et Olivia se retirèrent discrètement, les Atherton et les Rathbourne échangèrent des sourires satisfaits. Selon eux, plus vite le mariage serait consommé, mieux chacun se porterait.

Lisle emmena Olivia sur les remparts.

Il s'occupa de barrer les portes.

On était en novembre, un novembre *écossais*, et il faisait un froid de gueux. Aussi avait-il pris soin d'apporter des tapis et des fourrures. Mais ce soir-là, par un caprice des dieux, le ciel était exempt de tout nuage et les étoiles scintillaient de mille feux.

— Je n'en ai jamais vu autant, murmura Olivia, blottie contre Lisle.

— Vous aviez raison. C'est un très beau pays, finalement. Il mérite mieux en tout cas que le traitement que mon père lui avait réservé. Vous avez été brillante, reconnut-il en l'embrassant sur la tempe.

— Dénuée de scrupules, menteuse et manipulatrice. Oui, j'étais au sommet de ma forme.

— Vous avez eu une idée de génie.

— Elle tombait sous le sens. Qui mieux que vous mériterait d'être laird de Gorewood ?

— Et qui d'autre que vous était à même de réussir l'impossible : obliger mon père à céder de son plein gré quelque chose auquel il se cramponnait sans savoir qu'en faire.

— Attendez un peu et vous verrez : bientôt, nous obtiendrons que vos frères viennent vivre avec nous.

— Quand ils seront un peu plus âgés, j'aimerais qu'ils aillent au collège. Rester assis sur les bancs d'une école ne convenait pas à mon tempérament, mais ils sont différents, et je crois qu'ils y seraient heureux.

— Et vous, serez-vous heureux ici ? murmura-t-elle.

— Bien sûr. De temps en temps. Mais vous savez que je ne m'adapterai jamais totalement à cette contrée.

— Je ne vous le demande pas. Heureusement nous avons Herrick.

Lisle sourit.

— Ma première décision en tant que laird de Gorewood sera de le nommer régisseur. L'exercice du pouvoir est très agréable, en définitive. C'est extraordinaire de se sentir libre d'agir à sa guise, en accord avec sa conscience. J'aurais été rongé de culpabilité si j'avais dû abandonner tous ces gens à l'inconséquence de mon père. À présent, rien ne m'oblige à lui parler des frères Rankin. Et si l'histoire lui arrivait quand même aux oreilles, il ne pourrait pas s'opposer à ma volonté. Même chose pour Mary Millar. Désormais, ce n'est plus à lui d'engager ou de renvoyer le personnel. Gorewood va enfin échapper au chaos.

Lisle avait donné le choix aux frères Rankin : soit il les traînait au tribunal, soit ceux-ci acceptaient de participer durant les cinq années à venir à la modernisation des routes et à la réfection des cottages du village. Les deux larrons avaient choisi de travailler.

— Cinq années d'honnête labeur réformeront peut-être les Rankin. Sinon… ma foi, nous verrons cela le moment voulu. Et pour ma part, je n'ai vu aucune raison de congédier Mary.

— Elle ne le méritait pas. Elle était dans une situation impossible, mais finalement, elle a fait ce qu'il fallait.

— On ne peut décemment pas demander plus aux gens.

Comme elle tournait la tête vers lui, sa fourrure glissa de son épaule. Il la remonta d'un geste plein de tendresse. Un peu plus tard, il la déshabillerait. Lentement. Ou peut-être très rapidement. Mais ici, sur les remparts, il faisait trop froid pour des galipettes.

— Vous aussi, vous avez fait ce qu'il fallait, lui rappela-t-elle. Dans des circonstances difficiles, et dans un lieu où vous auriez préféré ne pas mettre les pieds.

— J'ai beaucoup appris, reconnut-il en la serrant plus étroitement. C'est exaspérant, mais je suis obligé de reconnaître que c'est grâce à mon père.

— Et à moi. J'ai ma part de responsabilité dans l'œuvre que nous avons accomplie.

— Nous en aurions donc terminé ?

— Pas tout à fait, admit-elle. Mais quand viendra l'heure de ce mariage fastueux, tout sera en place. Rien ne nous empêchera de partir en voyage de noces.

— Oh, j'avais complètement oublié ce détail ! Ma foi, il faut faire des sacrifices de temps en temps, je suppose. J'imagine que vous voudrez aller dans un endroit romantique. Paris. Venise.

— Ne dites pas de bêtises, lui souffla-t-elle à l'oreille. Tout le monde va à Paris ou à Venise. C'est d'un commun ! Moi, je veux voir le Sphinx, les Pyramides, les tombeaux et les momies puantes et décaties. Emmenez-moi en Égypte, cher ami !

*Découvrez les prochaines nouveautés
de nos différentes collections J'ai lu pour elle*

AVENTURES
&PASSIONS

Le 6 juillet :

`Inédit` **Les débauchés — 1 La fille du Lion** ∝
Loretta Chase
Esme est décidée à venger le meurtre de son père, surnommée le Lion.
Rien ni personne ne doit la distraire de son objectif. Y compris lord
Edenmont. Ayant perdu au jeu toute la fortune familiale, adepte du
moindre effort, fréquentant les lits douillets des femmes faciles, Varian n'a
pas du tout l'intention de partir à l'aventure avec cette rouquine armée
jusqu'aux dents.

`Inédit` **Splendide** ∝ **Julia Quinn**
Il y a deux choses que tout le monde sait, à propos d'Alex Ridgely. Il est le
duc d'Ashbourne, et il ne veut surtout pas se marier. Du moins, jusqu'au
jour où une jeune Américaine se jette sous les roues d'un fiacre pour sauver
la vie de son neveu. Elle est tout ce qu'Alex n'imaginait pas qu'une femme
puisse être. Drôle, intelligente, courageuse, droite. Mais elle est aussi
femme de chambre, ce qui ne peut absolument pas convenir à un duc… À
moins qu'elle ne soit pas tout à fait ce qu'elle prétend…

Les frères Malory — 6 La faute d'Anastasia ∝ ✓
Johanna Lindsey
Toute la famille Malory s'est réunie pour célébrer Noël. Un paquet
enrubanné, posé près de la cheminée, suscite la curiosité. L'emballage doré
ne révèle qu'un vieux cahier relié de cuir, pourtant chacun a la certitude
que son existence va être bouleversée. Car il s'agit du journal à quatre
mains qu'ont tenu, un siècle plus tôt, Christopher Malory et son épouse, la
mystérieuse Anastasi.

La rose de Charleston ❧ **Kathleen Woodiwiss** ✔

Angleterre, 1825. Alistair, le neveu de sa chère et tendre amie, a jeté à la rue Cerynise Kendall. Elle gagne les docks où elle espère trouver un moyen de se rendre à Charleston pour y retrouver son oncle. Elle retrouve un ami d'enfance, le capitaine Birmingham. Mais Alistair poursuit la jeune fille. Pour le capitaine, la seule solution pour aider Cerynise : l'épouser. C'est donc en temps que mari et femme qu'ils entament leur traversée. Mais il leur faudra affronter bien des périls s'ils veulent connaître le bonheur.

Inédit   *Jeunes filles en fleurs — 4 Séduction* ❧

Laura Lee Guhrke ✔

Fin du XXᵉ. Daisy Merrick vit avec sa sœur aînée, Lucy, dans une pension à Londres. Orphelines, les deux jeunes filles sont obligées de travailler pour survivre. Impulsive, bavarde, elle a du mal à garder son emploi. Elle décide donc de se consacrer à sa passion, l'écriture. On lui propose de critiquer la dernière pièce du célèbre auteur, le comte d'Avermore, Sebastian Grant. Critique, elle éreinte la pièce, et sera fort embarrassée lorsqu'elle sera obligée de travailler avec le comte.

Inédit   *Les Hathaway — 4 Matin de noces* ❧

Lisa Kleypas

Depuis deux ans, Catherine Marks est demoiselle de compagnie auprès des sœurs Hathaway – un emploi agréable, avec un bémol. Leur frère aîné, Leo Hathaway, est absolument exaspérant. Elle se refuse à croire que leurs prises de bec pourraient dissimuler une attirance réciproque. Mais, quand l'une de leurs querelles se termine par un baiser, Cat est choquée par l'intensité de sa réaction – et encore plus choquée lorsque Leo lui propose une dangereuse liaison.

Le 13 juillet :

Duel sur la lande ❧ **Rebecca Brandewyne** ✔

Laura Prescott est promise à Christopher Chandler depuis sa naissance. Mais elle aime en réalité son frère cadet, le tendre Nicholas Chandler. Les deux frères se disputent Laura, et la jeune femme est torturée par un terrible dilemme. Tout bascule lorsqu'elle réalise les véritables sentiments de Nicholas et qu'elle se venge de lui. Tandis que leurs familles se déchirent sous le poids des rivalités, des jalousies et des passions, Laura prend conscience des élans de son cœur envers Christopher…

Passé trouble ❧ **Elizabeth Thornton** ✓

Il y a trois ans, le père de Jessica a été assassiné sous ses yeux. Le choc, d'une violence inouïe, lui a fait perdre la mémoire. Seule trace de son passé : une horrible scène qui ne cesse de la hanter. Et le meurtrier court toujours... Peut-il s'agir de lord Dundas, le nouveau propriétaire de Hawkshill Manor ? Non, c'est absurde ! S'il avait commis ce forfait, il n'aurait jamais accepté de louer le manoir à la jeune femme. Jessica ne peut dissimuler ni ses craintes envers lui ni ce trouble qui l'envahit...

Inédit *Les débauchés — Le comte d'Esmond* ❧
Loretta Chase

Il y a neuf ans, la ravissante peintre Leila Beaumont a perdu son père, assassiné en d'étranges circonstances. Lorsque l'on découvre cette fois le corps inanimé de son mari, la jeune femme est inévitablement soupçonnée. Bien décidée à découvrir la vérité, elle demande l'aide du très séduisant comte d'Esmond, qui semble cependant cacher sa véritable identité et un passé fort trouble. Mais Leila, ne peut ignorer plus longtemps la passion qui la consume et se risque à un jeu particulièrement dangereux avec le comte.

Inédit *Les Huxtable — 5 Le temps du secret* ❧
Mary Balogh

Chaque printemps, le séduisant Constantine Huxtable choisit une maîtresse parmi les jeunes veuves de Londres. Il jette son dévolu sur Hannah Reid, duchesse de Dunbarton, qui arrive au terme de son deuil. Hannah a retrouvé sa liberté et elle sait exactement qu'en faire : prendre un amant, mais pas n'importe lequel. Elle n'en veut qu'un, Constantine Huxtable. Les deux jeunes gens, aux mœurs libertines et scandaleuses, réalisent très vite qu'ils ne peuvent se dérober à la passion qui les embrase...

Le 13 juillet :

Passion intense

Quand l'amour vous plonge dans un monde de sensualité

Inédit   ***Nuits blanches — 1 L'homme de minuit*** ↔
Lisa Marie Rice

Le très sexy John Huntington, commandant de la Navy, vient de s'installer chez la ravissante Suzanne Barron, jeune décoratrice d'intérieur. Tous deux succombent très vite à une ardente passion mais la jeune femme s'inquiète face à cette liaison torride : qui est réellement John, et ses intentions sont-elles sérieuses à son égard ? Et, lorsqu'un violent individu tente de l'assassiner, Suzanne ne peut espérer la protection que d'un seul homme : John. Mais, qui la protègera de cet intrigant séducteur ?

Sous le charme d'un amour envoûtant
CRÉPUSCULE

Inédit   ***Les amants de l'Apocalypse*** ↔   **Joss Ware**

Lorsque le docteur Elliott Drake se réveille après un sommeil de cinquante ans, il est horrifié : l'Apocalypse a eu lieu, les villes sont désertées, la nature a tout envahi, et l'Humanité est menacée par les « Immortels », des êtres criminels. Dans ce monde ravagé, il rencontre la ravissante Jade, une jeune femme farouche, qui, séduite et troublée, le laisse approcher. Mais Elliott protège un terrible secret et Jade ne sait si elle peut écouter son cœur et lui faire entièrement confiance. Une chose est certaine, s'ils veulent survivre aux ténèbres, ils doivent s'unir et combattre les forces du mal qui s'acharnent contre eux…

PROMESSES

Le 6 juillet :

9612

Composition
CHESTEROC LTD

Achevé d'imprimer en Italie
par GRAFICA VENETA
le 2 mai 2011.

Dépôt légal mai 2011.
EAN 9782290029671

ÉDITIONS J'AI LU
87, quai Panhard-et-Levassor, 75013 Paris

Diffusion France et étranger : Flammarion